D1472408

Nicolas Gogol

Nouvelles de Pétersbourg

LA PERSPECTIVE NEVSKI
LE PORTRAIT
LE JOURNAL D'UN FOU
LE NEZ – LE MANTEAU

Préface de Georges Nivat
Professeur à l'Université de Genève

Traductions et notes
de Gustave Aucouturier, Sylvie Luneau
et Henri Mongault

Gallimard

Traduction de la Bibliothèque de la Pléiade.

PRÉFACE

Une ville de liège :
le Pétersbourg de Gogol

« La pureté et la beauté de l'échec. »
WALTER BENJAMIN.

Gogol avait « l'esprit de l'escalier ». Il ne trouvait le sens de ce qu'il écrivait qu'après publication. Ainsi Le Révizor *(1836) fut par lui interprété, complété, annoté après les premières représentations. Ainsi* Le Portrait *(1835) fut récrit et pourvu d'un épilogue radicalement différent du premier (1843). Ainsi* Les Âmes mortes *(1842) furent commentées et présentées sous un jour nouveau par leur créateur lui-même dans ses fameux* Passages choisis d'une correspondance avec des amis *(1847). On peut dire qu'il en fut de même pour les* Nouvelles de Pétersbourg. *Écrits séparément, sans liaison organique entre eux, les récits ne s'ordonnèrent qu'après coup, pour le tome III des* Œuvres complètes *de 1843, sous l'enseigne de la ville de Pétersbourg. Gogol, influencé sans doute par la mode, par la lecture de Dickens ou du* Ferragus *de Balzac, et très certainement par les célèbres récits « physiologiques » de Jouy, traduits en russe et très prisés du public, se*

rend alors compte que les cinq récits La Perspective
Nevski, Le Portrait, Le Journal d'un fou, Le Nez
et Le Manteau *ont un commun dénominateur :
la ville nouvelle, la capitale artificielle, brillante
et trompeuse de l'Empire, Saint-Pétersbourg. Un
mythe va naître : le mythe de Pétersbourg*[1]. *Certes
Gogol n'est pas le premier à célébrer la ville de
Pierre Ier : les poètes officiels du XVIIIe siècle l'ont fait
avant lui. Derjavine chante la « Palmyre du Nord »
en même temps qu'il encense Catherine. Viazemski
et Pouchkine ajoutent leurs odes à celles de leurs
prédécesseurs. Mais qu'appréciait-on dans la ville ?
C'étaient les palais de Quarenghi et de Rastrelli, les
coupoles de Montferrand, les lourds quais de granit,
les colonnes rostrales de l'Amirauté, bref la monu-
mentalité de la ville nouvelle. Pouchkine, dans le
fameux prologue au* Cavalier de bronze *(1833),
résume en un seul hymne toute cette tradition :*

> Je t'aime, création de Pierre,
> J'aime ton élégance austère,
> Le cours souverain de ton fleuve
> Et sa bordure de granit,
> Les festons de fonte de tes grilles
> Et de tes nuits lourdes de songe
> Le clair-obscur...

*Chant d'amour à la ville surgie du néant, à Pierre
le « thaumaturge » qui créa la Cité comme Dieu*

---

1. Sous ce titre (*Il mito di Pietroburgho*), le slavisant italien Ettore Lo Gatto a consacré un livre utile et bien illustré
à une revue presque exhaustive de tous les auteurs qui, du
XVIIIe siècle au XXe, ont célébré ou décrit la ville fondée par
Pierre Ier (Milan, 1960).

*créa le Monde... Pouchkine célèbre un symbole :
le symbole du rempart contre les éléments. Car,
ne l'oublions pas, Le Cavalier de bronze raconte
la terrifiante inondation de 1824. Son héros, le
petit fonctionnaire Eugène, devient fou en constatant que sa fiancée a péri dans l'inondation. C'est
alors qu'il entend gronder derrière lui les sabots
de la statue célèbre de Falconet : sous l'effet de
la révolte et de l'impuissance du « petit » contre
le « Grand », la statue s'est animée et Eugène est
devenu fou...*

*L'image clé de Pétersbourg est, chez Pouchkine,
celle de la digue. Digue-rempart contre le flot, contre
la rapine, contre l'invasion. Si Pétersbourg est proclamé « fenêtre sur l'Europe », il est surtout, dans
la réalité des images, digue contre le flot, c'est-à-
dire contre la vague mouvante du peuple et de l'histoire... Eugène a tort. Pierre le Grand reste « grand ».
L'Histoire progresse, malgré les « bavures »...*

*Avec Gogol le mythe se transforme profondément.
Pétersbourg n'est plus le rempart russe contre soi-
même, mais le lieu de déportation de l'homme russe,
le lieu de sa souffrance, l'espace de son aliénation.
Les cinq récits de Pétersbourg sont tous les cinq
des « exercices de privation ». Privation de son rêve
de pureté infligée à Piskariov dans La Perspective
Nevski. Privation de la protection sociale dans Le
Journal d'un fou, privation de son propre corps
dans Le Nez, privation de son propre talent infligée
à l'artiste du Portrait, privation de toute compagne
de vie dans La Pelisse (Le Manteau).*

*La ville gruge, mutile, berne, châtre les homon-
cules qu'elle héberge. Elle prive de sens. Elle déra-*

cine *au sens propre les bannis qui s'y agglomèrent tant bien que mal.*

C'est peut-être parce que Gogol était un « provincial » et même un Petit-Russien que Pétersbourg acquit dans son œuvre ce rôle de bourreau. La ville forme contraste avec le paradis ethnique et folklorique des Veillées du hameau de Dikanka. La Terre gogolienne est génitrice par excellence. Mais Pétersbourg, lui, est un précipité de rêve et d'eau (le marais finnois) où l'homme ne peut plus s'enkyster dans la glèbe, le chaume, la bonne chère, les dictons et le folklore, bref le terreau sacré des us et coutumes, la Terre. Gogol est « monté » à Pétersbourg de sa lointaine province dans l'hiver 1828-1829, à vingt-trois ans. Il était plein du rêve de « servir » et l'État, et la Russie, et la Science. Tout n'a été qu'échec et le succès est venu accidentellement, adventicement en quelque sorte, avec ses pochades ukrainiennes. C'est dans l'une d'elles, La Nuit de Noël, qu'apparaît Pétersbourg pour la première fois : le forgeron Vakoula, à califourchon sur le diable, se rend voir la tsarine pour rapporter une paire de bottines impériales à sa bien-aimée. « Le forgeron volait toujours ; et soudain il aperçut Saint-Pétersbourg qui scintillait, tout ruisselant de feux. » Voici donc la ville des mirages : tout scintille, tonne, crie, se bouscule ; les rues sont festonnées de lumière et les chaussées regorgent de riches pelisses... Mais sitôt la paire de bottines extorquée par supplication à la tsarine, notre forgeron vole de retour auprès de sa Roxane rurale...

En 1836 Pouchkine publia dans sa revue Le Contemporain *un article anonyme de Gogol qui, dans le style journalistique de l'époque, compare Pétersbourg à Moscou. « En vérité comment la capitale russe a-t-elle pu se fourvoyer dans ce bout du monde ! Étrange peuple que le russe : il avait une bonne capitale à Kiev – bien au chaud, où il ne gèle presque pas ; il a fallu la déménager à Moscou : eh bien, non, à Moscou il ne gèle encore pas assez : Dieu aidant, ce sera Pétersbourg ! Et quel tableau, quelle nature ! l'air est tendu de brouillard ; une terre blafarde, gris verdâtre avec des souches d'arbres à demi brûlées, des sapins, des tertres... » Suit une amusante comparaison entre Moscou la marchande, la rassise, l'économe et Pétersbourg le petit-maître, le fat, le dissipateur... Derrière l'exercice de style nous retrouvons deux catégories qui ordonnent tout l'univers gogolien : les gros et les maigres (dont parle Tchitchikov au chapitre i des Âmes mortes). Les gros accumulent : Moscou ! Les maigres dilapident : Pétersbourg !*

Dans ce même essai « physiologique » sur Pétersbourg nous relevons encore une caractéristique intéressante : Pétersbourg, explique Gogol, est insaisissable ; il a « quelque chose d'une colonie européano-américaine : tant il y a peu de caractère national, et beaucoup d'amalgame étranger ». Là nous touchons à un point essentiel : Pétersbourg n'est pas russe, ni dans son architecture, ni dans ses mœurs, ni dans sa population hybride... Au fait, le marquis de Custine trouvait lui aussi à la ville impériale une sorte de « laideur américaine » ; c'était, écrivait-il aussi, une « Laponie badigeonnée »... et Khomiakov – le grand poète slavophile – écrivait de son côté : « ville où tout est de pierre,

les maisons, les arbres et les habitants », cependant qu'en 1860 Ivan Aksakov, un autre slavophile
notoire, écrira à Dostoïevski : *« La première condition pour ranimer en nous le sentiment national,
c'est de détester Pétersbourg de toutes nos forces,
de toute notre âme et de lui cracher dessus... »* À
Pétersbourg, conclut Gogol, on ne saurait s'alimenter que de rêve : *« Il fait bon mépriser cette vie
sédentaire et rêver d'évasion vers d'autres cieux, vers
des bosquets méridionaux, des contrées à l'air neuf
et frais. Il fait bon entrevoir au bout de l'avenue
pétersbourgeoise les hauteurs ennuagées du Caucase ou les lacs d'Helvétie ou l'Italie couronnée de
laurier et d'anémone, ou la Grèce somptueuse dans
sa nudité... Mais halte-là, ma pensée ! Ne suis-je
pas encore tout entouré et écrasé par les bâtisses
de Pétersbourg ? »*

Apercevoir au bout de la rue pétersbourgeoise le
soleil d'Italie ou d'Espagne, c'est ce que feront les
personnages des Nouvelles de Pétersbourg *; mais
cela les conduira sur le lit de leur agonie ou le gra-
bat de l'asile psychiatrique...*

C'est en 1833 que Gogol introduit le thème de
Pétersbourg dans son œuvre, et commence à écrire
Le Nez *et* Le Journal d'un fou, *puis* La Perspective
Nevski *et* Le Portrait *première version. Un premier
embryon du* Manteau *date de 1834. Ainsi c'est à
Pétersbourg même, dans les années 1833-1834, que
sont conçues toutes les nouvelles regroupées ici, et
qui formaient le tome III des* Œuvres Complètes
*de 1843. En janvier 1835 il publie un recueil assez
ambitieux et très composite, justement intitulé pour
cette raison* Arabesques. *On y trouve à côté de sa*

*leçon inaugurale à l'Université, de plusieurs articles
très romantiques et même schellingiens sur l'histoire, la géographie et l'esthétique, trois nouvelles :*
La Perspective Nevski, Le Portrait *et* Le Journal
d'un fou. Le Nez *paraîtra en octobre 1836 dans*
Le Contemporain, *avec les* Notes sur Pétersbourg
que nous avons citées, tandis que Le Manteau *(que
nous préférons appeler* La Pelisse*), conçu en 1834,
rédigé en 1839, paraît seulement en 1843 dans le
tome III des Œuvres Complètes. Il peut être amusant et utile de dire un mot de la traduction française de ces nouvelles. C'est Louis Viardot le premier
qui en 1845 publie un choix de* Nouvelles russes
*de Gogol. Ignorant la langue de l'original, Viardot
déclare s'être fait aider par deux jeunes Russes dési-
gnés sous leurs initiales : l'un d'eux, I. T., n'est autre
que Tourguéniev.* Le Manteau *sera traduit en 1856
par Marmier, l'ensemble retraduit par Ernest Char-
rière dans les années 60. « En France on traduit du
russe sans savoir le russe », écrit en 1852 le chro-
niqueur des* Annales de la Patrie. *Il n'a pas tort et
l'on reste rêveur quand Viardot rappelle la règle que
Cervantès donne aux traducteurs : « Ne rien mettre,
ne rien omettre. » Dans toutes les traductions fran-
çaises de Gogol au XIXᵉ siècle, on ajoute et on omet
à l'envi. La situation, ou plutôt les malheurs de
Gogol, dans les traductions anglaises de la même
époque, ne doivent guère être différents puisque
Nabokov écrit à ce sujet qu'il voudrait voir retirer
de toutes les bibliothèques publiques et universi-
taires les traductions anglaises du XIXᵉ siècle... Le
résultat est, en tout cas de ce côté-ci de la Manche,
une incompréhension patente. Gogol, pour le cri-*

tique de la Revue des Deux Mondes, *Saint-Julien,
est surtout « un cœur compatissant, un cœur plein
de miséricorde ». Pour Mérimée, qui présente le
1ᵉʳ novembre 1851, dans cette même revue, le recueil
de Viardot, Gogol est un « imitateur de Balzac avec
un goût décidé pour le laid ». Et n'oublions pas que
c'est un Français, le vicomte Eugène-Melchior de
Vogüé, qui dans son* Roman russe *(1886) lança la
phrase célèbre qu'il attribue à Dostoïevski : « nous
sommes tous sortis du* Manteau ». *Bref, pour les
Français, Gogol se perd dans le détail, se noie dans
les laideurs du réel, il est le père de la littérature
misérabiliste russe... « Il tient de Téniers et de Cal-
lot. Malheureusement, tout absorbé par cette étude
minutieuse de détails, M. Gogol néglige un peu trop
de les rattacher à une action suivie » (Mérimée).*

*Sur ce point au moins Prosper Mérimée n'a pas
tort. Au demeurant, Gogol a prévenu ses détracteurs :
« Non, cela ne tient pas debout, je ne le comprends
absolument pas... Mais, ce qu'il y a de plus étrange,
de plus extraordinaire, c'est qu'un auteur puisse
choisir de pareils sujets... Je l'avoue, cela est, pour
le coup, absolument inconcevable, c'est comme si..
non, non, je renonce à comprendre. Premièrement,
cela n'est absolument d'aucune utilité pour la patrie ;
deuxièmement... mais deuxièmement non plus,
d'aucune utilité » (Le Nez). Gogol donc plaide coupable. Car il est conscient que ses* Nouvelles de
Pétersbourg *rompent avec l'unité du récit. Les récits
ukrainiens fondés sur le folklore et le féerique faisaient coexister rêve et réel. Les récits pétersbourgeois,
fondés sur le fantastique, détruisent le réel, l'abolissent
ou l'émiettent. C'est ce qu'André Biely, dans son* Art

de Gogol[1], *appelle la première et la deuxième phase
gogolienne. Première phase : le rythme chantant (la
prose rythmée) recrée une communauté légendaire
(que ce soit le hameau de Dikanka ou la Setch des
Zaporogues) d'où le traître, l'agresseur se fait exclure
(le sorcier d'*Une terrible vengeance*). Deuxième
phase : la fable et la communauté sociale se désa-
grègent. Nous avons affaire à des déracinés, des
bâtards sans famille. C'est le règne de l'incognito :
incognito des rencontres sur la Perspective Nevski,
incognito du fou qui emprunte l'identité du roi d'Espagne[2], incognito d'Akaki Akakiévitch détroussé et
dépersonnalisé, incognito du « nez » métamorphosé
en grand seigneur et incognito de Tchartkov l'artiste
transformé en « M'sieur Zéro »...*

*De l'homogénéité du récit provincial et féerique
(encadré dans la fiction rassurante du conteur des
« veillées », l'apiculteur Roudi Panko) nous passons
à l'hétérogénéité des nouvelles « urbaines » : s'ins-
taurent la déception (le monde est un leurre) et la
dissonance (entre le monde rêvé et le monde subi
pas d'autre passerelle que l'opium, la folie, l'absurde
ou le fantastique). Troisième phase : l'épopée res-
soude le monde brisé par la tromperie et la vilenie
de l'homme, Tchitchikov rachète sa propre imposture et réoriente sa phénoménale force de filouterie
vers le bien de la Russie ; c'est la phase « idéologique » et elle fera long feu...*

1. Andrej Belyj : *Mastersvo Gogolja*, Moscou, 1934.
2. « Je me suis promené incognito sur la Perspective Nevski... Toute la ville a ôté ses bonnets et j'ai fait de même ; pourtant je n'ai nullement laissé voir que j'étais le roi d'Espagne ! »
(*Le Journal d'un fou*).

*Il vaut la peine de remarquer que seuls les écrits
de la deuxième phase sont écrits « sur place » : la
musique des* Veillées du hameau de Dikanka *ne
paraît si harmonieuse à Gogol que parce qu'il l'entend
de son « exil » à Pétersbourg et la « récupération »
idéologique des « âmes mortes » ne peut fonctionner
que depuis le « lointain merveilleux » d'un autre exil,
l'exil italien... Seuls les récits de la deuxième phase,
ces* Nouvelles de Pétersbourg, *ont été écrits* in situ.
*Bref tout se passe comme si seule la distance pouvait
créer l'homogénéité et la consonance. Gogol, pour
créer une fable harmonieuse (pour être heureux), a
besoin de l'absence. Vladimir Nabokov l'a excellemment montré dans son petit* Gogol[1] : *Gogol n'est à
l'aise que dans la fuite, y compris la fuite hors du
sujet. Jamais il n'eût été un bon élève en France :
il ne « traite » pas le sujet (Mérimée le lui fait bien
sentir). Les êtres secondaires prolifèrent, brouillent
les pistes et s'évanouissent. Le monde « second » des
digressions est premier chez Gogol. Le « sujet » existe
aussi peu que les « âmes mortes » ou que la vieille
redingote d'Akaki Akakiévitch : « Des morceaux, ça
se trouve toujours », répond le tailleur aux supplica-
tions du pauvre hère venu apporter les « dépouilles »
de la pelisse, « mais impossible de les faire tenir là-
dessus, c'est usé jusqu'à la corde, voyons ! ça se mettra
en charpie dès que j'y planterai l'aiguille. »*
*Le monde de « Pétersbourg » est cette belle loque
qui tombe en charpie dès qu'on veut y mettre de*

---

1. Vladimir Nabokov : *Nikolaï Gogol*, New York, 1946. Traduction française : La Table Ronde, 1953.

l'ordre. La Perspective Nevski *est son emblème. L'épilogue poétique de ce récit est resté célèbre :* « *Tout respire l'imposture. Elle ment à longueur de temps, cette Perspective Nevski, mais surtout lorsque la nuit s'étale sur elle en masse compacte et accuse la blancheur ou le jaune pâle des façades, quand toute la ville devient éclair et tonnerre, quand des myriades d'attelages débouchent des ponts, quand les postillons hurlent sur leurs chevaux lancés au galop, quand le démon lui-même allume les lampes uniquement pour faire voir les choses autres qu'elles ne sont.* » *Ce démon est un illusionniste ; ses tours de passe-passe, ses effets de lumière, ses fantasmagories cinétiques font ressembler le* « *Pétersbourg* » *de Gogol à un palais du trompe-l'œil. L'art de Gogol s'apparente ici au romantisme baudelairien : kaléidoscope d'impressions créé par le trafic urbain et promiscuité des solitudes sur le trottoir de la métropole. Certes la* « *scène de boulevard* » *était à la mode dans la presse de l'époque. Les* « *nocturnes* », *les scènes de mœurs de la grande ville, les descriptions des métiers de la rue, les instantanés dans les échoppes sont thèmes fréquents dans les journaux russes des années 30[1]. Des* « *panoramas* » *sont fréquemment réclamés aux artistes. Le ton* « *parlé* » *de la causerie enthousiaste ou humoristique est de rigueur dans cette littérature à sujet urbain. Si bien que les exclamations, les prises à partie du lecteur, les redondances indi-*

---

1. Voir l'étude sur ce sujet de N. A. Nilsson : *Gogol und Petersburg*, Stockholm, 1954. Cf. également Donald Fanger : *Dostoevsky and Romantic Realism*, Harvard, 1965.

gnées du narrateur de la Perspective *ne doivent pas nous étonner. Gogol, Odoevski et Pouchkine avaient même eu le projet d'une sorte de revue : la « Maison à trois étages » où chacun des trois eût décrit un étage de vie…*

Simon Karlinsky *fait justement remarquer que même la vision tronquée et quasi cinématographique de la rue chez Gogol – moustaches, chapeaux, paires d'yeux ou de manches se baladant séparément dans une vision constructiviste avant la lettre – correspond à une mode : le caricaturiste Granville représenta ainsi le premier la salle de spectacles. Mais l'art de la « poésie urbaine » atteint chez Gogol à un raffinement étonnant. Le défilé de mode sur l'avenue semble sortir d'un film allemand expressionniste : tantôt au niveau des bottines, tantôt à celui des chapeaux, la caméra de Gogol virevolte et folâtre capricieusement, désarticulant le décor et créant une éblouissante métaphore du* mouvement.

Ce mouvement obéit aux lois de l'aimantation sociale. Ce sont des « rangs », des « grades » et des « positions » qui défilent chacun à son heure sur le trottoir de l'avenue, en attendant l'heure crépusculaire où Éros mêle toutes les classes… Au demeurant La Perspective Nevski, *tout embrouillée qu'elle paraisse, obéit à une harmonie secrète : le long prologue qui célèbre l'avenue est suivi de l'épisode central du rêveur tué par son rêve puis de la contrefaçon triviale (et plus courte) de cet épisode central avec l'aventure galante mais avortée du lieutenant Pirogov.*

Ces trois parties de La Perspective Nevski *– la vie unanimiste sur l'avenue tout au long de la*

journée, la déception et la mort de l'artiste Piskariov, la « correction » et la résignation du lieutenant Pirogov – obéissent à une proportion précise :
1-3-2. L'opposition du rêveur qui meurt du refus
d'adaptation au réel et du réaliste qui encaisse les
coups bien peu glorieux d'un réel très terre à terre
ne prend sa vraie signification que sur le fond de
carrousel des ombres et des lumières de l'Avenue.
Pour un rêveur dont tout l'être devient « absence »,
désir insatiable, « distraction » impénitente, il
y a toujours un réaliste trivial qui « entre deux
gâteaux feuilletés » s'accommode des avanies du
réel. Remarquons que Gogol n'accorde ni à l'un ni
à l'autre la rétribution sentimentale et sexuelle à
quoi il aspire : la femme poétique que Piskariov
poursuit est une putain qui l'éconduit grossièrement, la blonde sémillante aux pas de qui s'attache
le lieutenant est une épouse fidèle... Mais l'un se
réfugie dans le rêve, l'opium, l'insomnie et la mort,
l'autre se satisfait de deux bons « feuilletés ». La
gastronomie est le seul remède vraiment gogolien
aux difficultés d'être. Encore note-t-il qu'en ville les
bouches sont souvent inadaptées aux mets. Tel a
une bouche plus large que l'Arc de l'État-major, et
rien à y mettre. Tel a un excellent cuisinier mais
une bouche en cul-de-poule incapable d'avaler plus
de deux bouchées...

   La ville ici est responsable de tout : c'est elle
qui aguiche le rêveur, elle qui engendre le stupre :
« Tout cela ne lui laissa point douter qu'il venait
d'entrer dans le repaire infâme où élit domicile la
triste débauche qu'enfantent la civilisation de clinquant et l'effroyable entassement humain de la capi-

tale. » De plus le Séducteur est toujours là, sous les traits de l'étranger : le Persan, marchand de tapis et d'opium, propose à l'artiste de lui troquer de la drogue contre le dessin d'une belle femme aux yeux d'olives. Le thème était à la mode depuis le Journal d'un mangeur d'opium *de De Quincey (traduit en russe et devenu célèbre) mais on remarquera la présence obsédante dans l'œuvre de Gogol de cet entremetteur louche qui n'est jamais russe, mais persan (ici, ou dans* Le Portrait*) ou grec (*Les Âmes mortes II*), ou d'une nationalité indéfinissable : le Malin, sans doute, ne saurait être russe... Dans une lettre à sa mère du 30 avril 1829, Gogol déclarait déjà : « Pétersbourg ne porte aucun caractère ; les étrangers qui s'y sont engraissés ne ressemblent plus à des étrangers, et les Russes à leur tour y sont devenus des sortes d'étrangers et ne sont plus ni l'un ni l'autre... »*

Les quatre autres nouvelles pétersbourgeoises développent elles aussi le thème de l'absence et de la privation. *La plus romantique est* Le Portrait. *Gogol y reprend explicitement le thème du pacte avec le diable qu'on voit chez Maturin, Balzac ou dans* La Dame de pique *de Pouchkine. La première version, parue dans le second recueil* Arabesques *en 1835, fut remaniée à Rome en 1837 et parut dans* Le Contemporain *en 1842. La première version est ultraromantique : le portrait surgit miraculeusement chez Tchartkov, l'Antéchrist y est « incarné » et le maléfice s'évanouit cinquante ans plus tard lors d'une vente aux enchères du tableau où assiste le fils du malheureux artiste auteur et victime du démoniaque tableau : l'Antéchrist, vaincu, s'évanouit.*

La seconde version est plus « idéologique » : le fantastique a été gommé, le tableau, acheté par Tchartkov, se trouve « naturellement » dans sa chambre et ce qui perd l'artiste c'est à la fois le goût du lucre et l'excès de réalisme : l'artiste doit être un homme de foi autant qu'un artiste (comme Ivanov, le peintre russe dont Gogol fait la connaissance à Rome, et qui consacre sa vie entière à une « Apparition du Christ au peuple »)[1]. L'ascétisme est la condition première de l'art et cet ascétisme doit purifier, simplifier, filtrer le réel trop enclin à proliférer... Le Portrait a donc changé de sens. Il est devenu une figure du propre destin de Gogol : car cet excès de réalisme, cette transgression par l'artiste « réaliste » d'un interdit divin, c'est en somme le péché sous le poids duquel geindra l'auteur des Âmes mortes *lui-même. Et il est bien curieux de constater que Gogol lui allie le péché de cupidité (si Gogol sut mal gagner sa vie, on sait qu'il s'offrit de substantielles compensations gastronomiques il aimait la chère d'amour coupable...)*

Le Portrait *déroule donc son action dans un Pétersbourg romantique : échoppes de vendeurs de gravures, riches intérieurs de l'aristocratie, mansarde noyée de lune du peintre en mal de gloire.*

1. Simon Karlinsky, dans un très intéressant ouvrage, révèle qu'Ivanov voulait même faire figurer Gogol dans cette immense fresque. Des études de nu préparatoires au tableau représentent Gogol (comme aussi son ami malade le prince Vielgorski). Gogol tenait à l'anonymat et demanda à Ivanov de renoncer au projet lorsque Pogodine, à son insu, eut fait reproduire la première effigie connue de l'écrivain. Cf. Simon Karlinsky, *The Sexual Labyrinth of Nikolaï Gogol*, Harvard University, 1976.

*Mais il est un épisode important où Gogol s'attarde
à une description détaillée du quartier de banlieue
de Kolomna. Pouchkine y avait situé son pastiche
loufoque de* La Maisonnette à Kolomna. *Vogüé,
lui, détestait ces alentours informes de la capitale :
« La superbe ville créée par Pierre le Grand, embel-
lie par Catherine II, tirée au cordeau par tous les
autres souverains, à travers une lande spongieuse
et presque toujours submergée, se perd enfin dans
un horrible mélange d'échoppes et d'ateliers, amas
confus d'édifices sans nom, vastes places sans
dessin, et que le désordre naturel et la saleté innée
du peuple de ce pays laissent depuis cent ans s'en-
combrer de débris de toutes sortes, d'immondices
de tous genres »* (Voyage en Russie, *1839). Or ce
sont ces confins informes qui servent de cadre à la
deuxième partie du* Portrait *: « Dès qu'on y pénètre,
tout désir, toute ardeur juvénile, vous abandonne. »
Kolomna est un dépotoir humain : on y devine vivre
« toute une catégorie d'individus qu'on peut qualifier de* cendreux, *car leur costume, leur visage, leur
chevelure, leurs yeux ont un aspect trouble et gris,
comme ces journées incertaines, ni orageuses ni
ensoleillées, où les contours des objets s'estompent
dans la brume ». Ce peuple* cendreux, *cette marge
de la ville, c'est l'espace du Pétersbourg gogolien
par excellence. Et c'est là qu'est tapi l'Ennemi, en
l'occurrence l'usurier diabolique : « Était-il hin-
dou, grec ou persan ? Nul n'aurait su le dire. Sa
taille quasi gigantesque, son visage hâve, noiraud,
calciné, d'une couleur hideuse, indescriptible, ses
grands yeux, animés d'un feu extraordinaire, ses
sourcils touffus le distinguaient nettement des cen-*

dreux habitants du quartier. » Une fois de plus voici
le « *bouc émissaire* » gogolien, cet Intrus de nationalité indécise, cet être hybride et autre qui sévit
dans la « *cendre* » sociale de Kolomna...

Dans cette « *cendre* » et cet anonymat est peut-
être le salut. Mais le peintre a voulu peindre le « *feu
extraordinaire* » des yeux du Persan et il y a perdu
son âme : l'art, lui aussi, devrait être « *cendreux* »,
ascétique... Trahi par son désir excessif, Tchartkov devient un « *anticréateur* » maudit, rachetant
avec l'argent que lui procure son art stipendié les
chefs-d'œuvre authentiques qu'il lacère et piétine
dans le secret... Comment comprendre Le Portrait ?
Kolomna et le maléfique Usurier ne sont-ils pas des
figures du combat intime de Gogol entre ascétisme
et désir, entre mortification et art ? Le désir – dont
l'art est une expression – porte malédiction. Il est
présenté comme une transgression et comme une
intrusion. « *Tu ne créeras point d'effigies.* » L'interdit biblique prend ici une signification nouvelle : ne
te connais pas toi-même ! Un art trop « *enflammé* »,
un art qui trahit trop le désir, qui « *regarde* » trop
profond est un art destructeur et maudit. Le portrait
maléfique c'est la première des condamnations portées par Gogol sur lui-même. Ne désire pas comme
Piskariov ! Ne regarde pas comme Tchartkov ! Sois
cendre, sois poussière, entre dans le rebut terne des
« *laissés-pour-compte* » et tu seras sauvé !

Tchartkov ne supportant plus les portraits, rachetant tous les chefs-d'œuvre inconnus des jeunes
débutants à seule fin de les détruire – voilà, après
Piskariov, le deuxième châtiment infligé par la ville
à ses victimes : chaque portrait « *se dédoublait,*

*se quadruplait à ses yeux, tous les murs se tapis-
saient de ces portraits qui le fixaient de leurs yeux
immobiles et vivants ; du plafond au plancher ce
n'étaient que regards effrayants, et, pour en contenir
davantage, la pièce s'élargissait, se prolongeait à
l'infini ».* Dans Le Journal d'un fou, *devenu
aujourd'hui populaire grâce à la pièce et au film de
Coggio, nous assisterons au même élargissement
déliriel de l'espace de la ville : l'avenue pétersbourgeoise, devenue géométrie du désir inavouable, se
prolonge jusqu'à l'horizon et surgit alors le paysage
de rêve que chaque « cendreux » esclave de la
« Mégapolis » cache en son for intime… Notons que
dans toute l'œuvre de Gogol,* Le Journal d'un fou
est l'unique récit à la première personne.

Le héros du Journal d'un fou *est un misérable
fonctionnaire. Il appartient à ce petit prolétariat
de la bureaucratie russe qui fournira également à
Gogol le héros du* Manteau *et qui entrera dans les
stéréotypes de la littérature russe sous l'appellation
de « l'homme de petite envergure ». À plusieurs
égards il est le plus humain des êtres créés par
Gogol : sa révolte et sa fierté de petit fonctionnaire,
son rêve d'accéder à l'amour de Sophie, sa revendi-
cation d'un droit à l'existence plénière d'homme en
font une exception dans le monde des êtres mutilés
de Gogol. Écrasé, Poprichtchine s'enfuit par la porte
du délire psychotique. Banni de la « vraie vie », il
s'exile vers un Ailleurs qui a nom Espagne (non les
châteaux, mais les rois en Espagne…). Toutes les
figures de ce délire sont des figures de l'absence : les
coqs ont leur « Espagne » (ailleurs…), les cervelles
sont exilées sur la mer Caspienne, les nez sont ban-*

*nis sur la lune... Et la troïka de rêve offre la fuite
(comme dans* Le Révizor, *comme dans* Les Âmes
mortes). *Le « réel » qui fait souffrir Poprichtchine
n'est donné qu'indirectement, car la satire sociale
n'est nullement le dessein premier de Gogol : que
Son Excellence se rengorge infantilement en rece-
vant un ruban nous signale la fatuité et la futilité
du monde des grands, mais ce « signal » nous par-
vient par la médiation de la correspondance des
deux chiennes, c'est-à-dire qu'il est intégré dans le
délire de Poprichtchine, faisant partie, pour ainsi
dire, du tableau « clinique ». Ce qui rend si impé-
rissable cette œuvre de Gogol, c'est l'art de com-
biner le normal et le pathologique, l'humain et le
délire, en un mot l'art de faire souffrir Poprichtchine
devant nous. Sans sa mesquinerie, sans son amour-
propre, Poprichtchine nous toucherait-il ? Lorsqu'il
découvre la correspondance canine et s'indigne que
les chiennes écrivent bien qu'elles ne soient pas
nobles, nous comprenons que le héros se défend
pas à pas, tragiquement, ridiculement et pitoyable-
ment, contre la perte de son privilège d'homme et de
son identité même. Gogol a conféré au basculement
déliriel une expression particulièrement frappante :
le temps se dérègle, annonciateur de la paranoïa.
Bientôt voici l'Ennemi : c'est le diable, caché derrière ce gros général que regardent amoureusement
les femmes (l'échec sexuel de Poprichtchine trouve
donc sa justification) ; et puis ce sont les « Maho-
métans » qui envahissent tout, c'est-à-dire l'Autre,
l'Impur (l'Infidèle... Poprichtchine connaît vaguement l'histoire de l'Espagne). Par saccades la roue
du délire tourne : voici l'Espagne (l'hôpital psy-*

chiatrique), voici la cérémonie d'adoubement (les coups des infirmiers), voici le Grand Inquisiteur (le docteur-bourreau)... Le délire, c'est tout simplement une autre « lecture » du réel. Dans la ville de Gogol chacun est seul, chacun délire, chacun « lit » le réel à sa façon. Et pourtant il reste encore un cordon, un lien ténu mais qui ne rompt pas avec le temps antérieur : c'est l'ultime cri de souffrance et l'appel à la mère, le retour à la mère, dans l'isba natale, intime, fœtale... Puni d'avoir rêvé, puni d'avoir imaginé la fille de son supérieur en train d'enfiler son bas, puni de n'avoir pas accepté sa case sur le damier social et bureaucratique, puni de s'être révolté, Poprichtchine (le nom veut dire celui qui cherche son « emplacement », sa « carrière ») est banni du réel et, roué de coups, se pelotonne dans la matrice originelle.

Le nez se dit en russe « nos » ; le premier titre de l'œuvre était « son », qui veut dire « rêve ». Cette anagramme signifie-t-elle autre chose qu'un jeu de mots (ou d'idées) et devons-nous penser que le héros-malgré-lui de cette histoire loufoque subit – le temps du récit – une « inversion » de sexe en perdant son nez ? Quelle fonction joue ici le rêve – qui est si fréquent dans les Nouvelles *dont nous parlons (parfois même le rêve dans le rêve, avec « faux » réveil) ? Si* Le Nez *est un rêve (comme il est dit expressément dans une première rédaction), que veut dire ce rêve ? Qu'il ait une signification sexuelle était une évidence pour les lecteurs bien avant Freud (et avant le professeur Ermakov, auteur d'une étude psychanalytique sur Gogol publiée en 1928, juste avant l'interdit jeté sur Freud en U.R.S.S.). La « naso-*

*logie » était un thème journalistique à la mode,
comme l'a montré l'académicien V. V. Vinogradov.
La chirurgie du nez commençait et toutes sortes
de plaisanteries couraient dans la presse en mal de
copie. Ce nez qui a l'air d'un beignet bien cuit, le
nez protubérant de l'employé des petites annonces
qui « prise » bruyamment sous le nez (absent) de
Kovaliov, les allusions aux « faux nez », la satire
des médecins soigneurs de nez, tout cela représente
des variations sur un thème à la mode mi-sérieux,
mi-licencieux. Le diable, plus tard, racontera à Ivan
Karamazov une histoire... de nez. Les calembours
sur le nez (mener par le bout du nez, faire un pied
de nez, etc.) et leur* prise au sérieux *sont aussi pour
Gogol une source de comique. Gogol n'a pas plus
inventé le thème du nez que Cyrano ou Sterne. Mais
il a su élaborer sur ce thème un récit « grotesque »
aussi parfaitement cohérent dans le loufoque que* Le
Journal d'un fou *dans le délire paranoïaque.*

*En premier lieu le « Nez » est une synecdoque
« réalisée ». La partie se substitue au tout. L'homme
parlant fait des synecdoques comme M. Jourdain de
la prose. Mais Gogol développe et « réalise » cette
figure de la rhétorique traditionnelle. Tout l'effort de
Kovaliov, le bon et trivial major subitement privé
de son appendice, consiste à « remettre à sa place »
son nez. La rencontre à la Galerie des Marchands
(la censure interdit à Gogol que cette rencontre
eût lieu à la cathédrale de Notre-Dame de Kazan)
entre le nez « déplacé » et son propriétaire dépos-
sédé donne lieu à une véhémente exhortation au
nez d'avoir à « connaître sa place ». Alexeïeff, dans
son merveilleux court métrage tiré du* Nez, *a su par-*

faitement illustrer la synecdoque gogolienne. Tout le désordre humain commence lorsque les êtres ou les choses ne « connaissent plus leur place ». « En place ! » supplie la victime pitoyable de cette mauvaise aventure. Mais le « nez » d'Alexeïeff avec ses deux naseaux-bajoues, avec son bicorne et son épée de fonctionnaire, se détourne avec dédain du ridicule « sinistré » de la synecdoque ! Où est l'unité du sujet, réclamée par Mérimée, quand même le personnage se découpe en morceaux[1] ?...

C'est que la logique se réfugie ailleurs : le sujet « ne tient pas debout » mais la manière de l'accueillir est parfaitement naturelle. Le barbier et sa femme, le major Kovaliov se comportent dans le loufoque de cette « phantasie » à la Hoffmann comme dans le quotidien le plus trivial : c'est-à-dire avec couardise, petitesse d'esprit, prudence, crédulité... Kovaliov se défend en énumérant ses « relations », mais le nez réfute tout d'un seul argument : son grade supérieur !

Le Nez est, de tous les récits qui nous occupent, le plus riche en « scènes de genre » : l'échoppe du barbier, le pandore qui guette le barbier sur le pont, le bureau des petites annonces, le panorama social de ces mêmes petites annonces, la confiserie-refuge du major, les breloques et les espoirs de dot du sieur Kovaliov, la famille du gendarme surgissant au grand complet, le Diafoirus local avec ses favoris noirs, sa manie du récurage des dents et sa philosophie des honoraires... Le Nez est une

---

1. Eichenbaum, un des meilleurs formalistes russes, écrivait : « La composition, chez Gogol, n'est pas caractérisée par le sujet ; le sujet est pauvre ou plutôt il est inexistant » (*À travers la littérature*, 1928).

greffe d'absurde sur du trivial. Plus l'absurde est absurde, plus le quotidien doit être trivial : alors transparaît mieux l'homme, cet homme gogolien peureux et jouisseur, qui toussote et tapote ses amulettes avant d'aborder « l'inexplicable ». Mieux que jamais apparaît, éclate le talent de mime de Gogol. Le mime fait surgir la scène, le geste, l'homme du néant. Exactement comme Gogol, en mimant avec son extraordinaire observation du détail infime les gestes précautionneux du barbier autour du nez retrouvé de Kovaliov, « compose » devant nous ce nez, le rend présent, ou absent, ce qui revient au même. Au cœur de la pantomime humaine : ce vide, ce fiasco, cette peur triviale et grotesque... La ville, avec ses avenues, ses « grades », sa hiérarchie, ses confiseries et, « du pont de la Police au pont Anitchkov, le flot des dames s'écoula[nt] le long du trottoir comme une cascade de fleurs », est le jeu constant de la rumeur ; la ville est le lieu même de ce vide, de cette absence. Elle « meuble ». Tragiquement ou grotesquement. Elle « meuble » notre vide... comme elle meuble l'appartement du chef de la police chez qui se rend Kovaliov « de hautes piles de pains de sucre offertes à lui par les marchands en toute amitié », ainsi qu'il est dit dans la première rédaction du Nez. *(La flagornerie et la corruption poussées à l'absurde composent ce palais de sucre qui ne signifie plus rien...)*

De tous les récits de Pétersbourg, c'est Le Nez *qui annonce le mieux* Les Âmes mortes : *les héros du récit appartiennent au type trivial, non au type romantique. Ce qui, avec Pirogov, n'était qu'esquissé dans* La Perspective Nevski *devient ici*

essentiel : *l'homme trivial, « courant », s'enkyste
dans n'importe quel matériau. La ville a beau lui
jouer les tours les plus pendables, le berner ou le
châtrer momentanément, ce personnage caméléo-
nesque et insignifiant ne renonce jamais à s'incrus-
ter, à s'enraciner fût-ce dans l'inexistant. Le barbier
n'a pas de nom de famille, mais quelle obstination
à lutter contre l'absurde, à survivre à l'absurde !
Toute l'étoffe du réel se découd, mais le fonctionnaire gogolien restera chatouilleux sur son « grade »
et ses prérogatives bureaucratiques jusqu'à disso-
lution complète dans le non-être. Tchekhov, pour
ses premiers récits, a dû trouver ici son inspiration : cet homme retors dans l'insignifiant et insignifiant dans l'essentiel, cette marionnette sociale,
mais marionnette capricieuse et rusée, c'est aussi
l'homme tchékhovien, l'homunculus timoré et
têtu confronté à un réel implacable, « absurde ».
Inchangé, il réapparaîtra chez un Kafka.*

N'oublions pas que tous les réveils en cascade de
ces homoncules gogoliens, ces yeux qui se frottent
dans ce qui est un deuxième rêve (où donc est la
véritable « veille » de l'homme ?), c'est aussi ce qu'a
vécu Gogol. Nulle part « chez lui », il n'éprouva
enfin le sentiment d'être dans sa vraie patrie qu'en
Italie, c'est-à-dire à l'étranger. « L'Italie ! Elle est
mienne !... La Russie, Pétersbourg, les neiges, les
sacripants, les ministères, la chaire à l'Université,
le théâtre – tout cela n'a été qu'un rêve. Voici que
je me suis enfin réveillé dans ma patrie... La patrie
de l'âme, où mon âme a vécu avant moi, avant ma
venue au monde... »

Voici donc l'aveu... Quel sera le dernier réveil dans

tous ces réveils en cascades ? Et puisque qui dit rêve
(« son ») dit nez (« nos »), quel sera le dernier pied
de nez ? Gogol ne marche qu'à reculons, hors d'un
réel ténu comme le rêve dans un autre réel rêvé...
Seuls comptent la saccade de la main du rêveur, le
soubresaut de celui qui se réveille à l'improviste, ou
plutôt croit se réveiller, mais tombe d'étage en étage
dans ce curieux échafaudage qu'est la vie... avec,
tout au bout de ces chutes successives, la patrie
d'avant la naissance, Poprichtchine pelotonné dans
la matrice... et la verrue sous l'énorme nez du dey
d'Alger (seule preuve que tout existe quand même...).

Cette régression hors du vivant, cette « inver-
sion » des forces vives de la vie, cette progressive
immobilisation et « diminutio vitae », c'est toute
la trame, tout le drame de La Pelisse *(mais l'usage,*
hélas, nous oblige à dire Le Manteau*). Le copiste*
Akaki Akakiévitch est un être « cendreux » par excel-
lence, un typique homoncule fabriqué, malmené
et finalement dissous par la ville. D'origine, il n'a
point. Même sa naissance onomastique fut labo-
rieuse : voyez la kyrielle de prénoms impossibles
qui fut présentée à la pauvre accouchée. Pour finir
il sera Acace (Akaki) comme son père. Que dit
d'Acace le Martyrologe romain *de Grégoire XIII ?*
« Le 28 juillet. À Milet, en Carie, saint Acace mar-
tyr. Sous l'empereur Licinius, il fut, après divers
tourments, jeté dans une fournaise où le secours
de Dieu le conserva sain et sauf : décapité enfin
il acheva son martyre[1]. » Pauvre Acace qui n'est

---

1. *Martyrologe romain*, traduction par Dom Baudot et Dom
Gilbert, revue par Dom Schmitt. Casterman, Paris-Tournai, 1953.

*préservé dans la fournaise que pour pouvoir mieux
achever son martyre sous la hache ! Gogol, le pieux
Gogol, confit en dévotion et assiégé de dames en
mal de religion aurait-il choisi ce saint au hasard ?
Bien sûr que non ! Acace c'est aussi, en grec, celui
qui ne connaît pas le mal. Akaki l'innocent subira le
double martyre que lui infligera la ville, et se retirera
de l'existence sur la pointe des pieds. Mais il est
vrai aussi que le nom sonne bizarrement en russe :
ce redoublement presque onomatopéique fait rire,
d'autant plus qu'une association incongrue se fait
avec « obkakat' » (conchier). Ne voyons-nous pas le
pauvre innocent Akaki traverser la rue comme dans
un rêve (c'est un rêve, il marche sur les portées de
sa copie, il est jambage de « cursive », il est liaison
de « bâtarde » et court dans la ville-copie, la ville-
circulaire) et se faire barbouiller par le fumiste puis
blanchir par le plâtrier ? Avec son habit de suie et
son bonnet de chaux, il est vraiment Acace, Acace
le saint innocent, Acace le vilipendé, le « souillé »…*

*Il en est du récit comme du vieux manteau :
rapiécé, couleur du temps qui passe, la vieille
pelisse « part » de partout tandis que la nouvelle
s'évanouira dès le premier soir. Le crime d'Akaki
Akakiévitch sera d'avoir désiré. La concupiscence
était cachée chez ce saint homme : voyez l'amour
coupable qu'il met à préférer certaines lettres à
d'autres, la jouissance qu'il retire de son humble
copie. Et ce redoublement d'ascèse pour mieux éco-
nomiser l'argent de la nouvelle pelisse, n'est-ce pas
aussi une ruse du désir ? Serait-ce « la tentation de
saint Acace » ? Effectivement l'idée de la nouvelle
pelisse inocule à notre homme des idées folles, des*

virus de libertinage. Lui si timoré, qui bredouille devant n'importe quelle idée à exprimer, que le tailleur terrorise rien qu'en émettant des « gros chiffres » (comme des « gros mots »), le voici même qui tombe en arrêt devant une échoppe de vendeur de gravures. Tiens, cette femme qui enlève son soulier l'intéresse, l'aguiche du fond de la vitrine ? Et dans l'émoi qui s'ensuit Akaki ébauche même une poursuite amoureuse... Aurait-il au fond de lui-même cette chose « pour laquelle chacun conserve du flair », comme l'écrit l'auteur ?

Notre homme donc s'éveille. Il joue même au « sybarite » (oh, si peu !) mais la punition va fondre sur lui. Le poing du voleur « gros comme la tête d'un fonctionnaire » remet tout à sa place : Acace, tu n'as pas droit au désir, reprends ta vieille pelisse, ta compagne usée, frigide, inexistante... Akaki se met en colère, une fois unique dans sa vie, mais le réel a vite fait de retourner les choses. C'est lui le suspect, bientôt le coupable ! L'« important personnage », descendu de la tabatière de Pétrovitch où il figurait (un général avec le visage enfoncé), « exerce » son autorité sur le pauvre hère. Commencés devant le miroir, les exercices d'autorité se déchaînent devant Akaki : roulades et arpèges de cris, de remontrances, d'indignations offusquées : « Comment osez-vous ? »

Dans le délire d'Acace mourant la pelisse devient un piège, une chausse-trape... Le malheureux se retire des vivants en laissant pour tout héritage ses plumes à écrire et sans même avoir droit à l'attention que portent aux mouches les naturalistes...

Le vent et l'immensité informe de la banlieue

pétersbourgeoise jouent ici le principal rôle d'accompagnement : c'est l'immense place ventée qui sert de complice au voleur, c'est tout Pétersbourg qui persécute et punit Akaki. Il est vrai que Pétersbourg lui offre une revanche posthume, cette légende du fonctionnaire arrachant les pelisses aux épaules des messieurs bien emmitouflés... Revanche par le fantastique, la rumeur... et la délinquance urbaine, car, bien entendu, c'est le voleur qui continue à sévir...

Tout est grotesque, rapide, saccadé dans cet épilogue. On dirait un muet de Charlot : le détrousseur fantastique sévit inopinément, un cochon renverse un flic, et – grand triomphateur – le froid pince les dos de messieurs les conseillers tandis que la cité policière est la proie d'une panique comique – « Attraper le mort, mort ou vif » est l'ordre lancé. Mais l'éternuement du fantôme met en déroute toute une maréchaussée et tout se résume à un remue-ménage de marionnettes qui détalent...

Tel est le martyre d'Akaki Akakiévitch : une vie de traîne-misère, illuminée un instant par « l'idée éternelle de la future pelisse » et brutalement écrasée après ce modeste embrasement du désir. Akaki n'avait pas d'existence à lui, il était un humble rouage bureaucratique, une ombre dans la ville, sa mort n'est qu'un épisode administratif. Fausse entrée dans la vie, fausse sortie. Il était, avec son cou branlant comme celui des chats en plâtre, et la carapace d'ordure que la ville lui jetait dessus, le souffre-douleur de Pétersbourg. Mais un souffre-douleur automate, quasi « idiot ». Il n'avait, nous dit Gogol, ni marotte, ni dada, ni impulsion quelconque. Il était « copie » du monde. Seul le cheval soufflant

*sur sa joue au moment où il va se faire écraser dans
la rue le fait, un instant, sortir de son monde majus-
culaire et minusculaire, de sa Scribopolis...*

Depuis la parution du Manteau, *les interprétations de ce petit récit n'ont pas manqué. La généra-
tion de Biélinski a salué l'humanisme de Gogol (la
larme fameuse versée par un collègue d'Akaki, le « Je
suis ton frère ») sans s'attarder sur l'idiotie d'Akaki
Akakiévitch, qui aurait pu être, quand même, une
victime sociale plus sympathique (qu'on compare
avec les* Contes de Noël *de Dickens, parus la même
année, avec le père Scrooge devenu en une nuit un
brave homme). Gogol fut proclamé père de l'« école
naturaliste » et reste jusqu'à aujourd'hui, dans les
manuels soviétiques, le meilleur exemple du « réalisme critique ». Ce malentendu entretenu par le
prosélytisme idéologique fut entrevu par Dostoïevski
dès ses débuts. Diévouchkine, le héros des* Pauvres
Gens, *proteste contre les mauvais traitements infligés
par Gogol à son Akaki Akakiévitch. Diévouchkine
est, comme le héros du* Manteau, *un être dérisoire
et frustré, mais lui, au moins, prétend sentir et aimer
comme un homme. La hargne de Gogol envers son
personnage l'indigne. Et il écrit à Varvara, dans sa
lettre du 8 juillet, que les Akaki Akakiévitch n'existent
pas : Gogol a perversement inventé ce pauvre « idiot ».*

Au XXᵉ *siècle interprétations et adaptations ciné-
matographiques n'ont pas manqué : Eichenbaum,
dans un texte paradigmatique du formalisme russe*[1],

---

1. Cf. *Théorie de la Littérature*, textes des formalistes russes
réunis, présentés et traduits par Tzvetan Todorov. Le Seuil,
Paris, 1965.

démontre que Le Manteau *est une combinaison de procédés, une « pantomime » stylistique qui permet à Gogol de déployer à l'intérieur d'un monde fantastiquement réduit un jeu d'hyperboles grotesques (l'ongle du tailleur gros comme une carapace de tortue, le poing du voleur gros comme une tête de fonctionnaire). Alternance de styles contradictoires (bureaucratique, pseudo-épique, faussement sentimental, populaire, rhétorique...),* Le Manteau *nous fait rire parce qu'il est un manteau d'arlequin : ce sont les sutures entre les pièces qui déclenchent le comique... L'analyse d'Eichenbaum reste un morceau de critique insurpassé. Mais s'il nous dit « comment fut fait* Le Manteau *», nous dit-il ce que signifie* Le Manteau *?*

Les freudiens soviétiques des années 20[1] *s'y sont essayés : symbole du sexe féminin, le manteau représente le désir sexuel inavoué, réprimé d'Akaki Akakiévitch, qui le sublime en une « idée éternelle de la future pelisse »... Un grand théologien orthodoxe, Paul Evdokimov*[2]*, reprit quant à lui l'idée de Merejkovski (dans* Gogol et le Diable*) en l'adaptant au* Manteau *: le récit porterait sur la tentation d'Acace le pur par le Diable – (habillé en tailleur) : le Malin s'y prend par les petites autant que par les grandes séductions... « On reconnaît ici, écrit Evdokimov, l'influence de la lecture attentive des écrits ascétiques sur l'emprise et la possession qu'exercent les*

---

1. La « Bibliothèque psychanalytique » publia des ouvrages traduits et originaux, sous la direction de I. Ermakov, de 1923 à 1928.
2. Cf. Paul Evdokimov : *Gogol et Dostoïevski*. Desclée de Brouwer, Paris, 1961.

passions sur l'âme humaine. [...] Akaki est un être minuscule et en même temps il appartient au type des grands amants pour qui l'amour est plus fort que la mort. »

Tsziževskij, un grand russisant allemand, a, de son côté, montré que Le Manteau *était fait d'un flux hyperbolique de parler courant, s'entassant absurdement jusqu'à ce que la tension créée se résolve en une bagatelle. L'emphase se dissout en insignifiance, éveillant chez le lecteur l'angoisse sur le sens du vivant...*

Dans son ouvrage Dans l'ombre de Gogol[1], *André Siniavski ne parle pas explicitement du* Manteau, *mais son interprétation du rire gogolien s'y applique fort bien :* « Le rire s'apparente au goût russe du miracle, au penchant pour Dieu, l'éternel, le maximalisme. Tout ce qui n'est pas absolu est passible du rire. » *Ce rire gogolien, qui paraît si cruel à Dostoïevski, serait une voie de recherche de Dieu, une variante éminemment russe, mêlant le sacrilège au sacré, approche de l'éternel...*

Reste l'interprétation « sexuelle » *proposée par Simon Karlinsky. Les six héros des* Nouvelles de Pétersbourg *sont des hommes célibataires, seuls dans la ville et en quête d'une* « compagne », *Tchartkov (dans* Le Portrait*) a vingt-deux ans, Piskariov et Pirogov (dans* La Perspective Nevski*) ont dans les vingt-cinq ans, Kovaliov (dans* Le Nez*) a trente-sept ans, Poprichtchine (dans* Le Journal d'un fou*) a la quarantaine, Akaki Akakiévitch a la cinquan-*

---

1. Abram Tertz (André Siniavski) : *Dans l'ombre de Gogol.* Le Seuil, Paris, 1978.

*taine Ce sont tous des hommes seuls, tous torturés
par la recherche de la femme : la prostituée de Piskariov, la belle Allemande de Pirogov, la fille du général dans* Le Journal d'un fou, *Mme Podtotchine
pour le major Kovaliov (elle essaie de le prendre aux
rets du mariage), la «pelisse» pour Akaki Akakiévitch («ne seriez-vous pas allé dans une mauvaise
maison» lui demande d'un air soupçonneux le poli-
cier...). Seul Tchartkov le peintre n'a pas de femme
précise en vue mais ce sont ses portraits mondains
de jeunes femmes qui le perdent...*

Inutile d'insister : relisons Hyménée, *ou encore*
Chponka et sa tante, *partout chez Gogol ce ne sont
que fuites des fiancés devant les femmes nubiles,
retraits, abandons, désarrois du sexe mâle... La thèse
de Karlinsky reprend l'hypothèse (romanesque) de
Dominique Fernandez dans* Les Enfants de Gogol.
*Gogol homosexuel luttait contre son «anormalité»
et aurait confessé son «secret» au père Matthieu
à la fin de sa vie : d'où la pénitence sévère infligée
par celui-ci et la dure agonie de Gogol. Karlinsky
écrit : « La correspondance et les autres documents
biographiques de Gogol nous disent que les années
pétersbourgeoises de Gogol furent une période de
fiévreuse activité sociale et littéraire, un moment
particulièrement heureux de sa création artistique.
Est-il possible que la discipline qu'il dut s'imposer
pour se priver de la seule espèce de contact humain
affectif dont il était capable ait déjà commencé à
sévir en lui, engendrant les sentiments de solitude,
de frustration et d'aliénation qui sont si manifestes
durant la dernière décennie de sa vie ? Une telle
hypothèse expliquerait en grande partie la situa-*

*tion désespérée des hommes seuls dans les récits
de Pétersbourg et la décision ultérieure de s'installer
à Rome. »*

Que l'homosexualité refoulée de Gogol explique
de nombreux aspects de son œuvre nous paraît
démontré. Mais il n'en reste pas moins que ces
cinq récits pétersbourgeois sont aussi et surtout des
récits sur la cruauté de la ville. Pétersbourg, cataly-
seur de l'aliénation de Gogol, lui offrait une parfaite
occasion de « transfert » de sa névrose. Pétersbourg
ville artificielle, *ressentie comme un lieu de déportation pour les hommes et pour l'histoire russes,
devient avec Gogol le chevalet de la souffrance russe
au XIX*e *siècle. Sans Gogol nous n'aurions pas eu
l'extraordinaire Pétersbourg de* Crime et châtiment
ou de L'Adolescent, *ni celui des symbolistes russes,
celui d'Alexandre Blok et plus encore d'André Biely.
Il y a dans ce Pétersbourg gogolien, dans cette cité
que Dostoïevski proclamera dans* L'Adolescent
« *la plus fantastique du monde* », *une fondamen-
tale souffrance d'inadaptation. On voit sur une
des gravures d'Alexeïeff qui illustrent* Le Journal
d'un fou[1] *un Poprichtchine à genoux, désarticulé
en trois morceaux, avec une grande tête blanche
et vide découpée sur un ciel noir où dansent de
petites isbas. Alexeïeff a bien senti que Pétersbourg
est un exil d'où la Russie est absente. Absente et
présente comme dit Vladimir Weidlé. Absente parce
que tout y est artificiel, importé, inadapté, que l'être
russe y boite et y souffre. Présente parce que sans*

---

1. N. Gogol, *Le Journal d'un fou*, gravures d'Alexeïeff, traduction de Boris de Schloezer et Jacques Schiffrin. Paris, 1927.

*le rêve russe qui habite les fous et les monomanes
de Pétersbourg, Pétersbourg ne serait pas... « Point
d'hommes sur la Perspective Nevski ! Mais un
myriapode rampant et hurlant. L'espace humide
déversait une cacophonie de voix, une cacophonie
de mots ; et tous ces mots, après s'être emmêlés,
s'assemblaient en une phrase. Cette phrase paraissait absurde, elle s'élevait au-dessus de la Perspective Nevski et elle stagnait, nuage noir d'ineptie »
(André Biely,* Pétersbourg[1]*).*

*Le Pétersbourg de Biely, bouche de l'absurde,
point de rencontre de la terre et de la quatrième
dimension, espace « circulatoire » véhiculant les
hallucinations de la Russie, patrie des ombres et
des névroses,* brèche *dans le mur de la Russie, a
véritablement été engendré par Gogol. Dostoïevski
l'a enrichi des cauchemars de Raskolnikov, de ce
frisson de fièvre et de complicité que communique
la ville en chaleur à l'assassin-idéologue : par toutes
ses bouches anonymes la ville chuchote à l'étudiant
en délire : tue, tue, affirme et tue !...*

Ce Pétersbourg maléfique, *c'est-à-dire porteur
de la malédiction de la Russie, c'est véritablement
Gogol qui l'a « inventé », c'est-à-dire qui l'a vu le
premier. Il est un lieu proprement* fantastique, *c'est-
à-dire où l'homme* habite mal. *Ce n'est ni le Londres
cruel et tendre de Dickens, ni le Paris étincelant et
sordide de Balzac : c'est la cité russe de la « non-
russité », c'est l'écran artificiel où se projettent les
rêves avortés de l'homme russe. Par les fenêtres allu-*

---

1. Le roman de Biely date de 1916. Sa traduction française
a paru à Lausanne en 1967.

mées de ce Pétersbourg-là on voit la carte d'Espagne
où dévale le cabriolet de Poprichtchine et la steppe
russe où navigue l'imposteur Tchitchikov. Mais on
ne voit pas Pétersbourg : il n'a pas d'âme, il est un
artifice, un mirage, un leurre optique, un « poin-
tillé » comme dira le Doudkine de Biely. Il est parent
du Prague de Kafka, du Berlin de Benjamin.

Le fantastique sous-entend toujours une déchirure *du réel* et Pétersbourg a été la déchirure par
où Gogol a exprimé son angoisse de vivre. Il y a
logé deux types opposés de solitaires : l'un appartient au type des minus gogoliens : la ville l'élime
et le malmène sans relâche, il finit par quitter l'espace sur la pointe des pieds, méconnu de tous et
c'est Piskariov ou Akaki. L'autre est un célibataire
replet, trivial, couard mais increvable, il annonce
Tchitchikov, il s'appelle ici Pirogov ou Kovaliov,
il boit tous les affronts, il retombe toujours sur
ses pieds, il colmate sans fin et sans vergogne la
brèche... L'un s'efface, l'autre se dilate, l'un est un
« maigre », l'autre est un « gros ». Tous deux se
promènent dans l'espace circulatoire de la Perspective Nevski. Tous deux souffrent de la ville. L'un
en meurt, l'autre encaisse les coups et va manger
« deux gâteaux feuilletés ». Mais aucun des deux
n'est installé dans l'espace « réel » de la ville. L'un
fuit par la brèche dans l'espace « lointain » de son
imaginaire ou de sa souffrance. L'autre se réfugie
dans l'espace « immédiat » du détail, du quotidien
le plus trivial, du « gâteau feuilleté ». Comme un œil
détraqué, Gogol ne sait pas « accommoder » et entre
ces deux espaces « clos » et « ouvert », « proche » et
« lointain » (dont le structuraliste soviétique Lot-

*man a excellemment fait l'analyse), il n'y a que le
vide, l'absence, le brouillard. La vie est un trompe-
l'œil. « Dieu sait quelles billevesées ont lieu dans
le monde ! » La ville est cette communauté de rêve
et de tromperie qui seule relie les êtres humains.
Dans le Pétersbourg de Gogol il n'y a ni palais, ni
balustres de fonte, ni revues militaires au Champ-
de-Mars. Tout y est froidure, vent et inconsistance.
« Les hommes s'imaginent que le cerveau se trouve
dans la tête. Pas du tout : c'est le vent qui souffle de
la mer Caspienne qui nous l'apporte. » À l'histoire
monumentale, au Pétersbourg de Pierre le Grand,
Gogol oppose le caquetage inconsistant des auto-
mates humains, et ce bagne solitaire où tout éros
avorte, où toute autonomie comporte son autopu-
nition... Est-ce parce que le lecteur d'aujourd'hui vit
dans un monde où rien n'est « en place », où Kafka,
Beckett et Soljénitsyne nous ont bannis de notre
confort, où la vue normale et bien « accommodée »
du monde semble moins vraie que toute autre – il
nous semble que Gogol ne fait que « gagner » avec
le temps. Magritte ou Chirico semblent des pro-
longements de sa vision « absurde » du monde. Le
premier il nous a fait entendre le bruit mat de nos
peurs : « Allons, allons ! remets-toi en place, animal ! lui disait Kovaliov, mais le nez semblait sourd
et retombait chaque fois sur la table en émettant un
son étrange, comme s'il eût été de liège. » Comme
s'il eût été de liège... De liège...*

GEORGES NIVAT

NOUVELLES
DE PÉTERSBOURG

La Perspective Nevski

Traduction de Gustave Aucouturier.

Rien n'est plus beau que la Perspective Nevski[1], du moins à Pétersbourg ; elle est tout pour lui. Y a-t-il rien qui manque à la splendeur de cette artère, la reine de beauté de notre capitale ? Je suis sûr qu'il n'est pas un de ses habitants pâles et gradés dans la bureaucratie qui voulût changer pour tous les trésors du monde la Perspective Nevski. Je ne parle pas seulement de ceux qui ont vingt-cinq ans, de belles moustaches et une redingote merveilleusement coupée : même tel dont le menton laisse déjà paraître des poils blancs, et dont le crâne est nu comme un plat d'argent, même celui-là est un enthousiaste de la Perspective Nevski. Et les dames ! Oh ! les dames chérissent encore davantage la Perspective Nevski. Et qui, aussi bien, ne la chérit ? Il n'est que de mettre le pied sur la Perspective Nevski pour ne plus respirer qu'un parfum de promenade. Eussiez-vous même à régler quelque affaire pressante, urgente, qu'arrivé là, certainement, vous oublierez toute affaire. C'est ici l'unique lieu où les gens ne soient pas présents par nécessité, où ils n'aient pas été

amenés par un besoin impérieux et par l'intérêt mercantile qui possède tout Pétersbourg. Il
semble que l'homme qu'on rencontre sur la Perspective Nevski soit moins égoïste que celui de la
rue de la Mer, de la rue des Pois, de l'avenue de
la Fonderie, de la rue des Bourgeois et de toutes
autres rues où la cupidité, et l'appât du gain, et la
nécessité se manifestent dans l'allure de ceux qui
vont à pied comme de ceux qui filent en landau
ou en drojki. La Perspective Nevski est le lieu de
communication de tout Pétersbourg. Ici, l'habi-
tant du Côté Pétersbourg ou du Côté Vyborg[1],
resté des années sans voir son ami des Sablons
ou de la Barrière de Moscou[2], peut être sûr qu'il
ne manquera pas de le rencontrer. Il n'est pas de
répertoire d'adresses ou de bureau de renseigne-
ments qui fournisse d'aussi sûres informations
que la Perspective Nevski. Toute-puissante Perspective Nevski ! Unique distraction de Pétersbourg
si pauvre en divertissements ! Comme ils sont
proprement balayés, ses trottoirs, et, Seigneur !
que de pieds y ont laissé leur trace ! Et la lourde
botte boueuse du soldat retraité, sous le poids de
laquelle le granit lui-même semble craquer, et le
petit soulier mignon, léger comme une fumée, de
la jolie jeune dame dont le minois se tourne sans
cesse vers les resplendissantes vitrines des magasins comme le tournesol vers le soleil, et le sabre
au bruyant cliquetis du petit sous-lieutenant plein
d'espérances qui lui imprime sa brutale égrati-
gnure, – tout décharge sur ce trottoir la puissance
de la force ou la puissance de la faiblesse. Quelle
rapide fantasmagorie se déroule là au cours d'une

seule journée ! Quelles métamorphoses s'y opèrent
d'un lever de soleil à l'autre !

Commençons au tout petit matin, quand tout
Pétersbourg sent bon le pain chaud juste sorti du
four, et quand il est plein de vieilles mendiantes
en haillons et manteaux troués qui partent à l'assaut des parvis des églises et des passants chari-
tables. Alors la Perspective Nevski est déserte : les
robustes tenanciers de magasins et leurs commis
dorment encore dans leurs camisoles hollandaises,
ou savonnent leurs joues généreuses et boivent
leur café ; les indigents se rassemblent à la porte
des pâtisseries, où un Ganymède mal réveillé,
qu'on voyait la veille voleter comme un papillon
pour servir le chocolat, sort sans cravate, un balai
à la main, et leur jette en pâture des gâteaux rassis
et des restes. Un peuple besogneux se traîne par
les rues : on voit parfois passer des moujiks qui se
hâtent au travail, en bottes souillées de plâtre que
même l'eau du canal Catherine[1], connue pour sa
pureté, n'arriverait pas à laver. C'est un moment
où il ne convient généralement pas aux dames
d'aller dans la rue, car le peuple russe aime recourir à des expressions rudes et telles qu'elles n'en
entendent certainement pas même au théâtre. De
temps à autre passe d'un pas paresseux un fonctionnaire sommeilleux, sa serviette sous le bras,
s'il se trouve que la Perspective Nevski est sur le
chemin de son ministère. On peut dire sans hési-
ter qu'à ce moment-là, j'entends jusqu'à midi, la
Perspective Nevski n'est pour personne un but, elle
n'est qu'un moyen : elle s'emplit progressivement
de gens qui ont leurs occupations, leurs soucis,

leurs embêtements, mais qui ne pensent nullement à elle. Le moujik parle de petits ou de gros
sous, les vieillards et vieilles femmes discutent à
grand renfort de bras ou parlent tout seuls, avec
parfois des gestes assez expressifs, mais personne
ne les écoute ni ne se moque d'eux, à l'exception,
tout au plus, de gamins en blouse de coutil qui,
des bouteilles vides ou des bottes ressemelées à
la main, filent comme la flèche le long de la Perspective Nevski. À cette heure-là, vous pouvez vous
accoutrer n'importe comment, vous pouvez même
être coiffé d'une casquette au lieu de chapeau,
votre cravate peut laisser dépasser excessivement
votre col, nul ne le remarquera.

À midi, font irruption sur la Perspective Nevski
les précepteurs de toutes nationalités, avec leurs
élèves en col de batiste. Les Johns anglais et les
Cocos français vont bras dessus bras dessous avec
les pupilles confiés à leur paternelle sollicitude,
et leur expliquent avec la gravité adéquate que
les enseignes des magasins sont faites pour que
par leur truchement l'on puisse savoir ce qu'on
trouve dans lesdits magasins. Les gouvernantes,
pâles misses et Slaves vermeilles, suivent majestueusement leurs fillettes légères et pétulantes,
en leur disant de lever un peu plus haut l'épaule
et de se tenir plus droites ; bref, à ce moment la
Perspective Nevski est une Perspective Nevski
pédagogique.

Mais à mesure qu'on approche de deux heures,
diminue le nombre des gouverneurs, pédagogues
et pupilles ; ceux-ci font place finalement aux
tendres auteurs de leurs jours, qui vont donnant

le bras à leurs compagnes aux robes chatoyantes et multicolores et aux nerfs délicats. Peu à peu se joignent à leur compagnie tous ceux qui ont mené à bien d'assez graves occupations domestiques, comme par exemple de causer avec leur docteur du temps qu'il fait et d'un petit bouton qui a jailli sur leur nez, de s'informer de la santé de leurs chevaux et de leurs enfants, lesquels, au reste, font preuve de grandes aptitudes, de lire le programme des spectacles et un important article du journal sur les personnalités de passage, enfin de prendre leur café et leur thé ; à ceux-là se joignent aussi ceux qu'un sort enviable a gratifiés de la profession bénie de fonctionnaires en mission spéciale. À eux se joignent encore ceux qui ont un emploi aux Affaires étrangères, et qui se distinguent par la noblesse de leurs occupations et de leurs manières. Dieu, qu'il existe de belles fonctions et de beaux emplois ! Comme ils élèvent l'âme et la délectent ! Mais moi, hélas, je ne suis pas fonctionnaire, je suis privé du plaisir de voir avec quelle délicatesse les supérieurs s'adressent à moi.

Tout ce que vous rencontrez sur la Perspective Nevski, tout regorge de bonnes manières : les hommes en long pardessus, les mains fourrées dans les poches, les dames en redingotes de satin rose, blanc et bleu d'azur et ravissants chapeaux. Vous rencontrerez ici des favoris uniques, glissés sous la cravate avec un art extraordinaire, surprenant, des favoris de velours, de soie, noirs comme la zibeline ou le charbon, mais qui, hélas, sont le privilège du seul département des Affaires étran-

gères. À ceux qui servent dans d'autres ministères,
la Providence a refusé les favoris noirs, ils doivent,
à leur immense déplaisir, les porter roux. Ici vous
rencontrerez des moustaches merveilleuses, que
nulle plume, nul pinceau ne sauraient dépeindre ;
des moustaches auxquelles est consacrée la meilleure moitié de la vie, objet de longues veilles de
jour et de nuit, des moustaches sur lesquelles
ont été épandus les parfums et aromates les plus
enivrants et qu'ont ointes les pommades les plus
précieuses et les plus rares, des moustaches qui
s'enveloppent pour la nuit d'un délicat vélin, des
moustaches que hume le plus émouvant attache-
ment de leur possesseur et que lui envient les
passants. Des milliers de sortes de chapeaux, de
robes, d'écharpes chatoyantes, vaporeuses, qui
jouissent parfois deux jours entiers de la fidélité
de celle qui les porte, éblouissent tout un chacun
sur la Perspective Nevski. On dirait que toute une
mer de papillons s'est soudain essorée des blés
mûrs et ondoie en nuée étincelante au-dessus des
noirs scarabées du sexe fort. Ici vous rencontrerez
des tailles telles que vous n'en avez jamais rêvé :
minces, étroites, des tailles pas plus grosses que
le col d'une bouteille, à la rencontre desquelles
vous vous effacerez respectueusement de côté, de
peur de les heurter, par maladresse, d'un coude
incivil ; votre cœur sera pris de crainte, de terreur, que même un souffle imprudent de votre
part n'aille briser en deux cet adorable produit de
la nature et de l'art. Et les manches de dames que
vous croiserez sur la Perspective Nevski ! Ah, quel
ravissement ! Elles ressemblent un peu à deux bal-

lons captifs, tels que la dame s'envolerait soudain
si son mari ne la retenait au sol ; car soulever une
dame en l'air est aussi facile et agréable que de
porter aux lèvres une coupe pleine de champagne.

Nulle part, en se croisant, on ne se salue avec
autant de noblesse et d'aisance que sur la Perspective Nevski. Ici vous rencontrerez un sourire
qui est unique, un sourire qui est le sommet de
l'art, parfois tel qu'on en peut fondre de plaisir,
parfois tel qu'on se voit soudain plus bas que
l'herbe et qu'on baisse la tête, parfois tel qu'on
se sent plus haut que la flèche de l'Amirauté et
qu'on hausse le col. Ici vous rencontrerez des
gens qui causent du dernier concert, ou du temps
qu'il fait, avec une distinction et un sentiment de
leur propre dignité qui sont hors du commun.
Ici vous rencontrerez mille caractères, mille inci-
dents qui défient la description. Seigneur Dieu !
quels étranges caractères on rencontre sur la
Perspective Nevski ! Il y a une quantité de gens
qui, en vous croisant, jettent immanquablement
un regard à vos bottes et, quand vous êtes passé,
se retournent pour regarder vos basques. Je n'ai
pas encore réussi à comprendre pourquoi. Au
début je pensais que c'étaient des cordonniers,
mais non, rien de pareil : ce sont pour la plupart
des fonctionnaires de divers ministères, beaucoup
d'entre eux peuvent rédiger d'excellente manière
un rapport d'une administration à une autre, ou
bien ce sont des gens qui ont pour occupation
de se promener, de lire les journaux d'une pâtisserie à l'autre, bref, pour la plupart, toutes personnes fort convenables. À ce moment béni de

la journée, entre deux et trois heures après midi, qui peut s'intituler la capitale en mouvement sur la Perspective Nevski, se déroule l'exposition générale de toutes les meilleures productions de l'homme. L'un montre un pardessus du dernier chic avec ce qu'il y a de mieux comme castor, un autre un superbe nez grec, un troisième de mirifiques favoris, une quatrième une paire de jolis yeux et un étonnant chapeau, un cinquième une bague avec talisman à un coquet petit doigt, une sixième un petit pied chaussé de façon ravissante, un septième une cravate qui appelle l'admiration, un huitième des moustaches qui provoquent la stupeur. Mais trois heures sonnent et l'exhibition prend fin, la foule se raréfie...

À trois heures, nouvelle métamorphose. Sur la Perspective Nevski c'est tout à coup le printemps : elle se couvre tout entière de fonctionnaires en uniformes verts. Affamés, les conseillers titulaires, auliques et autres tâchent de toutes leurs forces à accélérer leur allure. Les jeunes, eux, enregistreurs de collège ou secrétaires de département ou de collège, se dépêchent de profiter du temps qui reste encore pour se promener sur la Perspective Nevski, avec un air de dignité fait pour montrer qu'ils ne viennent nullement de passer six heures assis dans un bureau. Mais les vieux secrétaires de collège, conseillers titulaires et auliques, pressent le pas et vont tête baissée : ils ont autre chose en tête que de se livrer à la contemplation des passants ; ils ne sont pas encore tout à fait détachés de leurs préoccupations ; ils ont dans la tête un pêle-mêle, de véritables archives d'affaires en cours et non réglées ; longtemps encore ils voient, à la place des enseignes, des dossiers de paperasses ou le visage bien en chair du chef de bureau.

À partir de quatre heures la Perspective Nevski est déserte, et vous n'y rencontrerez plus guère un seul fonctionnaire. Quelque couturière qui sort d'un magasin et traverse en courant la Perspective Nevski un carton sur les bras ; quelque pitoyable proie d'un homme de loi philanthrope lâchée par le monde en manteau de frise ; quelque hurluberlu égaré pour qui toutes les heures sont égales ; quelque longue Anglaise toute en hauteur, son réticule et un livre à la main ; quelque encaisseur d'allure bien russe, avec son surtout de cotonnade cintré à la hauteur des omoplates et sa barbe effilée, dont toute l'existence est à la va-comme-je-te-pousse et en qui tout est en mouvement – et le dos, et les mains, et les jambes, et la tête – tandis qu'il longe respectueusement le trottoir ; quelquefois un simple manœuvre... c'est tout ce que vous rencontrerez à cette heure sur la Perspective Nevski.

Mais dès que le crépuscule s'étend sur les maisons et sur les rues, quand le factionnaire[1], se couvrant de sa houppelande, grimpe à son échelle pour allumer sa lanterne, et qu'au bas des vitrines des magasins apparaissent les estampes qui n'osent pas se montrer en plein jour, alors la Perspective Nevski reprend vie et recommence à s'animer. Alors vient ce moment mystérieux où les lampes donnent à toutes choses je ne sais quel fascinant, quel magique éclairage. Vous rencon-

trerez un très grand nombre de jeunes hommes,
pour la plupart célibataires, en chauds pardessus
et manteaux. À cette heure-là on sent qu'il y a là
un but, ou plutôt quelque chose qui ressemble à
un but. Quelque chose qui échappe largement à
la réflexion consciente. Les pas de tous ces gens
s'accélèrent et se font, dans l'ensemble, très iné-
gaux. De longues ombres filent sur les murs et
sur la chaussée et atteignent presque de la tête
le pont de la Police. Les jeunes enregistreurs de
collège, secrétaires de département ou de collège,
prolongent très longtemps leur promenade ; mais
les enregistreurs de collège, conseillers titulaires
et auliques d'un certain âge sont pour la plupart restés chez eux, soit parce que ce sont gens
mariés, soit parce que la cuisinière allemande qui
tient leur ménage leur fait de très bonne cuisine.
Ici vous retrouverez les respectables vieillards qui
se promenaient à deux heures sur la Perspective
Nevski avec tant de gravité et d'admirable distinction. Vous les verrez courir tout aussi bien que les
jeunes enregistreurs de collège afin de jeter un
coup d'œil sous le chapeau d'une dame entrevue
de loin, et dont les lèvres charnues et les joues
diversement fardées plaisent à tant de prome-
neurs, et tout spécialement aux commis de boutique, aux artisans, aux commerçants qui, vêtus de
surtouts à l'allemande, se promènent toujours en
nombre, et d'habitude bras dessus bras dessous.

« Halte ! s'écria à ce moment le lieutenant
Pirogov en saisissant le bras d'un jeune homme
en habit et pèlerine qui marchait à son côté. Tu
as vu ?

— J'ai vu, merveilleuse, absolument la Bianca du Pérugin.

— Mais de qui parles-tu ?

— D'elle, de cette brune. Oh, ces yeux, Seigneur, ces yeux ! Et tout son port et sa ligne, et l'ovale du visage.. des merveilles !

— Je te parle, moi, de la blonde qui est passée après elle, dans l'autre direction. Qu'attends-tu pour suivre la brune, si elle t'a tellement plu ?

— Oh ! comment pourrais-je ! s'exclama en rougissant le jeune homme en habit. Comme si elle était de celles qui font le trottoir le soir sur la Perspective Nevski ! Ce doit être une dame de très haut rang, poursuivit-il en soupirant, rien que le manteau qu'elle porte vaut au moins quatre-vingts roubles !

— Innocent ! s'écria Pirogov en le poussant malgré lui dans la direction où l'on voyait chatoyer le manteau de la dame. Cours, nigaud, tu vas la rater ! Moi, je vais suivre ma blonde. »

Les deux amis se séparèrent.

« On vous connaît, toutes tant que vous êtes ! » pensait à part lui Pirogov avec un sourire satisfait et suffisant, convaincu qu'il n'était pas de belle qui pût lui résister.

Le jeune homme en habit et pèlerine partit d'un pas timide et mal assuré dans la direction où flottait au loin le manteau chatoyant, qui tantôt s'illuminait d'un vif éclat à mesure qu'il approchait de la lumière d'un réverbère, tantôt se couvrait momentanément de ténèbres en s'en éloignant. Son cœur battait, et il pressait malgré lui le pas. Il n'osait même pas songer à obtenir quelque droit

à l'attention de la belle qui s'éloignait rapidement
devant lui, et encore moins se permettre une pensée aussi noire que celle qu'avait voulu lui suggé-
rer le lieutenant Pirogov ; il ne désirait que voir la
maison, se représenter la demeure où vivait cette
créature adorable qui, lui semblait-il, devait être
descendue tout droit du ciel sur la Perspective
Nevski et allait sûrement s'envoler de nouveau il
ne savait où. Il courait si vite qu'à chaque instant
il bousculait d'importants messieurs à favoris gris.

Ce jeune homme appartenait à cette catégorie
de gens qui constitue chez nous un phénomène
assez singulier, et qui a sa place parmi les citoyens
de Pétersbourg à peu près comme a la sienne
dans le monde réel un visage qui nous apparaît
en rêve. Cette classe exceptionnelle est une remarquable rareté dans une ville où tout est fonctionnaire, négociant ou artisan allemand. C'était un
peintre. Étrange, n'est-il pas vrai ? Un peintre à
Pétersbourg ! Un artiste au pays des neiges, un
artiste au pays finnois où tout est humide, plat,
uniforme, blême, gris, brumeux… Ces artistes-là
ne ressemblent en rien aux artistes italiens, fiers,
ardents comme l'Italie et son ciel ; ce sont au
contraire, pour la plupart, gens doux et bons, dis-
crets, insouciants, silencieusement épris de leur
art, qui prennent le thé avec un ou deux amis dans
leur atelier, discutent modestement de leur sujet
chéri et négligent absolument le superflu. Ils font
venir chez eux quelque vieille indigente et la font
poser cinq ou six bonnes heures pour fixer sur
leur toile sa pitoyable figure dépourvue d'expression. Ils dessinent la perspective de leur atelier, où

l'on voit tout un bric-à-brac d'artiste – des bras et
jambes de plâtre qui ont pris, avec le temps et la
poussière, la teinte du café, des chevalets brisés,
une palette jetée de côté, – un ami jouant de la gui-
tare, des murs maculés de couleurs, une fenêtre
grande ouverte par laquelle s'entrevoit la pâle
Néva avec de misérables pêcheurs en chemises
écarlates... Ils ont, toujours et presque sur toutes
choses, un coloris grisâtre et trouble – cachet
indélébile du Nord. Et tout cela n'empêche que
c'est avec une véritable délectation qu'ils peinent
à leur travail. Ils portent souvent en eux un vrai
talent, et il suffirait que passât sur eux le souffle
frais de l'Italie pour que ce talent ne manquât
pas de se développer aussi librement, largement
et brillamment qu'une plante qu'on a enfin tirée
d'une chambre close au grand air. Ils sont, aussi
bien, très timides : une plaque et une grosse épaulette les jettent dans une telle confusion qu'involontairement ils baissent leurs prix. Ils aiment
quelquefois sacrifier à la coquetterie, mais sur eux
l'élégance a toujours l'air trop voyante et fleure
quelque peu le rapiéçage. Vous leur verrez parfois
un habit irréprochable avec un manteau sale, un
riche gilet de velours sous une blouse bariolée de
taches. Tout de même que, sur un paysage d'eux
resté inachevé, vous verrez, dessinée la tête en
bas, une nymphe que, faute de trouver une autre
place, l'artiste a esquissée sur le fond barbouillé
d'une œuvre antérieure naguère peinte avec fer-
veur... Il ne vous regarde jamais droit dans les
yeux, ou s'il le fait, c'est d'on ne sait quel regard
trouble, indéfini ; il ne darde pas sur vous le coup

d'œil d'épervier de l'observateur ou le coup d'œil de faucon de l'officier de cavalerie. Cela vient de ce qu'il voit à la fois vos traits et ceux de quelque Hercule de plâtre dressé dans son atelier ; ou de ce qu'il se représente déjà son propre tableau, celui qu'il en est encore à concevoir. C'est pourquoi il répond souvent de façon incohérente, parfois tout à fait à côté, et les sujets qui s'entremêlent dans sa tête augmentent encore sa timidité.

C'est à cette catégorie qu'appartenait le jeune homme que nous avons décrit, le peintre Piskariov, renfermé, timide, mais qui portait dans son âme des étincelles de sentiment prêtes, l'occasion aidant, à jaillir en flamme. C'est avec un tremblement secret, et comme s'étonnant lui-même de son audace, qu'il se hâtait à la poursuite de l'objet qui l'avait tant impressionné. La créature inconnue à laquelle s'attachaient si fortement ses yeux, ses pensées et ses sentiments, tourna soudain la tête et lui jeta un regard. Dieu ! quels traits divins ! Son front exquis, d'une blancheur éblouissante, était ombragé d'une chevelure aussi belle que l'agate. Elle s'enroulait en boucles adorables dont une partie, glissant de dessous le chapeau, frôlait une joue où affleurait une fine et fraîche rougeur appelée par le froid du soir. Les lèvres étaient closes sur tout un essaim de rêves délicieux. Tout ce qui reste des souvenirs d'enfance, tout ce que dispense la rêverie et la paisible inspiration à la lueur d'une veilleuse, tout cela semblait s'être rassemblé, fondu et reflété dans la ligne harmonieuse de ces lèvres. Elle jeta un coup d'œil à Piskariov, et le cœur du jeune homme frémit sous

ce regard ; c'était un regard sévère, un sentiment
d'indignation se marquait sur son visage contre
cette poursuite insolente ; mais sur ce beau visage
la colère même était un enchantement. Frappé
de honte et de crainte, il s'arrêta, les yeux bais-
sés ; mais comment laisser échapper cet être divin
sans connaître seulement le sanctuaire où il était
descendu élire domicile ? Telles furent les pensées du jeune rêveur, et il décida de continuer
la poursuite. Mais afin de ne pas se faire remarquer il se laissa quelque peu distancer, et se mit
à regarder à droite et à gauche d'un air détaché
et à examiner les enseignes, sans perdre de vue,
ce faisant, un seul pas de son inconnue. Les passants commençaient à se faire plus rares, la rue
plus silencieuse. La belle tourna encore la tête, et
il lui sembla qu'un léger sourire avait passé sur
ses lèvres. Il frémit tout entier, n'en croyant pas
ses yeux. Non, c'était un réverbère dont la lumière
trompeuse avait jeté sur les traits de la jeune
femme l'apparence d'un sourire ; non, c'étaient
ses propres rêves qui se moquaient de lui ! Mais
son souffle s'arrêta dans sa poitrine, il n'y eut plus
en lui qu'indéfinissable palpitation, une flamme
emporta tous ses sentiments et tout devant lui se
couvrit d'une espèce de brouillard ; le trottoir se
dérobait sous ses pas, les calèches et leurs chevaux
au galop semblaient immobiles, le pont s'étirait et
se rompait à son arche, les immeubles se retour-
naient sur leur toit, la guérite du factionnaire
s'abattait vers lui tandis que la hallebarde, ainsi
que les lettres dorées et les ciseaux peints d'une
enseigne, semblaient briller suspendus à ses cils.

Tout cela était l'effet d'un regard, d'un mouvement vers lui d'une jolie tête. Il n'entendait plus,
il ne voyait plus, il ne percevait plus, il glissait
sur les traces légères des adorables petits pieds,
tout en s'efforçant de modérer la rapidité de ses
pas emportés au rythme des battements de son
cœur. Par moments un doute le prenait : était-il
vrai que l'expression du visage de la jeune femme
eût été si bienveillante ? Alors il s'arrêtait un instant, mais les battements de son cœur, une force
irrésistible et le bouleversement de tout son être le
rejetaient en avant. Il ne sut même pas comment
soudain se dressa devant lui un immeuble de trois
étages, comment d'un seul coup quatre rangées de
fenêtres le regardèrent de toutes leurs lumières,
comment la rampe du perron d'entrée lui opposa
brusquement son choc de fer. Il vit l'inconnue gra-
vir rapidement l'escalier, se retourner, mettre un
doigt sur ses lèvres et lui faire signe de la suivre.
Ses genoux tremblaient ; ses sentiments, ses pensées étaient en feu ; un éclair de joie lui transperça le cœur d'une insoutenable brûlure. Non,
ce n'était plus un rêve ! Dieu ! que de bonheur en
un clin d'œil ! une si merveilleuse vie vécue en
deux minutes !

Mais était-il sûr d'être bien éveillé ? Se pouvait-il
que celle pour un céleste regard de qui il était prêt
à donner sa vie, celle qu'il tenait déjà pour une
ineffable bénédiction d'avoir pu suivre jusqu'à sa
demeure, se pouvait-il qu'elle fût maintenant si
bienveillante et attentionnée pour lui ? Il gravit
à grands pas l'escalier. Ses pensées n'étaient pas
de la terre ; il n'était point enflammé de l'ardeur

d'une passion terrestre, non, il était à cette minute
pur et exempt de vice comme l'adolescent virginal
qui ne respire encore que vague besoin spirituel
d'aimer. Et cela même qui, dans un homme cor-
rompu, aurait éveillé d'immodestes pensées, ne
faisait au contraire que purifier les siennes. Cette
confiance que lui témoignait une belle et faible
créature, cette confiance lui imposait le devoir
d'une rigueur chevaleresque, le devoir d'exécuter
servilement tous les ordres qu'elle lui donnerait.
Il souhaitait seulement que ces ordres fussent les
plus difficiles, les plus impossibles à exécuter, afin
de pouvoir vouer davantage de ses forces à en surmonter la difficulté. Il ne doutait pas que quelque
secrète et grave circonstance eût obligé l'inconnue
à se fier à lui ; qu'on allait sûrement exiger de lui
d'exceptionnels services, et il sentait déjà en lui la
force et la résolution de tout accomplir.

L'escalier montait en spirale, et ses rêves se
pressaient dans le même tournoiement. « Avan-
cez prudemment ! » fit une voix dont le son était
celui d'une harpe et qui fit encore vibrer tous ses
nerfs Dans l'obscurité du dernier étage l'inconnue
frappa à une porte, celle-ci s'ouvrit et ils entrèrent
ensemble. Une femme d'aspect assez agréable
les accueillit une chandelle à la main, mais elle
regarda Piskariov d'un air si singulier et si effronté
qu'il baissa malgré lui les yeux. Ils pénétrèrent
dans la pièce. Trois figures féminines, chacune
dans son coin, se présentèrent à ses regards. L'une
interrogeait les cartes ; une autre, assise au piano,
jouait avec deux doigts le pitoyable simulacre
d'une ancienne polonaise ; la troisième, devant

un miroir, peignait ses longs cheveux et ne songeait pas un instant à interrompre sa toilette à
l'arrivée d'un inconnu. On ne sait quel déplaisant
désordre, tel qu'on ne peut le trouver que dans
le logement négligé d'un célibataire, régnait de
toutes parts. Les meubles, d'assez bonne apparence, étaient couverts de poussière ; l'araignée
avait garni de sa toile les moulures du lambris ;
à la porte entrebâillée d'une autre pièce brillait
une botte avec son éperon et se devinaient les
parements rouges d'un uniforme ; une forte voix
d'homme et un rire féminin se faisaient entendre
sans la moindre contrainte.

Dieu, où s'était-il fourvoyé ! Il se refusa tout
d'abord à y croire et commença à considérer plus
attentivement les objets qui emplissaient la pièce ;
mais les murs nus et les fenêtres sans rideaux ne
révélaient point la présence d'une maîtresse de maison soigneuse ; les visages flétris de ces pitoyables
créatures, dont l'une vint s'asseoir presque sous
son nez et l'examiner aussi tranquillement qu'une
tache sur un vêtement, tout cela ne lui laissa point
douter qu'il venait d'entrer dans le repaire infâme
où élit domicile la triste débauche qu'enfante la
civilisation de clinquant et l'effroyable entassement
humain de la capitale Ce repaire où l'homme, en
sacrilège, a étouffé et voué à la risée tout ce qu'il
y a de pur et de saint pour faire l'ornement de la
vie, où la femme, cette beauté du monde, ce cou-
ronnement de la création, s'est métamorphosée
en un être étrange et ambigu, où elle a dépouillé
avec la pureté de l'âme toute féminité et assumé les
allures et les impudences du mâle, et cessé d'être

cette fragile créature si belle et si différente de nous. Piskariov la considérait des pieds à la tête, plein de stupeur, comme s'il avait voulu s'assurer encore que c'était bien celle qui l'avait ensorcelé et entraîné dans son sillage sur la Perspective Nevski. Mais elle était devant lui toujours aussi belle ; sa chevelure avait bien la même splendeur, ses yeux toujours le même éclat céleste. Elle était toute jeune, elle n'avait guère que dix-sept ans ; il était visible que l'immonde débauche ne l'avait saisie que depuis peu et n'avait pas encore flétri ses joues, qui étaient fraîches et légèrement nuancées d'un délicat incarnat... Elle était belle.

Il restait immobile devant elle, prêt déjà à oublier le réel aussi naïvement qu'il l'avait fait un peu plus tôt. Mais la belle se lassa de ce long silence, elle lui fit un sourire significatif en le regardant droit dans les yeux. Ce sourire était plein d'on ne sait quelle pitoyable impudeur ; il était aussi insolite, aussi peu fait pour son visage, qu'une expression de piété pour le faciès d'un escroc ou un registre de comptable pour la main d'un poète. Il en frissonna. Elle ouvrit ses lèvres charmantes et commença à dire quelque chose, mais tout ce qu'elle disait était si bête, si vulgaire... Comme si, avec la pureté, l'intelligence abandonnait aussi un être humain. Il souhaitait de ne plus rien entendre. Il fut extraordinairement ridicule et simplet comme un enfant. Au lieu de profiter de tant de bonnes dispositions, au lieu de se réjouir d'une aubaine qui eût fait la joie de tout autre à sa place, il s'échappa à toutes jambes, tel un gibier effarouché, et se sauva dans la rue.

La tête basse et les bras tombants, il se retrouva dans sa chambre, pareil à un malheureux qui, ayant découvert un joyau sans prix, l'aurait tout aussitôt laissé tomber dans les flots. « Tant de beauté, des traits si divins, et dans un lieu pareil !... » C'est tout ce qu'il trouvait à dire.

De fait, jamais la pitié ne s'empare aussi fortement de nous qu'au spectacle de la beauté atteinte par le souffle délétère de la débauche. Que celle-ci s'allie à la laideur, passe encore, mais la beauté, la tendre beauté... elle ne s'accorde dans nos pensées qu'à la chasteté et à la pureté. La belle enfant qui avait envoûté l'infortuné Piskariov était effectivement une merveilleuse, une inhabituelle apparition. Plus inhabituelle encore semblait sa présence dans cet abominable milieu. Tous ses traits étaient si purement dessinés, toute l'expression de son beau visage était empreinte d'une telle distinction qu'il était impossible d'imaginer que la corruption eût ouvert sur elle ses effrayantes griffes. Elle eût pu être l'inestimable perle, tout l'univers, tout le paradis, toute la richesse d'un époux passionné ; elle eût pu être la belle et douce étoile d'un paisible cercle de famille, et d'un seul mouvement de ses belles lèvres donner des ordres reçus avec bonheur. Elle aurait pu être la déesse d'une nombreuse société, dans de brillantes soirées mondaines, sous l'éclat des lustres, dans la muette adoration d'une foule d'admirateurs prosternés à ses pieds... mais hélas ! quelque affreux décret d'un esprit infernal, acharné à détruire l'harmonie de la vie, l'avait en ricanant jetée au fond de son gouffre.

Pénétré d'une déchirante compassion, il restait assis devant une chandelle presque consumée. Minuit était depuis longtemps passé, l'horloge d'un clocher sonnait la demie d'une heure, et il demeurait immobile, sans sommeil, sans veille consciente. Un assoupissement, à la faveur de son immobilité, commençait déjà à s'emparer peu à peu de lui, déjà la chambre s'estompait, seule la lueur de la chandelle tremblotait à travers la somnolence qui le gagnait, quand soudain un coup frappé à la porte le fit sursauter et revenir à lui. La porte s'ouvrit, entra un laquais en riche livrée. Jamais une riche livrée n'avait visité sa chambre solitaire, et moins que jamais à une heure aussi inusitée... Il ne comprenait pas, et regardait le laquais avec une impatiente curiosité.

« La dame chez qui vous daigniez être il y a quelques heures, dit le laquais en s'inclinant respectueusement, vous prie de venir la voir et vous envoie son coupé. »

Piskariov était debout, muet d'étonnement : un coupé, un laquais en livrée !... Non, il y avait sûrement là quelque erreur...

« Écoutez, mon brave, prononça-t-il avec embarras, vous avez certainement dû vous tromper d'adresse. Votre maîtresse vous a sans doute envoyé chercher quelqu'un d'autre, et non moi.

— Non, monsieur, je ne me trompe pas. C'est bien vous qui avez accompagné une dame à pied jusqu'à une maison de l'avenue de la Fonderie, à un appartement du troisième étage ?

— Oui.

— Eh bien, veuillez ne pas tarder, madame

désire absolument vous voir et vous prie de venir, cette fois, directement à son hôtel. »

Piskariov descendit en courant l'escalier. Il y avait en effet dans la cour un coupé. Il y prit place, la portière claqua, les pierres de la chaussée résonnèrent sous les roues et les sabots, et des rangées d'immeubles éclairés et d'enseignes éclatantes défilèrent aux fenêtres du coupé. Tout le long du chemin, Piskariov réfléchissait et ne savait comment démêler cette aventure. Un hôtel particulier, un coupé, un laquais en riche livrée... il se demandait comment concilier tout cela avec la chambre du troisième étage, les fenêtres poussiéreuses et le piano désaccordé. Le coupé s'arrêta devant un perron inondé d'une vive lumière, et ses sens furent aussitôt frappés par une file d'attelages, un brouhaha de cochers, des fenêtres brillamment éclairées et les sons d'un orchestre. Le laquais en riche livrée l'aida à descendre de voiture et l'accompagna respectueusement dans une entrée aux colonnes de marbre où il vit un suisse chamarré d'or, un amoncellement de manteaux et de fourrures, un lampadaire éclatant. Un escalier aérien, à la rampe étincelante, parfumé d'aromates, montait devant lui. Déjà il le gravissait, déjà il pénétrait dans un premier salon, effrayé et reculant dès le premier pas à la vue de la foule immense qui s'y pressait. L'extraordinaire bigarrure de cette foule le décontenança totalement ; il lui semblait que quelque démon avait émietté le monde en une multitude de fragments et brassé tous ces fragments à l'aveuglette, à tort et à travers. Les splendides épaules des dames et les fracs noirs, les lustres, les lampadaires, les aériennes gazes flottantes, les rubans voltigeants et la contrebasse ventrue aperçue derrière la balustrade du magnifique orchestre, tout était pour lui éblouissement. Il vit d'un seul coup tant de respectables vieillards et demi-vieillards en frac constellé de décorations, des dames circulant sur le parquet ciré, ou assises en rangs, si légères, fières et gracieuses, il entendit tant de phrases en français ou en anglais, les jeunes gens en habit noir étaient pleins d'une telle noblesse, parlaient ou se taisaient avec tant de dignité, étaient si incapables de rien dire de superflu, plaisantaient si majestueusement, souriaient avec tant de déférence, portaient de si magnifiques favoris, savaient si habilement montrer leurs mains distinguées en ajustant leur cravate, les dames étaient si vaporeuses, baignaient dans une telle perfection de contentement d'elles-mêmes et de ravissement, baissaient si délicieusement les paupières, que... mais l'air humble de Piskariov, craintivement adossé à une colonne, suffisait à révéler son total désarroi. À ce moment la foule entoura un groupe qui dansait. Les danseuses glissaient, enveloppées des transparentes créations de Paris, en robes tissées de l'air lui-même ; elles effleuraient négligemment de leurs étincelants petits pieds le parquet ciré, plus éthérées que si elles ne l'eussent même pas touché. Mais une parmi elles portait de toutes la plus belle, la plus luxueuse, la plus resplendissante toilette. La plus ineffable, la plus raffinée combinaison de bon goût s'étalait sur toute sa parure, et cependant il semblait qu'elle n'en eût pris aucun souci et que

cela se fût fait de soi-même et involontairement.
Elle regardait, mais comme sans la voir, la foule
d'admirateurs qui l'entourait, ses beaux cils allongés s'abaissaient avec nonchalance, et la radieuse
blancheur de son visage éblouissait davantage
encore quand elle inclinait la tête et qu'une ombre
légère s'étendait sur son front ravissant.

Piskariov déploya tous ses efforts pour fendre
la foule et mieux la contempler ; mais à sa grande
contrariété une énorme tête aux épaisses boucles
noires ne cessait de la lui masquer ; de plus la
cohue le pressait de telle sorte qu'il n'osait ni
avancer ni reculer de peur de heurter de quelque
manière quelque conseiller d'État. Enfin il parvint tout de même à se glisser un peu en avant,
et il jeta un coup d'œil à sa tenue dans le désir de
s'arranger décemment. Dieu du ciel, que vit-il !
Il était en blouse toute maculée de couleurs :
dans sa hâte à venir, il avait oublié de se changer
comme il convenait. Il rougit jusqu'aux oreilles et,
la tête basse, il souhaita de disparaître n'importe
où, mais il n'y avait rigoureusement pas où disparaître : des gentilshommes de la chambre en
superbes uniformes s'étaient rapprochés derrière
lui en parfaite muraille. Il aspirait maintenant à
être le plus loin possible de la belle au beau front
et aux beaux sourcils. Il leva des yeux apeurés
pour voir si elle ne le regardait pas : grand Dieu !
elle était devant lui... Mais quoi ! que découvre-
t-il ?... « C'est elle ! » s'écria-t-il presque à pleine
voix. Et en effet, c'était elle, celle-là même qu'il
avait rencontrée sur la Perspective Nevski et suivie
jusqu'à la maison où elle se rendait.

Cependant elle leva les paupières et considéra l'assistance de son lumineux regard. « Grand Dieu, qu'elle est belle ! » put-il seulement articuler, le souffle coupé. Elle parcourut des yeux tout le cercle des hommes, plus avides les uns que les autres d'arrêter son attention, mais avec une sorte de lassitude et d'indifférence elle s'en détourna, et son regard rencontra les yeux de Piskariov. Oh ! c'est le ciel ! c'est le paradis ! Donne, Seigneur, la force de le soutenir ! La vie est trop étroite pour lui, il va disloquer l'âme et l'emporter !... Elle fit un signe, mais non de la main, ni d'une inclinaison de tête, non : ses yeux seuls, ses yeux irrésistibles firent ce signe, d'une expression si ténue et insaisissable que nul ne pouvait le voir, mais lui le vit, lui le comprit. La danse dura longtemps ; la musique, à bout de forces aurait-on dit, s'éteignait et mourait, puis de nouveau s'élançait, bruyante et tonnante ; enfin – la fin ! Elle s'assit, sa poitrine se soulevait et s'abaissait sous la fine fumée de la gaze ; sa main (Seigneur, cette main merveilleuse !) tomba sur ses genoux, serra sa robe vaporeuse, et la robe sous cette main sembla exhaler une musique, et sa douce teinte lilas accusait encore davantage l'éclatante blancheur de cette main. La toucher seulement – rien de plus ! Pas d'autres désirs : tous seraient une insolence... Il était debout derrière sa chaise, n'osant parler, n'osant respirer. « Vous vous êtes ennuyé ? prononça-t-elle. Moi aussi je m'ennuyais. Je m'aperçois que vous me détestez... » ajouta-t-elle, abaissant ses longs cils.

« Moi, vous détester ! moi qui... » commençait déjà Piskariov tout à fait éperdu, et il aurait sûre-

ment énoncé une masse de choses les plus incohérentes, mais à ce moment s'approcha, avec des
paroles spirituelles et aimables, un chambellan
impérial dont la tête s'ornait d'un beau toupet
frisé. Il montrait assez agréablement une rangée
de dents qui n'étaient point laides, et chacun de
ses bons mots enfonçait une pointe aiguë dans le
cœur de Piskariov. Enfin quelqu'un d'autre, par
bonheur, s'adressa au chambellan pour lui poser
quelque question.

« C'est insupportable ! dit-elle en levant vers lui
ses yeux célestes. Je vais m'asseoir à l'autre bout
de la salle : rejoignez-moi ! » Elle se glissa dans
la foule et disparut. Il se précipita comme un fou
à travers la cohue, et déjà il était à destination.

Oui, la voici ! Elle était assise comme une reine,
la meilleure de toutes, la plus belle de toutes, et
elle le cherchait des yeux.

« Vous voilà, prononça-t-elle doucement. Je
serai franche avec vous : vous avez probablement trouvé étranges les circonstances de notre
rencontre. Pensez-vous vraiment que je puisse
appartenir à la vile catégorie des créatures parmi
lesquelles vous m'avez vue ? Ma conduite vous
paraît singulière, mais je vais vous découvrir mon
secret : serez-vous homme – dit-elle en le regardant fixement – à ne jamais le trahir ?

— Oh ! oui, je le serai, je le serai ! »

Mais à cet instant s'approcha un homme d'âge
assez mûr, qui dit à la jeune femme quelques mots
dans une langue incompréhensible à Piskariov et
lui offrit le bras. Elle adressa à Piskariov un regard
implorant et lui fit signe de rester à sa place et d'at-

tendre qu'elle revînt, mais pris d'impatience il n'eut pas la force d'obéir, même à un ordre venant de sa bouche. Il se lança à sa suite ; mais la foule les sépara. Il ne voyait plus la robe lilas ; il passait avec inquiétude d'une pièce dans l'autre et bousculait impitoyablement tous ceux qui se trouvaient sur son chemin, mais dans toutes les pièces siégeaient d'importants personnages jouant au whist, plongés dans un silence de tombeau. Dans l'angle d'un boudoir plusieurs messieurs d'un certain âge discutaient de la supériorité de la carrière militaire sur la civile ; dans un autre des hommes en magnifique frac lâchaient négligemment quelques remarques sur les volumineux travaux d'un poète-tâcheron. Piskariov sentit un monsieur d'âge avancé le saisir par le bouton de son habit et soumettre à son appréciation une fort judicieuse remarque, mais il l'écarta brutalement, sans même s'apercevoir que le monsieur avait au cou la cravate d'un ordre assez important. Il passa vivement dans une autre pièce – elle n'y était pas non plus. Dans une troisième – pas davantage. « Où donc est-elle ? Rendez-la-moi ! Oh ! je ne puis vivre sans l'avoir revue ! Il faut que je sache ce qu'elle voulait me dire ! » Mais toutes ses recherches restaient vaines. Inquiet, harassé, il se blottit dans un coin et regarda la foule ; mais ses regards tendus commencèrent à lui présenter toutes choses avec une espèce de flou. Bientôt se dessinèrent nettement les murs de sa chambre. Il leva les yeux ; il avait devant lui un chandelier au fond duquel se mourait une flamme languissante ; toute la chandelle avait fondu, le suif était répandu sur sa table.

Ainsi il avait dormi ! Dieu, quel rêve ! Et pourquoi fallait-il qu'il se fût réveillé ? Pourquoi n'avoir
pas attendu une minute : elle n'aurait sûrement
pas manqué de reparaître ! L'aube importune
glissait par sa fenêtre le déplaisant regard de sa
terne lueur. Sa chambre était dans un si gris, si
morne désordre... Oh ! comme le réel est rebu-
tant ! Qu'est-il, comparé au rêve ! Il se déshabilla
hâtivement, s'étendit sur son lit, s'enveloppa d'une
couverture, avide de rappeler à lui pour un instant
le songe envolé. Le sommeil, en effet, ne tarda pas
à venir, et le rêve avec lui, mais tout autre que
celui qu'il désirait voir : tantôt lui apparaissait
le lieutenant Pirogov sa pipe aux dents, tantôt le
portier de l'école des Beaux-Arts, tantôt un grave
conseiller d'État, tantôt la face d'une vieille Finnoise dont il avait naguère dessiné le portrait, ou
d'autres absurdités du même genre.

Jusqu'à midi il resta au lit, cherchant le sommeil et le rêve. Mais elle ne paraissait pas. Qu'une
minute seulement elle montrât les beaux traits de
son visage, qu'une minute seulement froufroutât
sa démarche légère, qu'il pût entrevoir seulement
son bras nu, radieux comme la neige des cimes !...

Délaissant tout, oubliant tout, il demeurait
assis, l'air abattu et sans espoir, uniquement plein
de son rêve. Il n'était rien qui le tentât ; ses yeux
regardaient sans s'intéresser à rien, d'un regard
sans vie, la fenêtre donnant sur la cour, où un porteur d'eau déguenillé distribuait son eau, où nasil-
lait la voix chevrotante du marchand d'habits :
« Vieux habits, chiffons à vendre ! » Le quotidien,
le réel choquait étrangement ses sens. Il resta

de la sorte assis jusqu'au soir, puis se jeta avidement au lit. Longtemps il lutta contre l'insomnie, il finit par la surmonter. De nouveau une espèce de rêve, un rêve plat, sordide. Seigneur, prends pitié : fais-la paraître ne serait-ce qu'une minute, une minute seulement ! De nouveau il attendait le soir, de nouveau il plongeait dans le sommeil, et de nouveau ce qu'il voyait en songe c'était on ne sait quel fonctionnaire, un fonctionnaire qui était à la fois un fonctionnaire et un basson : oh, c'était insupportable ! Enfin elle lui apparut : sa jolie tête, les boucles de sa chevelure... son regard... Oh ! si brièvement ! et de nouveau un brouillard, de nouveau quelque stupide vision...

Les songes finirent par être toute sa vie, et dès lors toute sa vie prit un tour étrange : on peut dire qu'il dormait éveillé et qu'il veillait en rêve. Si quelqu'un l'avait vu, assis les yeux fixes devant sa table vide ou errant dans la rue, il l'aurait certainement pris pour un somnambule ou pour un homme détraqué par les boissons fortes : son regard était dépourvu de sens, sa distraction naturelle en vint à régner en maîtresse et à chasser de son visage tout sentiment et tout mouvement. Il ne reprenait vie qu'à l'approche de la nuit.

Un pareil état d'âme ruina ses forces, et le plus terrible tourment fut pour lui que, finalement, le sommeil commença de l'abandonner tout à fait. Voulant sauver cette unique richesse, il chercha ce qui pouvait l'aider à le retrouver. Il avait entendu dire qu'il y avait un moyen de recouvrer le sommeil, qu'il suffisait pour cela de prendre de l'opium. Mais où le trouver, cet opium ? Il se souvint d'un

Persan qui tenait boutique de châles orientaux, et qui, presque chaque fois qu'il le voyait, lui demandait de lui dessiner une belle femme. Il décida de s'adresser à lui, supposant qu'il avait certainement chez lui de l'opium. Le Persan le reçut assis sur son divan, les jambes ramenées sous lui. « Pourquoi as-tu besoin d'opium ? » lui demanda-t-il. Piskariov lui décrivit son insomnie. « Bon, je vais te donner de l'opium, mais dessine-moi une belle femme. Que ce soit une belle belle femme ! Qu'elle ait des sourcils noirs et des yeux grands comme des olives ; et que moi je sois étendu à côté d'elle et que je fume ma pipe ! Tu entends, qu'elle soit belle ! Que ce soit une reine de beauté ! » Piskariov promit tout ce qu'il voulut. Le Persan sortit un instant et revint avec un flacon empli d'un liquide sombre, il en versa avec précaution une partie dans un autre flacon qu'il donna à Piskariov en lui recommandant de ne pas en prendre plus de sept gouttes dans un verre d'eau. Celui-ci saisit avidement le précieux flacon, qu'il n'aurait pas cédé pour une montagne d'or, et courut tête baissée chez lui.

Arrivé chez lui, il versa quelques gouttes dans un verre d'eau, avala le tout et se laissa tomber sur son lit.

Ô Dieu, quelle joie ! C'est elle ! La revoici ! Mais c'est sous un tout autre aspect. Oh, comme elle est jolie, assise à la fenêtre d'une claire maisonnette de village ! Sa toilette respire cette simplicité dont seule se revêt la pensée d'un poète. Sa coiffure… Seigneur, comme elle est simple, cette coiffure, et comme elle lui sied bien ! Un court fichu est jeté légèrement sur son cou harmonieux ; tout en elle est modestie, tout en elle est mystérieux, ineffable sens du bon goût. Comme elle est gentille, sa gracieuse démarche ! Comme il est musical, le frou-frou de ses pas et de sa robe tout unie ! Comme il est mignon, son poignet qu'enserre un bracelet de cheveux ! Elle lui parle les larmes aux yeux : « Ne me méprisez pas ; je ne suis pas celle pour qui vous me prenez. Regardez-moi, regardez-moi bien et dites : suis-je capable de ce à quoi vous pensez ? – Oh non, non, que celui qui osera penser cela, que celui-là... » Mais le voici réveillé ! Bouleversé d'émotion, déchiré, les larmes aux yeux. « Il vaudrait mieux que tu n'existes pas ! Que tu ne fusses pas un être de ce monde, mais la création d'un artiste inspiré ! Je ne quitterais pas ma toile, je te contemplerais éternellement et t'embrasserais. Je vivrais et je respirerais par toi comme du plus beau des rêves, et je serais heureux. Je n'étendrais pas plus loin mes désirs. Je t'invoquerais comme mon ange gardien avant le sommeil et avant la veille, et c'est toi que j'attendrais quand il m'adviendrait de représenter le divin et le sacré. Mais à présent... quelle affreuse existence ! À quoi sert qu'elle soit réelle ? La vie d'un fou peut-elle être plaisante à ses proches et aux amis qui autrefois l'ont chéri ? Dieu, qu'est-ce que notre vie ! Un éternel divorce entre le rêve et la réalité ! » Telles étaient à peu près les pensées qui le hantaient continuellement. Il ne réfléchissait à rien, il ne mangeait même presque rien, et c'est avec l'impatience, la passion d'un amant qu'il attendait le soir et la vision tant désirée. La perpé-

tuelle tension de ses pensées vers un unique objet
finit par prendre un tel empire sur tout son être
et sur son imagination que l'image que ses vœux
appelaient lui apparaissait presque chaque jour,
et toujours sous un aspect entièrement contraire à
la réalité, car ses pensées étaient aussi totalement
pures que celles d'un enfant. À travers ces songes
leur objet même se purifiait en quelque sorte et
se transfigurait.

L'usage de l'opium surexcitait davantage encore
ses pensées, et s'il y eut jamais un amoureux porté
au dernier degré de la démence, d'un mouvement
impétueux, terrifiant, destructeur, dévastateur, il
fut cet infortuné.

De toutes ses visions nocturnes l'une était pour
lui la plus joyeuse : il se voyait dans son atelier.
Il était allègre, il travaillait plein d'entrain, sa
palette à la main. Elle était là, elle aussi. Elle était
maintenant sa femme. Elle était assise près de
lui, appuyée de son coude charmant au dossier
de sa chaise, et elle le regardait peindre. Ses yeux
las et dolents révélaient le fardeau du bonheur :
tout dans l'atelier respirait le paradis : tout était
si clair, si ordonné. Seigneur ! il sentait s'incliner
contre sa poitrine sa tête bien-aimée... Jamais
encore il n'avait eu de si beau rêve. Il en sortit
comme plus frais et moins distrait qu'auparavant.
De singulières pensées prirent naissance dans
sa tête : il se disait que, peut-être, elle avait été
entraînée à la débauche par quelque hasard plus
fort que sa volonté ; que peut-être son âme inclinait au repentir ; que peut-être elle aurait voulu
elle-même s'arracher à son abominable état. Et

allait-il consentir indifférent à ce qu'elle se per-
dît à jamais, alors surtout qu'il suffisait de lui
tendre la main pour l'empêcher de sombrer ? Ses
réflexions allaient plus loin encore. « Personne ne
me connaît, se disait-il, personne n'a cure de moi,
et moi non plus, d'ailleurs, je n'ai cure de personne. Si elle manifeste un pur repentir et change
de vie, je l'épouserai. Mon devoir est de l'épouser, et certes, j'agirai beaucoup mieux que tant
d'autres qui épousent leur gouvernante, ou souvent même des créatures on ne peut plus mépri-
sables. Mais mon acte sera désintéressé, peut-être
même méritoire. Je rendrai au monde son plus
bel ornement. »

Quand il conçut ce plan si inconsidéré, il sentit une chaleur enflammer son visage ; il alla à
son miroir et fut effrayé lui-même de la maigreur
de ses joues et de la pâleur de son teint. Il fit
une soigneuse toilette : il se lava à fond, lissa ses
cheveux, enfila un habit neuf, un élégant gilet,
jeta un manteau sur ses épaules et sortit dans la
rue. Il aspira profondément l'air pur et sentit une
fraîcheur au cœur, comme un convalescent qui
se décide à sortir pour la première fois après une
longue maladie. Le cœur lui battait tandis qu'il
approchait de la rue où il n'avait pas remis le pied
depuis la fatale rencontre.

Longtemps il chercha la maison : sa mémoire
semblait le trahir. Il longea deux fois la rue sans
savoir à quel immeuble s'arrêter. Enfin il y en eut
un qui lui parut être le bon. Il gravit rapidement
l'escalier, frappa à une porte : la porte s'ouvrit, et
qui vint lui ouvrir ? Son idéal, l'image qu'il por-

tait secrètement en lui, l'original des tableaux de
ses rêves, celle par laquelle il vivait, d'une vie si
douloureuse, si souffrante, si douce. C'était bien
elle, debout devant lui. Il fut pris d'un tremblement ; ses jambes se dérobaient sous lui, emporté
qu'il était dans une rafale de joie. Elle était devant
lui toujours aussi belle, bien que ses yeux fussent
ensommeillés, bien qu'un peu de pâleur marquât
son visage déjà moins frais... oui, elle était toujours aussi belle quand même.

« Tiens ! » s'écria-t-elle en voyant Piskariov et
en se frottant les yeux. Il était déjà deux heures.
« Pourquoi vous êtes-vous sauvé l'autre jour ? »

Il se laissa tomber défaillant sur une chaise, et
il la regardait.

« Moi, je viens tout juste de me réveiller ; on m'a
ramenée à sept heures du matin. J'étais complètement ivre », ajouta-t-elle en riant.

Oh ! mieux eût valu qu'elle ne dît rien, qu'elle
fût même privée de l'usage de la parole, plutôt
que de parler ainsi ! Elle venait de lui montrer
d'un coup, comme dans un raccourci, toute sa vie.
Pourtant, s'armant de résolution, il décida d'es-
sayer malgré tout si ses objurgations feraient effet
sur elle. Rassemblant ses esprits, d'une voix trem-
blante et ardente à la fois, il se mit à lui représenter l'horreur de sa condition. Elle l'écoutait d'un
air attentif, avec ce sentiment de surprise qu'on
manifeste à la vue de quelque chose d'inattendu et
de bizarre. Elle jeta un coup d'œil, avec un léger
sourire, à sa compagne assise dans un angle et
qui, interrompant le nettoyage d'un peigne, écoutait elle aussi avec attention le prédicateur novice.

« C'est vrai, je suis pauvre, dit Piskariov en conclusion de sa longue et édifiante exhortation, mais nous travaillerons ; nous nous efforcerons à l'envi d'améliorer notre existence. Il n'est rien de meilleur que de n'être redevable de tout qu'à soi-même. Je travaillerai à mes tableaux, tu seras près de moi mon inspiratrice, tu feras de la couture ou quelque autre ouvrage de tes mains, et rien ne nous manquera.

— Quelle idée ! interrompit-elle avec l'expression d'une espèce de mépris. Je ne suis pas blanchisseuse, ni couturière, pour me mettre à travailler. »

Ô Dieu ! Ce qui s'exprimait dans ces mots, c'était toute une existence vile, une vie méprisable, une vie faite de frivolité et d'oisiveté, fidèles compagnes de route de la débauche.

« Mariez-vous avec moi ! enchaîna d'un air narquois l'amie jusqu'alors muette dans son coin. Si je me marie, voilà comment je me tiendrai ! » et elle donna à son visage une sorte d'expression stupide qui fit beaucoup rire sa belle compagne.

Non, c'en était trop ! C'était plus qu'il ne pouvait supporter. Il s'élança dehors, vide de sentiment et de pensée. Sa raison se troubla : hébété, sans but, ne voyant rien, n'entendant rien, ne sentant rien, il erra toute la journée. Nul ne put savoir s'il avait ou non passé la nuit quelque part ; le lendemain seulement une sorte d'instinct machinal le ramena à son logement, blême, l'air hagard, les cheveux en désordre, le visage marqué des signes de la folie. Il s'enferma dans sa chambre et ne laissa entrer personne, ne demanda personne. Quatre

jours passèrent, et sa porte close ne s'ouvrit pas
une fois ; une semaine passa, et sa chambre restait
verrouillée. On frappa à sa porte, on l'appela, il n'y
eut pas de réponse ; enfin la porte fut enfoncée, et
l'on trouva son corps sans vie, la gorge tranchée.
Un rasoir ensanglanté traînait par terre. Les bras
convulsivement contractés et le visage atrocement
déformé laissaient deviner que sa main lui avait
mal obéi et qu'il avait longtemps souffert avant
que son âme pécheresse quittât son corps.

Ainsi périt, victime d'une passion insensée, le
pauvre Piskariov, doux, timide, modeste, candide
comme un enfant, portant en lui l'étincelle d'un
talent qui peut-être, avec le temps, aurait flambé
large et lumineux. Nul ne le pleura ; on ne vit personne auprès de sa dépouille sans âme, sauf l'habituelle figuration du commissaire de police du
quartier et la physionomie indifférente du médecin municipal. Son cercueil fut sans bruit, sans
rites religieux, transporté au cimetière d'Okhta ; il
ne fut suivi que de l'invalide qui gardait le cimetière, et si celui-ci pleura, ce fut uniquement parce
qu'il avait bu une vodka de trop. Même le lieutenant Pirogov ne vint pas saluer la dépouille de
l'infortuné auquel il avait, de son vivant, accordé
sa haute protection. D'ailleurs il avait bien autre
chose en tête : il était tout à une extraordinaire
aventure. Mais venons-en à lui. Je n'aime pas les
cadavres et les enterrements, et il m'est toujours
désagréable de voir croiser ma route un long cortège funèbre précédé d'un vieux soldat, déguisé en
une espèce de capucin, qui prend une prise de la
main gauche parce que la droite porte un flam-

beau. J'éprouve toujours une contrariété à la vue
d'un riche catafalque et d'un cercueil capitonné de
velours ; mais ma contrariété se mêle de tristesse
quand je vois un charretier voiturer le cercueil
nu, en sapin rouge, d'un pauvre, et seule quelque
vieille mendiante, rencontrée à un carrefour, traîner les pieds derrière lui parce qu'elle n'a rien de
mieux à faire.

Nous avons, je crois, laissé le lieutenant Pirogov
au moment où il se séparait de l'infortuné Piskariov et se lançait sur les pas d'une blonde. Cette
blonde était une gracieuse et assez intéressante
créature. Elle s'arrêtait devant chaque magasin
et contemplait dans les vitrines les ceintures, fou-
lards, bijoux, gants et autres fanfreluches, elle ne
cessait de tourner la tête, de regarder à droite et
à gauche et de se retourner. « Toi, ma mignonne,
tu es à moi ! » se disait avec assurance Pirogov,
continuant sa poursuite et enfonçant le visage
dans le collet de son manteau pour n'être pas
reconnu par quelque passant. Mais il n'est pas
superflu de renseigner le lecteur sur le personnage
qu'était le lieutenant Pirogov.

Toutefois, avant de dire ce qu'était le lieutenant
Pirogov, il ne sera pas mauvais non plus de dire
quelques mots du milieu auquel il appartenait.
Il y a des officiers qui constituent à Pétersbourg
une espèce de classe intermédiaire de la société.
À une soirée, à un dîner chez un conseiller d'État
ou conseiller d'État actuel parvenu à ce grade par
quarante ans de laborieux service, vous en trouverez toujours un. Plusieurs filles pâlottes, aussi
parfaitement incolores que Pétersbourg et dont

certaines sont montées en graine, une table de
thé, un piano droit, des sauteries familiales, – tout
cela est inséparable d'une brillante épaulette qui
scintille sous la lampe, entre une jeune blonde de
bonne éducation et le frac noir d'un cousin ou
d'un familier de la maison. Ces vierges flegma-
tiques, il est extrêmement difficile de les dégeler
et de les faire rire : il y faut beaucoup d'art, ou,
pour mieux dire, pas d'art du tout. Il faut parler
en sorte que ce ne soit ni trop intelligent ni trop
comique, qu'il n'y ait en tout que les petits riens
qu'aiment les femmes. C'est en quoi il convient
de rendre justice aux messieurs en question. Ils
ont le don particulier de se faire écouter de ces
incolores beautés et de les amuser. Des exclamations entrecoupées de rires : « Ah, finissez ! vous
n'avez pas honte d'être si drôle ! » sont généralement leur meilleure récompense. Le grand monde,
ils n'y accèdent que rarement, ou pour mieux dire,
jamais : ils en sont totalement évincés par ceux
qu'on appelle, dans ledit monde, des aristocrates ;
au demeurant, ils se tiennent pour gens instruits
et cultivés. Ils aiment causer un peu littérature ;
ils disent du bien de Boulgarine, de Pouchkine et
de Gretch[1] et parlent avec dédain et piquante raillerie d'Alexandre Orlov[2]. Ils ne laissent échapper
aucune conférence publique, fût-elle sur la comp-
tabilité ou même sur la sylviculture. Au théâtre,
quelque pièce qui se joue, vous en trouverez
toujours un, excepté tout au plus si l'on en est à
donner quelque *Filatka*[3] dont s'offusque leur goût
exigeant. Le théâtre, ils y sont en permanence.
Ce sont gens on ne peut plus intéressants pour la

direction d'un théâtre. Ils aiment particulièrement dans une pièce les beaux vers, ils aiment beaucoup aussi rappeler à grand bruit les acteurs. Beaucoup d'entre eux, enseignant dans des établissements officiels ou préparant aux examens d'entrée de ces établissements, finissent par avoir cabriolet et attelage. Alors le cercle de leurs relations s'élargit, ils parviennent finalement à épouser une fille de gros négociant sachant jouer du piano, nantie d'une dot de quelque cent mille roubles et d'une abondante parenté barbue[1]. Mais c'est là un honneur auquel ils ne peuvent atteindre qu'arrivés pour le moins au grade de colonel. Car les barbes russes, même lorsqu'elles sentent encore un peu les choux, ne sauraient accorder la main de leurs filles à d'autres qu'à des généraux ou à la grande rigueur à des colonels.

Tels sont les traits communs de cette sorte de jeunes gens. Mais le lieutenant Pirogov avait une foule de talents qui lui appartenaient en propre. Il déclamait admirablement les vers de *Dimitri Donskoï* et du *Malheur d'avoir de l'esprit*[2], il avait l'art de faire sortir si habilement de sa pipe des ronds de fumée qu'il pouvait d'un coup en enfiler une bonne dizaine l'un à l'autre. Il savait très agréablement raconter l'anecdote du canon qui n'est pas un obusier et de l'obusier qui n'est pas un canon. Aussi bien est-il malaisé de dresser la liste de tous les talents dont le destin avait gratifié Pirogov. Il aimait parler d'une actrice ou d'une danseuse, mais en se gardant de termes aussi raides que ceux en lesquels s'exprime ordinairement sur ce sujet un jeune sous-lieutenant. Il était très satisfait de son grade, auquel il avait été promu récemment, et bien qu'il lui arrivât, en se laissant tomber sur un divan, de soupirer : « Ah là là ! vanité des vanités, tout est vanité ! Me voilà lieutenant : et puis après ? », il était secrètement très flatté de cette nouvelle dignité : il ne laissait pas, dans la conversation, d'y faire allusion par quelque biais, et quand un jour, dans la rue, il lui advint de croiser un vague rond-de-cuir qui lui parut manquer à la politesse, il l'arrêta sur-le-champ et, en peu de mots mais bien sentis, lui fit remarquer qu'il avait devant lui un lieutenant et non pas n'importe quel officier. Il y mit d'autant plus d'éloquence qu'à ce moment passaient deux dames pas mal du tout. D'une manière générale, Pirogov faisait montre de passion pour tout ce qui est exquis, et il encourageait Piskariov dans son art : peut-être d'ailleurs cela tenait-il à ce qu'il avait grande envie de voir fixer sur la toile sa mâle physionomie. Mais assez parlé des qualités de Pirogov. L'homme est un être si étonnant qu'on ne saurait jamais dénombrer d'un seul coup toutes ses vertus, et plus on pénètre en lui, plus on y découvre de nouvelles particularités, dont la description irait à l'infini.

Donc Pirogov ne cessait de serrer de près son inconnue, l'assaillant de temps à autre de questions auxquelles elle répondait sèchement, brièvement et par des sons indistincts. Ils franchirent la sombre porte de Kazan et s'engagèrent dans la rue des Bourgeois, qui est une rue de marchands de tabac et de petites épiceries, d'artisans allemands et de nymphes finnoises. La blonde pressa le pas et fila d'un coup d'aile dans l'entrée d'une maison assez lépreuse. Pirogov sur ses talons. Elle gravit en courant un escalier étroit et obscur et poussa une porte où Pirogov se glissa hardiment lui aussi. Il se trouva dans une grande pièce aux murs noircis, au plafond enfumé. Un amoncellement de vis et boulons, d'outils de serrurier, de cafetières et chandeliers étincelants emplissait une table ; le sol était couvert de limaille de fer et de cuivre. Pirogov devina que c'était là l'atelier d'un artisan. L'inconnue disparut par une porte latérale. Il eut une brève hésitation, mais fidèle à la règle russe, il décida d'aller de l'avant. Il pénétra dans une pièce tout à fait différente de la première, proprette et bien rangée, qui montrait que le maître de maison était un Allemand. Il fut arrêté sur place par un spectacle des plus étranges.

Il avait devant lui Schiller, non pas le Schiller qui a écrit *Guillaume Tell* et l'*Histoire de la guerre de Trente Ans*, mais le Schiller bien connu, maître ferronnier de la rue des Bourgeois. Debout près de Schiller se tenait Hoffmann, non pas Hoffmann le conteur, mais l'excellent bottier de la rue des Officiers, grand ami de Schiller. Schiller était ivre et, assis sur une chaise, tapait du pied et clamait quelque chose avec feu. Tout cela n'aurait encore pas trop étonné Pirogov, mais ce qui le surprit fut la position extrêmement inusitée des deux personnages. Schiller était assis, offrant son nez assez charnu et levant la tête ; et Hoffmann tenait ce nez entre deux doigts et brandissait de l'autre main son tranchet de cordonnier. Les deux compères parlaient allemand, de sorte que le lieute-

nant Pirogov, qui ne savait dire en allemand que
« *goutte morguenne* », ne comprenait rien à cette
scène. Or voici ce que disait à peu près Schiller :

« Je n'en veux pas, je n'ai pas besoin de nez,
clamait-il en gesticulant des bras. À lui seul le nez
me revient à trois livres de tabac par mois. Et je
verse à un sale magasin russe, vu que le magasin
allemand ne tient pas le tabac russe, je verse à un
sale magasin russe quarante kopeks par livre ; ça
fait un rouble vingt kopeks, total quatorze roubles
quarante kopeks par an. Tu entends ça, ami Hoffmann ? Rien que pour le nez quatorze roubles
quarante kopeks ! En plus, les jours de fête, je
prise du *Râpé* français, vu que je ne veux pas priser les jours de fête de ce sale tabac russe. Il me
faut deux livres de *Râpé* par an, à trois roubles
la livre. Quatorze et six, vingt roubles quarante
kopeks rien que pour le tabac ! N'est-ce pas du
brigandage, ami Hoffmann, je te le demande ? »

Hoffmann, qui avait bu lui aussi, opinait du chef.

« Vingt roubles quarante kopeks ! Je suis un
Allemand de Souabe. J'ai un roi en Allemagne.
Je ne veux pas de nez ! Coupe-moi le nez ! Tiens,
voilà mon nez ! »

Et n'eût été la brusque apparition de Pirogov,
Hoffmann aurait à coup sûr coupé sans autre
forme de procès le nez de Schiller, car il tenait déjà
son tranchet comme s'il allait tailler une semelle.

Schiller trouva fort déplaisant qu'un intrus, un
inconnu, vînt tout à coup et si mal à propos le
déranger. Bien qu'il fût dans les grisantes fumées
de la bière et du vin, il se rendit compte qu'il était
quelque peu inconvenant d'être surpris en pareil

état et dans une telle occupation par un tiers. Cependant Pirogov s'inclina légèrement et dit avec l'urbanité qui lui était naturelle :

« Veuillez bien m'excuser...

— Fiche le camp ! » répondit Schiller d'une voix pâteuse.

Pirogov fut interloqué. Être ainsi traité était quelque chose de tout à fait nouveau pour lui. Le sourire qui s'était dessiné sur son visage s'éteignit d'un coup. C'est du ton de la dignité offensée qu'il dit :

« Je comprends mal, cher monsieur... vous n'avez sans doute pas remarqué... je suis officier...

— Officier, qu'est-ce que c'est que ça ! Moi, Allemand de Souabe. Moi aussi devenir officier (et ce disant Schiller frappa du poing la table) : un an et demi junker, deux ans lieutenant, et moi demain tout de suite officier. Mais moi je veux pas servir. Moi je fais avec l'officier comme ça : phou ! » et Schiller étendit la paume et souffla dessus.

Le lieutenant Pirogov vit qu'il ne lui restait rien d'autre à faire que de se retirer. Toutefois pareille façon d'agir, totalement incompatible avec le respect dû à son rang, l'avait offusqué. Il s'arrêta plusieurs fois dans l'escalier, comme pour rassembler ses esprits et réfléchir à la manière de faire regretter à Schiller son impertinence. Il jugea finalement que Schiller était excusable, vu que sa tête était enfumée par la bière ; au surplus il pensa à la jolie blonde, et il prit la décision de livrer la chose à l'oubli.

Le lendemain, de bon matin, le lieutenant Pirogov reparut à l'atelier du maître ferronnier. Il fut

accueilli dans le vestibule par la jolie blonde, qui
d'une voix assez sévère, fort séante à son mignon
visage, lui demanda :

« Vous désirez ?

— Ah ! bonjour, ma jolie ! Vous ne me recon-
naissez pas ? Petite friponne, avec d'aussi jolis
yeux ! »

Ce disant, le lieutenant Pirogov eut un geste
très gentil pour soulever du doigt le menton de la
jeune femme. Mais la blonde poussa un petit cri
effrayé et répéta avec la même sévérité :

« Que désirez-vous ?

— Rien que de vous voir, il ne me faut rien de
plus », fit le lieutenant Pirogov en souriant assez
aimablement et en se rapprochant encore. Mais
voyant que la blonde effarouchée allait s'esquiver dans l'autre pièce, il ajouta : « J'ai besoin, ma
jolie, de me faire faire des éperons. Pouvez-vous
me faire une paire d'éperons ? Encore que pour
vous aimer il ne soit nullement besoin d'éperons,
mais bien plutôt d'un frein. Quelles délicieuses
menottes ! » Le lieutenant Pirogov était toujours
très galant dans des déclarations de ce genre.

« Tout de suite, j'appelle mon mari », s'écria
l'Allemande, et elle sortit. Au bout de quelques
minutes Pirogov vit entrer Schiller, les yeux bouffis et qui n'avait pas encore bien cuvé sa bière de
la veille. En voyant l'officier, il se rappela, comme
à travers un vague rêve, ce qui s'était passé. Il n'en
avait point de souvenir bien précis, mais le sentiment lui restait d'avoir commis quelque sottise,
aussi accueillit-il l'officier d'un air très hargneux.

« Pour des éperons je ne peux pas prendre moins

de quinze roubles », déclara-t-il afin de se débarrasser de Pirogov ; car en honnête Allemand qu'il
était, il se sentait très gêné devant quelqu'un qui
l'avait vu dans un état peu décent. Schiller aimait
boire absolument sans témoins, avec deux ou trois
amis, il se cachait alors même de ses ouvriers.

« Pourquoi si cher ? fit aimablement Pirogov.

— Travail allemand, répondit froidement Schiller en se caressant le menton. Un Russe, il vous
fera ça pour deux roubles.

— Soit. Pour vous montrer que je vous aime
bien et que je souhaite faire connaissance, je paie-
rai quinze roubles ! »

Schiller resta une minute songeur. Dans sa ger-
maine probité, il avait un peu honte. Voulant dis-
suader Pirogov de maintenir sa commande, il lui
fit savoir qu'il ne lui faudrait pas moins de deux
semaines pour l'exécuter. Mais sans la moindre
objection Pirogov se déclara parfaitement d'accord.

L'Allemand redevint pensif, réfléchissant au
moyen d'exécuter le mieux son travail pour qu'il
valût réellement quinze roubles. À ce moment la
blonde entra dans l'atelier et se mit à chercher
quelque chose sur la table encombrée de cafetières. Le lieutenant profita de la méditation de
Schiller pour s'approcher d'elle et serrer son bras,
nu jusqu'à l'épaule. Cela déplut fort à Schiller.

« *Meine Frau !* s'écria-t-il.

— *Was wollen Sie doch ?* répondit la jolie blonde.

— *Gehen Sie* à la cuisine ! » La jeune femme
se retira.

« Alors, dans deux semaines ? demanda Pirogov.

— *Ja*, dans deux semaines, répondit Schiller

toujours réfléchissant, j'ai beaucoup de travail en
ce moment.

— Au revoir ! Je passerai vous voir.

— Au revoir ! » répondit Schiller, et il verrouilla
la porte derrière lui.

Le lieutenant Pirogov était décidé à poursuivre
ses assiduités, bien que l'Allemande manifestât
une visible résistance. Il ne concevait pas qu'on
pût lui résister ; et d'autant moins que son amabi-
lité et l'éclat de son grade lui donnaient pleinement
droit à l'attention. Il faut dire aussi, toutefois, que
la femme de Schiller, avec tous ses attraits, était
très sotte. Aussi bien la sottise constitue-t-elle
un charme particulier chez une jolie femme. Du
moins ai-je connu nombre de maris que ravit en
extase la bêtise de leur femme, et qui voient là le
signe d'une enfantine innocence. La beauté réalise
d'authentiques miracles. Tous les défauts de l'âme
d'une belle femme, loin d'engendrer la répulsion,
lui ajoutent on ne sait quel attrait inaccoutumé ;
le vice même donne à la beauté un parfum de
gentillesse ; mais qu'elle disparaisse, et la femme
devra être vingt fois plus intelligente que l'homme
pour inspirer sinon l'amour, tout au moins l'estime. Au demeurant la femme de Schiller, toute
sotte qu'elle fût, restait fidèle à ses devoirs, en
sorte qu'il était assez difficile à Pirogov de réussir
dans son audacieuse entreprise ; mais il y a toujours une volupté dans l'obstacle surmonté, et la
jolie blonde lui devenait de jour en jour plus intéressante. Il se mit à venir assez souvent prendre
des nouvelles de ses éperons, au point que cela
finit par incommoder Schiller. Il déploya tous ses

efforts pour terminer au plus vite les éperons commencés ; enfin les éperons furent prêts.

« Ah ! l'admirable travail que voilà ! s'écria le lieutenant Pirogov en les voyant. Seigneur, quelle belle exécution ! Notre général n'a pas des éperons comme ceux-là ! »

L'amour-propre satisfait s'épanouit dans l'âme de Schiller. Ses yeux se firent relativement aimables et il se sentit tout à fait réconcilié avec Pirogov. « L'officier russe est un garçon intelligent », se dit-il en lui-même.

« Alors, vous sauriez faire aussi, par exemple, la monture d'un poignard ou d'un autre objet ?

— Oh, bien sûr, je saurais, dit Schiller avec un sourire.

— Alors, faites-moi donc une monture pour un poignard. Je vous l'apporterai : j'ai un très beau poignard turc, mais j'aurais envie de lui faire faire une autre monture. »

Ce fut pour Schiller comme l'éclatement d'une bombe. Son front se rembrunit d'un coup. « Ça t'apprendra ! » se dit-il en lui-même en s'injuriant intérieurement d'avoir ainsi attiré sur lui le travail. Se récuser, cela lui paraissait malhonnête, et puis l'officier russe avait loué son art. Il hocha un peu la tête, puis donna son accord. Mais le baiser qu'en sortant Pirogov colla effrontément droit sur les lèvres de la jolie blonde le jeta dans une totale perplexité.

Je ne crois pas inutile de faire connaître d'un peu plus près Schiller au lecteur. Schiller était un parfait Allemand dans la pleine acception de ce mot. Dès l'âge de vingt ans, à cette heureuse époque de la vie où un Russe se laisse vivre au petit bonheur, Schiller avait déjà tracé le plan de son existence tout entière et jamais, en aucun cas, il ne s'en écartait. Il s'était donné pour règle de se lever à sept heures, de déjeuner à deux heures, d'être ponctuel en tout et de se saouler chaque dimanche. Il s'était fixé pour objectif d'amasser en dix ans un capital de cinquante mille roubles, et c'était aussi ferme et irrévocable qu'un arrêt du destin, car un fonctionnaire oubliera plutôt de passer à la loge de son chef le jour de sa fête qu'un Allemand de tenir la parole qu'il s'est donnée. En aucun cas il n'augmentait ses dépenses, et si le prix de la pomme de terre montait par trop, il ne déboursait pas un kopek de plus, mais réduisait sa consommation : il lui arrivait ainsi de rester un peu sur sa faim, mais il s'y faisait. La rigueur de ses principes allait au point qu'il avait pris pour maxime de ne pas embrasser sa femme plus de deux fois par jour, et pour n'être pas tenté de la caresser une fois de trop il ne mettait jamais plus d'une pincée de poivre dans sa soupe ; d'ailleurs cette règle était moins strictement observée le dimanche, vu que Schiller absorbait alors deux bouteilles de bière et un flacon de cumin, contre lequel il ne manquait toutefois jamais de pester. Sa façon de boire n'était nullement celle de l'Anglais, qui aussitôt après le repas s'enferme au verrou et se saoule en solitaire. Lui, au contraire, en bon Germain, buvait toujours avec un compagnon d'inspiration : ou bien c'était avec le bottier Hoffmann, ou bien avec l'ébéniste Kuntz, lui aussi Allemand et grand pochard.

Tel était le caractère du très digne Schiller, lequel se trouvait en l'occurrence amené dans une très embarrassante situation. Il avait beau être allemand et flegmatique, les manières d'agir de Pirogov éveillèrent en lui quelque chose qui ressemblait à de la jalousie. Il se creusait la tête et n'arrivait pas à imaginer comment se débarrasser de cet officier russe.

Cependant Pirogov, fumant la pipe dans un cercle de camarades – car la Providence a ainsi fait les choses que là où il y a des officiers, il y a des pipes, – fumant donc la pipe dans un cercle de camarades, parlait à demi-mot, d'un air entendu et avec un sourire satisfait, d'une intrigue avec une jolie petite Allemande, avec laquelle, à l'entendre, il était déjà du dernier bien, alors qu'en réalité il était sur le point d'abandonner l'espoir de la conquérir.

Un jour qu'il se promenait dans la rue des Bourgeois, il leva les yeux sur la maison où trônait l'enseigne de Schiller, représentant des cafetières et des samovars, et il eut l'immense joie d'y voir le buste de sa jolie blonde, penchée à sa fenêtre et regardant passer les gens. Il s'arrêta, la salua de la main et dit : « *Goutte morguenne !* » La blonde lui rendit son salut comme à quelqu'un de connaissance.

« Alors, votre mari est à la maison ?

— Oui, répondit la blonde.

— Et quand s'absente-t-il ?

— Le dimanche, il n'est pas là », répondit-elle assez sottement.

« Bonne affaire, se dit Pirogov, il faut en pro-

fiter. » Et le dimanche suivant, sans crier gare,
il arriva chez sa blonde. Schiller, effectivement,
n'était pas là. La jolie maîtresse du lieu eut peur ;
mais Pirogov se conduisit tout d'abord avec
assez de prudence, il eut une attitude très res-
pectueuse et s'inclina de manière à faire valoir
toute la beauté de sa taille flexible et bien serrée.
Il plaisanta agréablement et poliment, mais la
sotte Allemande ne répondait que par monosyllabes. Enfin, ayant tenté toutes les approches et
voyant que rien ne prenait sur elle, il lui proposa
de danser. L'Allemande consentit d'emblée, car
les filles de Germanie sont toujours disposées à
danser. Pirogov fondait fortement là-dessus son
espoir : premièrement il procurait déjà un plaisir
à la belle, deuxièmement il pouvait ainsi mettre
en valeur sa belle tournure et son adresse, troisiè-
mement c'est en dansant qu'il pouvait s'approcher
au plus près, prendre la jolie Allemande dans ses
bras et mettre un commencement à tout ; bref, il
en escomptait un succès complet.

Il commença par une gavotte, sachant qu'avec
les Allemandes il faut aller par degrés. La jolie
Allemande s'avança au milieu de la pièce et
leva un pied mignon. Cette position ravit tellement Pirogov qu'il s'élança pour l'embrasser. La
belle se mit à crier, ce qui ne fit qu'accroître son
charme aux yeux de Pirogov ; il la couvrit de bai-
sers. Quand soudain la porte s'ouvrit et entrèrent
Schiller, Hoffmann et l'ébéniste Kuntz. Les trois
dignes artisans étaient ivres comme des savetiers.

Je laisse mes lecteurs imaginer la colère et l'indignation de Schiller.

« Malotru ! cria-t-il au comble de la fureur, c'est comme ça que tu oses embrasser ma femme ! Tu es un saligaud, et pas un officier russe ! Tarteifle, camarade Hoffmann, je suis un Allemand, moi, et pas un cochon de Russe ! » – Hoffmann acquiesça. – « Och, je ne veux pas porter de cornes ! Attrape-le par la peau du cou, camarade Hoffmann, je ne veux pas de ça, poursuivait-il, gesticulant de tous ses bras, et son visage était aussi écarlate que le drap de son gilet. Voilà huit ans que je vis à Pétersbourg, j'ai une mère en Souabe et un oncle à Nuremberg, moi, je suis un Allemand, moi, je suis aucun bétail à cornes ! Déshabille-le, camarade Hoffmann ! Tiens-lui les mains et les jambes, camarade Kuntz ! » Et les Allemands saisirent Pirogov par les quatre membres.

Il tenta vainement de se débattre : les trois compagnons étaient ce qu'il y avait de mieux charpenté parmi tous les Germains de Pétersbourg. Si Pirogov avait été en grand uniforme, il est probable que le respect de son grade et de son état aurait retenu les Teutons furibonds, mais il était venu tout à fait en simple particulier, en visiteur privé, en redingote et sans épaulettes. Les Allemands, avec la dernière sauvagerie, lui arrachèrent tous ses vêtements. Hoffmann s'assit de tout son poids sur ses jambes, Kuntz le saisit à la tête, et Schiller empoigna un faisceau de branchages servant de balai. Je dois avouer avec chagrin que le lieutenant Pirogov fut très douloureusement fouetté[1].

Je ne doute pas que Schiller, le lendemain, fut pris de forte fièvre et trembla comme la feuille, attendant d'une minute à l'autre la venue de la

police, et qu'il aurait donné Dieu sait quoi pour
que tout ce qui s'était passé la veille ne fût qu'un
rêve. Mais ce qui était fait était fait, et l'on n'y
pouvait rien changer. Il n'était rien qui pût se comparer à la fureur et à l'indignation de Pirogov. La
seule pensée de l'effroyable outrage qu'il avait subi
le mettait en rage. La Sibérie et les verges lui semblaient trop petit châtiment pour Schiller. Il courut
chez lui pour se mettre en tenue et se rendre tout
droit chez le général, lui décrire sous les plus révol-
tantes couleurs les scandaleuses voies de fait des
compagnons allemands. Il ne songeait à rien de
moins qu'à porter plainte par écrit à l'État-major
général. Et si l'État-major général prononçait un
châtiment insuffisant, il s'adresserait directement
au Conseil d'État, et au besoin au Tsar lui-même.

Mais tout cela aboutit à une fin inattendue :
chemin faisant, il entra dans une pâtisserie, s'offrit deux gâteaux feuilletés, parcourut les colonnes
de *L'Abeille du Nord*, et sortit de là d'humeur déjà
bien moins vindicative. En outre, la fraîcheur
assez agréable du soir lui donna envie de faire
un petit tour sur la Perspective Nevski. Vers neuf
heures il était calmé et il trouva qu'il n'était pas
convenable de déranger le général un dimanche,
que d'ailleurs celui-ci était sans aucun doute invité
quelque part. Il s'en alla donc passer la soirée chez
un certain directeur du collège de contrôle, où il y
avait une sympathique réunion de fonctionnaires
et d'officiers. Il s'y divertit très agréablement et
dansa une mazurka avec tant de distinction qu'il
transporta d'enthousiasme non seulement les
dames, mais même les cavaliers.

Étonnant est l'arrangement de notre monde !
me disais-je en parcourant l'autre jour la Perspective Nevski et en me remémorant ces deux
aventures... Comme il est étrange, comme il est
incompréhensible, le jeu que joue avec nous le
destin ! Obtenons-nous jamais ce que nous dési-
rons ? Atteignons-nous jamais ce à quoi l'on croi-
rait que sont tout spécialement préparées nos
facultés ? Tout marche à rebours. Tel, à qui le sort
a donné les plus magnifiques chevaux, se laisse
voiturer indifférent sans remarquer leur beauté,
tandis qu'un autre, dont le cœur se consume de
passion hippique, va à pied et se contente de claquer admirativement de la langue en regardant
passer un trotteur. Tel, qui possède un remarquable cuisinier, a malheureusement la bouche
si exiguë qu'il n'y peut introduire plus de deux
petites bouchées, alors que l'autre, dont l'orifice
buccal a la taille de l'arche de l'État-major général,
doit, hélas ! se contenter de je ne sais quel menu
allemand de pommes de terre. Comme le sort se
joue étrangement de nous !

Mais le plus étrange de tout, c'est ce qui se passe
sur la Perspective Nevski. Oh ! ne vous y fiez pas,
à cette Perspective Nevski ! Moi, je m'enveloppe
toujours étroitement dans mon manteau quand je
la parcours, et je m'efforce de ne jamais regarder
ce que je croise. Tout est leurre, tout est rêve, tout
est autre qu'il ne paraît. Vous croyez que ce monsieur, qui se promène en redingote admirablement
coupée, est très riche ? Pas du tout : tout son actif
est dans sa redingote. Vous vous imaginez que
ces deux gros hommes, arrêtés devant une église

en construction, en commentent l'architecture ?
Erreur : ils parlent de deux corneilles qui se sont
bizarrement posées l'une face à l'autre. Vous vous
dites que cet excité qui gesticule des deux bras
raconte comment sa femme a lancé par la fenêtre
un papier roulé en boule à un officier qu'il ne
connaît ni d'Ève ni d'Adam ? Détrompez-vous : il
parle de La Fayette. Vous croyez que ces dames...
mais les dames surtout, ne vous y fiez pas. Ne vous
attardez pas tant aux vitrines des magasins : les
colifichets qu'on y expose sont très jolis, mais leur
odeur est celle d'une effrayante quantité de billets
de banque. Et surtout Dieu vous garde de risquer
un coup d'œil sous le chapeau des dames. Si atti-
rant que soit de loin l'envol du manteau d'une belle,
à aucun prix je n'y laisserai aller ma curiosité.

Fuyez, pour Dieu, fuyez au loin le réverbère !
Et vite, aussi vite que vous pouvez, passez au
large. Heureux encore si vous vous en tirez avec
une coulée de son huile puante sur votre élégant
manteau. Mais outre le réverbère tout respire
l'imposture. Elle ment à longueur de temps, cette
Perspective Nevski, mais surtout lorsque la nuit
s'étale sur elle en masse compacte et accuse la
blancheur ou le jaune pâle des façades, quand
toute la ville devient éclair et tonnerre, quand
des myriades d'attelages débouchent des ponts,
quand les postillons hurlent sur leurs chevaux lancés au galop, quand le démon lui-même allume
les lampes uniquement pour faire voir les choses
autres qu'elles ne sont.

Le Portrait
(deuxième version)

Traduction d'Henri Mongault.

Première partie

Nulle boutique du Marché Chtchoukine n'attirait tant la foule que celle du marchand de tableaux. Elle offrait à vrai dire aux regards le plus amusant, le plus hétéroclite des bric-à-brac. Dans des cadres dorés et voyants s'étalaient des tableaux peints pour la plupart à l'huile et recouverts d'une couche de vernis vert foncé. Un hiver aux arbres de céruse ; un ciel embrasé par le rouge vif d'un crépuscule qu'on pouvait prendre pour un incendie ; un paysan flamand qui, avec sa pipe et son bras désarticulé, rappelait moins un être humain qu'un dindon en manchettes ; tels en étaient les sujets courants. Ajoutez à cela quelques portraits gravés : celui de Khozrev-Mirza[1] en bonnet d'astrakan ; ceux de je ne sais quels généraux, le tricorne en bataille et le nez de guingois. En outre, comme il est de règle en pareil lieu, la devanture était tout entière tapissée de ces grossières estampes, imprimées à la diable, mais qui pourtant témoignent des dons naturels du peuple russe. Sur l'une se pavane la princesse Milikitrisse Kirbitievna[2] ; sur une autre s'étale la ville de Jérusalem, dont un

pinceau sans vergogne a enluminé de vermillon
les maisons, les églises, une bonne partie du sol
et jusqu'aux mains emmouflées de deux paysans
russes en prières. Ces œuvres, que dédaignent les
acheteurs, font les délices des badauds. On est
toujours sûr de trouver, bâillant devant elles, tantôt un musard de valet rapportant de la gargote
la cantine où repose le dîner de son maître, lequel
ne risquera certes pas de se brûler en mangeant
la soupe ; tantôt l'un de ces « chevaliers » du carreau des fripiers, militaires retraités qui gagnent
leur vie en vendant des canifs ; tantôt quelque
marchande ambulante du faubourg d'Okhta[1]
colportant un éventaire chargé de savates. Chacun s'extasie à sa façon : d'ordinaire les rustauds
montrent les images du doigt ; les militaires les
examinent avec des airs dignes ; les grooms et
les apprentis s'esclaffent devant les caricatures,
y trouvant prétexte à taquineries mutuelles ; les
vieux domestiques en manteau de frise s'arrêtent
là, histoire de flâner, et les jeunes marchandes s'y
précipitent d'instinct, en braves femmes russes
avides d'entendre ce que racontent les gens et de
voir ce qu'ils sont en train de regarder.

Cependant le jeune peintre Tchartkov, qui traversait la Galerie, s'arrêta lui aussi involontairement devant la boutique. Son vieux manteau,
son costume plus que modeste décelaient le travailleur acharné pour qui l'élégance n'a point
cet attrait fascinateur qu'elle exerce d'ordinaire
sur les jeunes hommes. Il s'arrêta donc devant
la boutique ; après s'être gaussé à part soi de ces
grotesques enluminures, il en vint à se deman-

der à qui elles pouvaient bien être utiles. « Que le peuple russe se complaise à reluquer *Iérous-lane Lazarévitch*[1], *l'Ivrogne et le Glouton*, *Thomas et Jérémie* et autres sujets pleinement à sa portée, passe encore ! se disait-il. Mais qui diantre peut acheter ces abominables croûtes, paysanneries flamandes, paysages bariolés de rouge et de bleu, qui soulignent, hélas, le profond avilissement de cet art dont elles prétendent relever ? Si encore c'étaient là les essais d'un pinceau enfantin, auto-didacte ! Quelque vive promesse trancherait sans doute sur le morne ensemble caricatural. Mais on ne voit ici qu'hébétude, impuissance, et cette sénile incapacité qui prétend s'immiscer parmi les arts au lieu de prendre rang parmi les métiers les plus bas ; elle demeure fidèle à sa vocation en introduisant le métier dans l'art même. On recon-naît sur toutes ces toiles les couleurs, la facture, la main lourde d'un artisan, celle d'un grossier automate plutôt que d'un être humain. »

Tout en rêvant devant ces barbouillages, Tchart-kov avait fini par les oublier. Il ne s'apercevait même pas que depuis un bon moment le bouti-quier, un petit bonhomme en manteau de frise dont la barbe datait du dimanche, discourait, bonimentait, fixait des prix sans s'inquiéter le moins du monde des goûts et des intentions de sa pratique.

« C'est comme je vous le dis : vingt-cinq roubles pour ces gentils paysans et ce charmant petit pay-sage. Quelle peinture, monsieur, elle vous crève l'œil tout simplement ! Je viens de les recevoir de la salle des ventes... Ou encore cet *Hiver*, prenez-le pour quinze roubles ! Le cadre à lui seul vaut davantage. »

Ici le vendeur donna une légère chiquenaude à la toile pour montrer sans doute toute la valeur de cet *Hiver*.

« Faut-il les attacher ensemble et les faire porter derrière vous ? Où habitez-vous ? Eh, là-bas, l'apprenti ! apporte une ficelle !

— Un instant, mon brave, pas si vite ! » dit le peintre revenu à lui, en voyant que le madré compère ficelait déjà les tableaux pour de bon.

Et comme il éprouvait quelque gêne à s'en aller les mains vides, après s'être si longtemps attardé dans la boutique, il ajouta aussitôt :

« Attendez, je vais voir si je trouve là-dedans quelque chose à ma convenance. »

Il se baissa pour tirer d'un énorme tas empilé par terre de vieilles peintures poussiéreuses et ternies qui ne jouissaient évidemment d'aucune considération. Il y avait là d'anciens portraits de famille, dont on n'aurait sans doute jamais pu retrouver les descendants ; des tableaux dont la toile crevée ne permettait plus de reconnaître le sujet ; des cadres dédorés ; bref un ramassis d'antiquailles. Notre peintre ne les examinait pas moins en conscience. « Peut-être, se disait-il, dénicherai-je là quelque chose. » Il avait plus d'une fois entendu parler de trouvailles surprenantes, de chefs-d'œuvre découverts parmi le fatras des regrattiers.

En voyant où il fourrait le nez, le marchand cessa de l'importuner et, retrouvant son importance, reprit près de la porte sa faction habituelle.

Il invitait, du geste et de la voix, les passants à pénétrer dans sa boutique.

« Par ici, s'il vous plaît, monsieur. Entrez, entrez. Voyez les beaux tableaux, tout frais reçus de la salle des ventes. »

Quand il fut las de s'époumoner, le plus souvent en vain, et qu'il eut bavardé tout son saoul avec le fripier d'en face, posté lui aussi sur le seuil de son antre, il se rappela soudain le client oublié à l'intérieur de la boutique.

« Eh bien, mon cher monsieur, lui demanda-t-il en le rejoignant, avez-vous trouvé quelque chose ? »

Depuis un bon moment, le peintre était planté devant un tableau dont l'énorme cadre, jadis magnifique, ne laissait plus apercevoir que des lambeaux de dorure. C'était le portrait d'un vieillard drapé dans un ample costume asiatique ; la fauve ardeur du midi consumait ce visage bronzé, parcheminé, aux pommettes saillantes, et dont les traits semblaient avoir été saisis dans un moment d'agitation convulsive. Si poussiéreuse, si endommagée que fût cette toile, Tchartkov, quand il l'eut légèrement nettoyée, y reconnut la main d'un maître.

Bien qu'elle parût inachevée, la puissance du pinceau s'y révélait stupéfiante, notamment dans les yeux, des yeux extraordinaires auxquels l'artiste avait sans doute accordé tous ses soins. Ces yeux-là étaient vraiment doués de « regard », d'un regard qui surgissait du fond du tableau et dont l'étrange vivacité semblait même en détruire l'harmonie. Quand Tchartkov approcha le portrait de la porte, le regard se fit encore plus intense, et la foule elle-même en fut comme fascinée.

« Il regarde, il regarde ! » s'écria une femme en reculant.

Cédant à un indéfinissable malaise, Tchartkov posa le tableau par terre.

« Alors, vous le prenez ? s'enquit le marchand.

— Combien ? demanda le peintre.

— Oh, pas cher ! Soixante-quinze kopeks.

— Non.

— Combien en donnez-vous ?

— Vingt kopeks, dit le peintre, prêt à s'en aller.

— Vingt kopeks ! Vous voulez rire ! Le cadre vaut davantage. Vous avez sans doute l'intention de ne l'acheter que demain... Monsieur, monsieur, revenez : ajoutez au moins dix kopeks... Non ? Eh bien, prenez-le pour vingt kopeks... Vrai, c'est seulement pour que vous m'étrenniez. Vous avez de la chance d'être mon premier acheteur. »

Et il eut un geste qui signifiait : « Allons, tant pis, voilà un tableau de perdu ! »

Par pur hasard, Tchartkov se trouva donc avoir fait l'emplette du vieux portrait. « Ah ça, songea-t-il, pourquoi diantre l'ai-je acheté ? Qu'en ai-je besoin ? » Mais force lui fut de s'exécuter. Il sortit de sa poche une pièce de vingt kopeks, la tendit au marchand et emporta le tableau sous son bras. Chemin faisant, il se souvint, non sans dépit, que cette pièce était la dernière qu'il possédât. Une vague amertume l'envahit : « Dieu, que le monde est mal fait ! » se dit-il avec la conviction d'un Russe dont les affaires ne sont guère brillantes. Insensible à tout, il marchait à grands pas machinaux. Le crépuscule couvrait encore la moitié du ciel, caressant d'un tiède reflet les édifices tournés vers le couchant. Mais déjà la lune épandait son rayonnement froid et bleuâtre ; déjà les maisons, les passants, projetaient sur le sol des ombres légères, quasi transparentes. Peu à peu le ciel, qu'illuminait une clarté douteuse, diaphane et fragile, retint l'œil du peintre, cependant que sa bouche laissait échapper presque simultanément des exclamations dans le genre de « Quels tons délicats ! » ou « Zut, quelle bougre de sottise ! ». Puis il hâtait le pas en remontant le portrait qui glissait sans cesse de dessous son aisselle.

Harassé, essoufflé, tout en nage, il regagna enfin ses pénates sises dans la « Quinzième Ligne », tout au bout de l'île Basile[1]. Il grimpa péniblement l'escalier où, parmi des flots d'eaux ménagères, chiens et chats avaient laissé force souvenirs. Il heurta à la porte : comme personne ne répondait, il s'appuya à la fenêtre et attendit patiemment que retentissent derrière lui les pas d'un gars en chemise bleue, l'homme à tout faire qui lui servait de modèle, broyait ses couleurs et balayait à l'occasion le plancher, que ses bottes resalissaient aussitôt. Quand son maître était absent, ce personnage, qui avait nom Nikita, passait dans la rue le plus clair de son temps ; l'obscurité l'empêcha un bon moment d'introduire la clef dans le trou de la serrure ; mais enfin il y parvint ; alors Tchartkov put mettre le pied dans son antichambre, où sévissait un froid intense, comme chez tous les peintres, qui d'ailleurs ne prennent nulle garde à cet inconvénient. Sans tendre son manteau à Nikita, il pénétra dans son atelier, vaste pièce carrée mais basse de plafond, aux vitres gelées, encombrée de tout un bric-à-brac artistique : fragments de bras en plâtre, toiles encadrées, esquisses abandonnées, draperies suspendues aux chaises. Très las, il rejeta son manteau, posa distraitement le portrait entre deux petites toiles et se laissa choir sur un étroit divan dont on n'aurait pu dire qu'il était tendu de cuir, la rangée de clous qui fixait ledit cuir s'en étant depuis longtemps séparée ; aussi Nikita pouvait-il maintenant fourrer dessous les bas noirs, les chemises, tout le linge sale de son maître. Quand il se fut étendu, autant qu'il était possible de s'étendre, sur cet étroit divan, Tchartkov demanda une bougie.

« Il n'y en a pas, dit Nikita.

— Comment cela ?

— Mais hier déjà il n'y en avait plus. »

Le peintre se rappela qu'en effet « hier déjà » il n'y en avait plus. Il jugea bon de se taire, se laissa dévêtir, puis endossa sa vieille robe de chambre, laquelle était usée et même plus qu'usée.

« Faut vous dire que le propriétaire est venu, déclara soudain Nikita.

— Réclamer son argent, bien sûr ? s'enquit Tchartkov avec un geste d'impatience.

— Oui, mais il n'est pas venu seul.

— Et avec qui donc ?

— Je ne sais pas au juste…, comme qui dirait avec un commissaire.

— Un commissaire ? Pour quoi faire ?

— Je ne sais pas au juste… Paraît que c'est par rapport au terme.

— Qu'est-ce qu'il peut bien me vouloir ?

— Je ne sais pas au juste... "S'il ne peut pas payer, qu'il a dit, alors faudra qu'il décampe !" Ils vont revenir demain tous les deux.

— Eh bien, qu'ils reviennent ! » dit Tchartkov avec une sombre indifférence.

Et il s'abandonna sans rémission à ses idées noires.

Le jeune Tchartkov était un garçon bien doué et qui promettait beaucoup. Son pinceau connaissait de brusques accès de vigueur, de naturel, d'observation réfléchie. « Écoute, mon petit, lui disait souvent son maître ; tu as du talent, ce serait péché que de l'étouffer ; par malheur, tu manques de patience : dès qu'une chose t'attire, tu te jettes dessus sans te soucier du reste. Attention, ne va pas devenir un peintre à la mode : tes couleurs sont déjà un peu criardes, ton dessin pas assez ferme, tes lignes trop floues ; tu recherches les effets faciles, les brusques éclairages à la moderne. Prends garde de tomber dans le genre anglais[1]. Le monde te séduit, j'en ai peur ; je te vois parfois un foulard élégant au cou, un chapeau bien lustré... C'est tentant, à coup sûr, de peindre des images à la mode et de petits portraits bien payés : mais, crois-moi, cela tue un talent au lieu de le développer. Patiente ; mûris longuement chacune de tes œuvres ; laisse les autres ramasser l'argent ; ce qui est en toi ne te quittera point. »

Le maître n'avait qu'en partie raison. Certes notre peintre éprouvait parfois le désir de mener joyeuse vie, de s'habiller avec élégance, en un mot d'être jeune, mais il parvenait presque toujours à se dominer. Bien souvent, une fois le pinceau en main, il oubliait tout et ne le quittait que comme un songe exquis, brusquement interrompu. Son goût se formait de plus en plus. S'il ne comprenait pas encore toute la profondeur de Raphaël, il se laissait séduire par la touche large et rapide du Guide, il s'arrêtait devant les portraits du Titien, il admirait fort les Flamands. Les chefs-d'œuvre anciens ne lui avaient point encore livré tout leur secret ; il commençait pourtant à soulever les voiles derrière lesquels ils se dérobent aux profanes, encore qu'en son for intérieur il ne partageât point pleinement l'opinion de son professeur, pour qui les vieux maîtres planaient à des hauteurs inaccessibles. Il lui semblait même que, sous certains rapports, le XIXe siècle les avait sensiblement dépassés, que l'imitation de la nature était devenue plus précise, plus vivante, plus rigoureuse ; bref, il pensait sur ce point en jeune homme dont les efforts ont déjà été couronnés de quelque succès et qui éprouve de ce chef une légitime fierté. Parfois il s'irritait de voir un peintre de passage, français ou allemand, et qui peut-être n'était même pas artiste par vocation, en imposer par des procédés routiniers, le brio du pinceau, l'éclat de la couleur, et amasser une vraie fortune en moins de rien. Ces pensées ne l'assaillaient pas les jours où, plongé dans son travail, il en oubliait le boire, le manger, tout l'univers ; elles fondaient sur lui aux heures d'affreuse gêne, où il n'avait pas de quoi acheter ni pinceaux ni couleurs, où l'importun propriétaire le relançait du matin au soir. Alors son imagination d'affamé lui dépeignait comme fort digne d'envie le sort du peintre riche, et l'idée bien russe lui venait de tout planter là pour noyer son chagrin dans l'ivresse et la débauche. Il traversait précisément une de ces mauvaises passes.

« Patiente ! Patiente ! grommelait-il. La patience ne peut pourtant pas être éternelle. C'est très joli de patienter, mais encore faut-il que je mange demain ! Qui me prêtera de l'argent ? personne. Et si j'allais vendre mes tableaux, mes dessins, on ne me donnerait pas vingt kopeks du tout ! Ces études m'ont été utiles, je le sens bien ; aucune n'a été entreprise en vain ; chacune d'elles m'a appris quelque chose. Mais à quoi bon tous ces essais sans fin ? Qui les achètera sans connaître mon nom ? Et d'ailleurs qui pourrait bien s'intéresser à des dessins d'après l'antique ou le modèle, ou encore à ma Psyché inachevée, à la perspective de ma chambre, au portrait de mon Nikita, encore que franchement il vaille mieux que ceux de n'importe quel peintre à la mode ?... En vérité, pourquoi suis-je à tirer le diable par la queue, à suer sang et eau sur l'*a b c* de mon art, quand je pourrais briller aussi bien que les autres et faire fortune tout comme eux ? »

Comme il disait ces mots, Tchartkov pâlit soudain et se prit à trembler : un visage convulsé, qui paraissait sortir d'une toile déposée devant lui, fixait sur lui deux yeux prêts à le dévorer, tandis que le pli impérieux de la bouche commandait le silence. Dans son effroi, il voulut crier, appeler Nikita, qui déjà emplissait l'antichambre de ses ronflements épiques, mais le cri mourut sur ses

lèvres, cédant la place à un sonore éclat de rire :
il venait de reconnaître le fameux portrait, auquel
il ne songeait déjà plus, et que le clair de lune,
qui baignait la pièce, animait d'une vie étrange. Il
s'empara aussitôt de la toile, l'examina, enleva à
l'aide d'une éponge presque toute la poussière et
la saleté qui s'y étaient accumulées ; puis, quand
il l'eut suspendue au mur, il en admira encore
davantage l'extraordinaire puissance. Tout le
visage vivait maintenant et posait sur lui un regard
qui le fit bientôt tressaillir, reculer, balbutier :

« Il regarde, il regarde avec des yeux humains ! »

Une histoire que lui avait jadis contée son professeur lui revint à la mémoire. L'illustre Léonard
de Vinci avait peiné, dit-on, plusieurs années
sur un portrait qu'il considéra toujours comme
inachevé ; cependant, à en croire Vasari, tout le
monde le tenait pour l'œuvre la mieux réussie,
la plus parfaite qui fût ; les contemporains admiraient surtout les yeux, où le grand artiste avait
su rendre jusqu'aux plus imperceptibles veinules.
Dans le cas présent, il ne s'agissait point d'un tour
d'adresse, mais d'un phénomène étrange et qui
nuisait même à l'harmonie du tableau : le peintre
semblait avoir encastré dans sa toile des yeux
arrachés à un être humain. Au lieu de la noble
jouissance qui exalte l'âme à la vue d'une belle
œuvre d'art, si repoussant qu'en soit le sujet, on
éprouvait devant celle-ci une pénible impression.

« Qu'est-ce à dire ? se demandait involontairement Tchartkov. J'ai pourtant devant moi la
nature, la nature vivante. Son imitation servile
est-elle donc un crime, résonne-t-elle comme un

cri discordant ? Ou peut-être, si l'on se montre indifférent, insensible envers son sujet, le rend-on nécessairement dans sa seule et odieuse réalité, sans que l'illumine la clarté de cette pensée impossible à saisir mais qui n'en est pas moins latente au fond de tout ; et il apparaît alors sous cet aspect qui se présente à quiconque, avide de comprendre la beauté d'un être humain, s'arme du bistouri pour le disséquer et ne découvre qu'un spectacle hideux ? Pourquoi, chez tel peintre, la simple, la vile nature s'auréole-t-elle de clarté, pourquoi vous procure-t-elle une jouissance exquise, comme si tout autour de vous coulait et se mouvait suivant un rythme plus égal, plus paisible ? Pourquoi, chez tel autre, qui lui a été tout aussi fidèle, cette même nature semble-t-elle abjecte et sordide ? La faute en est au manque de lumière. Le plus merveilleux paysage paraît lui aussi incomplet quand le soleil ne l'illumine point. »

Tchartkov s'approcha encore une fois du portrait pour examiner ces yeux extraordinaires et s'aperçut non sans effroi qu'ils le regardaient. Ce n'était plus là une copie de la nature, mais bien la vie étrange dont aurait pu s'animer le visage d'un cadavre sorti du tombeau. Était-ce un effet de la clarté lunaire, cette messagère du délire qui donne à toutes choses un aspect irréel ? Je ne sais, mais il éprouva un malaise soudain à se trouver seul dans la pièce. Il s'éloigna lentement du portrait, se détourna, s'efforça de ne plus le regarder, mais, malgré qu'il en eût, son œil, impuissant à s'en détacher, louchait sans cesse de ce côté. Finalement, il eut même peur d'arpenter ainsi la pièce : il croyait toujours que quelqu'un allait se mettre à le suivre, et se retournait craintivement. Sans être peureux, il avait les nerfs et l'imagination fort sensibles, et ce soir-là il ne pouvait s'expliquer sa frayeur instinctive. Il s'assit dans un coin, et là encore il eut l'impression qu'un inconnu allait se pencher sur son épaule et le dévisager. Les ronflements de Nikita, qui lui arrivaient de l'antichambre, ne dissipaient point sa terreur. Il quitta craintivement sa place, sans lever les yeux, se dirigea vers son lit et se coucha. À travers les fentes du paravent, il pouvait voir sa chambre éclairée par la lune, ainsi que le portrait accroché bien droit au mur et dont les yeux, toujours fixés sur lui avec une expression de plus en plus effrayante, semblaient décidément ne vouloir regarder rien d'autre que lui. Haletant d'angoisse, il se leva, saisit un drap et, s'approchant du portrait, l'en recouvrit tout entier.

Quelque peu tranquillisé, il se recoucha et se prit à songer à la pauvreté, au destin misérable des peintres, au chemin semé d'épines qu'ils doivent parcourir sur cette terre ; cependant, à travers une fente du paravent, le portrait attirait toujours invinciblement son regard. Le rayonnement de la lune avivait la blancheur du drap, à travers lequel les terribles yeux semblaient maintenant transparaître. Tchartkov écarquilla les siens, comme pour bien se convaincre qu'il ne rêvait point. Mais non…, il voit pour de bon, il voit nettement : le drap a disparu et, dédaignant tout ce qui l'entoure, le portrait entièrement découvert regarde droit vers lui, plonge, oui, c'est le mot exact, plonge au tréfonds de son âme…

Son cœur se glaça. Et soudain il vit le vieillard
remuer, s'appuyer des deux mains au cadre, sortir
les deux jambes, sauter dans la pièce. La fente ne
laissait plus entrevoir que le cadre vide. Un bruit
de pas retentit, se rapprocha. Le cœur du pauvre
peintre battit violemment. La respiration coupée
par l'effroi, il s'attendait à voir le vieillard surgir
auprès de lui. Il surgit bientôt en effet, roulant ses
grands yeux dans son impassible visage de bronze.
Tchartkov voulut crier : il n'avait plus de voix ; il
voulut remuer : ses membres ne remuaient point.
La bouche bée, le souffle court, il contemplait
l'étrange fantôme dont la haute stature se drapait
dans son bizarre costume asiatique. Qu'allait-il
entreprendre ? Le vieillard s'assit presque à ses
pieds et tira un objet dissimulé sous les plis de
son ample vêtement. C'était un sac. Il le dénoua,
le saisit par les deux bouts, le secoua : de lourds
rouleaux, pareils à de minces colonnettes, en tombèrent avec un bruit sourd ; chacun d'eux était
enveloppé d'un papier bleu et portait l'inscription : « 1 000 ducats. » Le vieil homme dégagea
de ses larges manches ses longues mains osseuses
et se mit à défaire les rouleaux. Des pièces d'or
brillèrent. Surmontant son indicible terreur,
Tchartkov, immobile, couvait des yeux cet or, le
regardait couler avec un tintement frêle entre les
mains décharnées, étinceler, disparaître. Tout à
coup, il s'aperçut qu'un des rouleaux avait glissé
jusqu'au pied même du lit, près de son chevet. Il
s'en empara presque convulsivement et, aussitôt,
effrayé de son audace, jeta un coup d'œil craintif
du côté du vieillard. Mais celui-ci semblait très

occupé : il avait ramassé tous ses rouleaux et les remettait dans le sac ; puis, sans même lui accorder un regard, il s'en alla de l'autre côté du paravent. Tout en prêtant l'oreille au bruit des pas qui s'éloignaient, Tchartkov sentait son cœur battre à coups précipités. Il serrait le rouleau d'une main crispée et tremblait de tout le corps à la pensée de le perdre. Soudain les pas se rapprochèrent : le vieillard s'était sans doute aperçu qu'un rouleau manquait. Et de nouveau le terrible regard transperça le paravent, se posa sur lui. Le peintre serra le rouleau avec toute la force du désespoir ; il fit un suprême effort pour bouger, poussa un cri et… se réveilla.

Une sueur froide l'inondait ; son cœur battait à se rompre ; de sa poitrine oppressée, son dernier souffle semblait prêt à s'envoler. « C'était donc un songe ? » se dit-il en se prenant la tête à deux mains. Pourtant l'effroyable apparition avait eu tout le relief de la réalité. Maintenant encore qu'il ne dormait plus, ne voyait-il pas le vieillard rentrer dans le cadre, n'apercevait-il pas un pan de l'ample costume, tandis que sa main gardait la sensation du poids qu'elle avait tenu quelques instants plus tôt ? La lune se jouait toujours à travers la pièce, arrachant à l'ombre ici une toile, là une main de plâtre, ailleurs une draperie abandonnée sur une chaise, un pantalon, des bottes non cirées. À cet instant seulement, Tchartkov s'aperçut qu'il était non plus couché dans son lit, mais bien planté juste devant le tableau. Il n'arrivait pas à comprendre ni comment il se trouvait là, ni surtout pourquoi le portrait s'offrait à lui entièrement découvert : le drap avait disparu. Il contemplait avec une terreur figée ces yeux vivants, ces yeux humains qui le fixaient. Une sueur froide inonda son visage ; il voulait s'éloigner, mais ses pieds semblaient rivés au sol. Et il vit, – non, ce n'était pas un songe, – il vit les traits du vieillard bouger, ses lèvres s'allonger vers lui comme si elles voulaient l'aspirer... Il bondit en arrière en jetant une clameur d'épouvante, et brusquement... se réveilla.

« Comment, c'était encore un rêve ! » Le cœur battant à se rompre, il reconnut à tâtons qu'il reposait toujours dans son lit, dans la position même où il s'était endormi. À travers la fente du paravent, qui s'étendait toujours devant lui, le clair de lune lui permettait d'apercevoir le portrait, toujours soigneusement enveloppé du drap. Ainsi donc il avait de nouveau rêvé. Pourtant sa main crispée semblait encore tenir quelque chose. Son oppression, ses battements de cœur devenaient insupportables. Par-delà la fente, il couva le drap du regard. Soudain il le vit nettement s'entrouvrir, comme si des mains s'efforçaient par-derrière de le rejeter. « Que se passe-t-il, mon Dieu ? » s'écriat-il en se signant désespérément... et il se réveilla.

Cela aussi n'était qu'un rêve ! Cette fois il sauta du lit, à moitié fou, incapable de s'expliquer l'aventure : était-ce un cauchemar, le délire, une vision ? Pour calmer quelque peu son émoi et les pulsations désordonnées de ses artères, il s'approcha de la fenêtre, ouvrit le vasistas. Une brise embaumée le ranima. Le clair de lune baignait toujours les toits et les blanches murailles des maisons ; mais déjà de petits nuages couraient, de plus en plus nombreux, sur le ciel. Tout était calme ; de temps en temps montait d'une ruelle invisible le cahotement lointain d'un fiacre, dont le cocher somnolait sans doute au bercement de sa rosse paresseuse, dans l'attente de quelque client attardé. Tchartkov resta longtemps à regarder, la tête hors du vasistas. Les signes précurseurs de l'aurore se montraient déjà au firmament lorsqu'il sentit le sommeil le gagner ; il ferma le vasistas, regagna son lit, s'y allongea et s'endormit, cette fois, profondément.

Il s'éveilla très tard, la tête lourde, en proie à ce malaise que l'on éprouve dans une chambre enfumée. Un jour blafard, une désagréable humidité s'insinuaient dans l'atelier à travers les fentes des fenêtres, que bouchaient des tableaux et des toiles préparées. Sombre et maussade comme un coq trempé, Tchartkov s'assit sur son divan en lambeaux ; il ne savait trop qu'entreprendre, quand, soudain, tout son rêve lui revint en mémoire ; et son imagination le fit revivre avec une intensité si poignante qu'il finit par se demander s'il n'avait point réellement vu le fantôme. Arrachant aussitôt le drap, il examina le portrait à la lumière du jour. Si les yeux surprenaient toujours par leur vie extraordinaire, il n'y découvrait rien de particulièrement effrayant ; malgré tout, un sentiment pénible, inexplicable, demeurait au fond de son âme : il ne pouvait acquérir la certitude d'avoir vraiment rêvé. En tout cas, une étrange part de réalité avait dû se glisser dans ce rêve : le regard même et l'expression du vieillard semblaient confirmer sa visite nocturne ; la main du peintre éprouvait encore le poids d'un objet qu'on lui aurait arraché quelques instants plus tôt. Que n'avait-il serré le rouleau plus fort ? sans doute l'aurait-il conservé dans sa main, même après son réveil.

« Mon Dieu, que n'ai-je au moins une partie de cet argent ! » se dit-il en poussant un profond soupir. Il revoyait sortir du sac les rouleaux à l'inscription alléchante « 1 000 ducats » ; ils s'ouvraient, éparpillant leur or, puis se refermaient, disparaissaient, tandis que lui demeurait stupide, les yeux fixés dans le vide, incapable de s'arracher à ce spectacle, comme un enfant à qui l'eau vient à la bouche en voyant les autres se régaler d'un entremets défendu.

Un coup frappé à la porte le fit fâcheusement revenir à lui. Et son propriétaire entra, accompagné du commissaire de quartier, personnage dont l'apparition est, comme nul ne l'ignore, plus désagréable aux gens de peu que ne l'est aux gens riches la vue d'un solliciteur. Ledit propriétaire ressemblait à tous les propriétaires d'immeubles sis dans la Quinzième Ligne de l'île Basile, dans quelque coin du Vieux Pétersbourg ou tout au fond du faubourg de Kolomna ; c'était un de ces individus – fort nombreux dans notre bonne Russie – dont le caractère serait aussi difficile à définir que la couleur d'une redingote usée. Aux temps lointains de sa jeunesse, il avait été capitaine dans l'armée et je ne sais trop quoi dans le civil ; grand brailleur, grand fustigeur, débrouillard et mirliflore ; au demeurant un sot. Depuis qu'il avait vieilli, toutes ces particularités distinctives s'étaient fondues en un morne ensemble indécis. Veuf et retraité, il ne faisait plus ni le fendant ni le vantard, ni le casseur d'assiettes ; il n'aimait qu'à prendre le thé en débitant toutes sortes de fadaises ; il arpentait sa chambre, mouchait sa chandelle, s'en allait tous les trente du mois réclamer son argent à ses locataires, sortait dans la rue, sa clef à la main pour examiner son toit, chassait le portier de sa tanière toutes les fois que le pauvre diable s'y enfermait pour faire un somme ; bref c'était un homme à la retraite qui, après avoir jeté sa gourme et passablement roulé sa bosse, ne gardait plus que de mesquines habitudes.

« Rendez-vous compte vous-même, Baruch Kouzmitch, dit le propriétaire en écartant les bras : il ne paye pas son terme, il ne le paye pas !

— Que voulez-vous que j'y fasse ? Je n'ai pas d'argent pour le moment. Patientez quelque peu. »

Le propriétaire jeta les hauts cris.

« Patienter ! Impossible, mon ami. Savez-vous qui j'ai pour locataires, monsieur ? Le lieutenant-colonel Potogonkine, monsieur, et depuis sept ans, s'il vous plaît ! Mme Anna Pétrovna Boukhmistérov, une personne qui a trois domestiques, monsieur, et à qui je loue encore ma remise ainsi qu'une écurie à deux boxes. Chez moi, voyez-vous, on paye son terme, je vous le dis tout franc. Veuillez donc vous exécuter sur-le-champ et de plus quitter ma maison sans retard.

— Oui, évidemment, puisque vous avez loué, vous devez payer la somme convenue, dit le commissaire avec un léger hochement de tête, un doigt planté derrière un bouton de son uniforme.

— Où voulez-vous que je la prenne ? Je n'ai pas le sou.

— Dans ce cas, veuillez donner satisfaction à Ivan Ivanovitch par des travaux de votre profession. Il acceptera peut-être d'être payé en tableaux ?

— En tableaux ? Merci bien, mon cher ! Encore si c'étaient des peintures à sujets nobles, qu'on pourrait pendre au mur : un général et ses crachats, le prince Koutouzov, ou quelque chose de ce genre ! Mais non, monsieur ne peint que des croquants : tenez, voilà le portrait du gaillard qui lui broie ses couleurs. A-t-on idée de prendre pour modèle un saligaud pareil ! Celui-là, la main me démange de lui flanquer une volée : il m'a enlevé tous les clous des targettes, le bandit !... Regardez-moi ces sujets !... Tenez, voilà sa chambre : si encore il la représentait propre et bien soignée ; mais non, il la peint avec toutes les saletés qui traînent dedans. Voyez un peu comme il m'a souillé cette pièce ; regardez, regardez vous-même... Moi chez qui des gens comme il faut passent des sept ans entiers : un lieutenant-colonel, Mme Boukhmistérov... Non, décidément, il n'y a pas de pire locataire qu'un artiste : ça vit comme un pourceau ! Dieu nous préserve de mener jamais pareille existence ! »

Le pauvre peintre devait patiemment écouter tout ce fatras. Cependant le commissaire reluquait études et tableaux ; il montra bientôt que son âme, plus vivante que celle du propriétaire, était même accessible aux impressions artistiques.

« Hé, hé, fit-il, en désignant du doigt une toile

sur laquelle était peinte une femme nue, voilà un sujet plutôt… folâtre… Et ce bonhomme-là, pourquoi a-t-il une tache noire sous le nez ? Il s'est peut-être sali avec du tabac ?

— C'est l'ombre, répondit sèchement Tchartkov sans tourner les yeux vers lui.

— Vous auriez bien dû la transporter ailleurs ; sous le nez, ça se voit trop, dit le commissaire. Et celui-là, qui est-ce ? continua-t-il en s'approchant du fameux portrait. Il fait peur à voir. Avait-il l'air si terrible en réalité ?… Ah mais, il nous regarde, tout simplement. Quel croquemitaine ! Qui vous a donc servi de modèle ?

— Oh, c'est un… », voulut dire Tchartkov, mais un craquement lui coupa la parole.

Le commissaire avait sans doute serré trop fort le cadre dans ses lourdes mains d'argousin ; les bordures cédèrent ; l'une tomba par terre et, en même temps qu'elle, un rouleau enveloppé de papier bleu qui tinta lourdement. L'inscription « 1 000 ducats » sauta aux yeux de Tchartkov. Il se précipita comme un insensé sur le rouleau, le ramassa, le serra convulsivement dans sa main, abaissée par le poids de l'objet.

« N'est-ce pas de l'argent qui a tinté ? » dit le commissaire.

Il avait bien entendu tomber quelque chose sans que la promptitude de Tchartkov lui eût permis de voir ce que c'était au juste.

« En quoi cela vous regarde-t-il ?

— En ceci, monsieur, que vous devez un terme à votre propriétaire et que, tout en ayant de l'argent, vous refusez de le payer. Compris ?

— Bon, je le lui payerai dès aujourd'hui.

— Et pourquoi donc, s'il vous plaît, refusiez-vous de le faire ? Pourquoi lui occasionnez-vous du dérangement, à ce digne homme... et à la police par-dessus le marché ?

— Parce que je ne voulais pas toucher à cet argent. Mais je vous répète que je lui réglerai ma dette ce soir même ; et je quitterai dès demain sa maison, car je ne veux pas rester plus longtemps chez un pareil propriétaire.

— Allons, Ivan Ivanovitch, il vous payera... Et s'il ne vous donne pas entière satisfaction, dès ce soir, alors... alors, monsieur l'artiste, vous aurez affaire à nous. »

Sur ce, il se coiffa de son tricorne et gagna l'antichambre, suivi du propriétaire, qui baissait la tête et semblait rêveur.

« Bon débarras, Dieu merci ! » s'exclama Tchartkov, quand il entendit la porte d'entrée se refermer.

Il jeta un coup d'œil dans l'antichambre, envoya Nikita en course pour être complètement seul, et, revenu dans son atelier, se mit, le cœur palpitant, à défaire son trésor. Le rouleau, semblable en tous points à ceux qu'il avait vus en rêve, contenait exactement mille ducats, flambant neufs et brûlants comme du feu. « N'est-ce point un songe ? » se demanda-t-il encore en contemplant, à demi fou, ce flot d'or, qu'il palpait éperdument, sans pouvoir reprendre ses esprits. Des histoires de trésors cachés, de cassettes à tiroirs secrets léguées par de prévoyants ancêtres à des arrière-neveux dont ils pressentaient la ruine, obsédaient en foule son imagination. Il en vint à se croire devant un cas de ce genre : sans doute quelque aïeul avait-il imaginé de laisser à son petit-fils ce cadeau, enclos dans le cadre d'un portrait de famille ? Emporté par un délire romanesque, il se demanda même s'il n'y avait pas là un rapport secret avec son propre destin : l'existence du portrait n'était-elle pas liée à la sienne, et son acquisition prédestinée ? Il examina très attentivement le cadre : une rainure avait été pratiquée sur l'un des côtés, puis recouverte d'une planchette, mais avec tant d'adresse et de façon si peu visible que, n'était la grosse patte du commissaire, les ducats y auraient reposé jusqu'à la consommation des siècles. Sa vue s'étant, du cadre, reportée sur le tableau, il en admira une fois de plus la superbe facture, et, singulièrement, l'extraordinaire fini des yeux : il les regardait maintenant sans crainte, mais toujours avec un certain malaise.

« Allons, se dit-il, de qui que tu sois l'aïeul, je te mettrai sous verre et, en échange de CECI, je te donnerai un beau cadre doré. »

Ce disant, il laissa tomber sa main sur le tas d'or étalé devant lui ; son cœur précipita ses battements.

« Qu'en faire ? se demandait-il en le couvant du regard. Voilà ma vie assurée pour trois ans au moins. J'ai de quoi acheter des couleurs, payer mon dîner, mon thé, mon entretien, mon logement. Je puis m'enfermer dans mon atelier et y travailler tranquillement ; nul ne viendra plus m'importuner. Je vais faire l'emplette d'un excellent mannequin, me commander un torse de plâtre et y modeler des jambes, cela me fera une Vénus, acheter enfin des gravures d'après les meilleurs tableaux. Si je travaille trois ans sans me dépêcher, sans songer à la vente, je les enfoncerai tous et pourrai devenir un bon peintre. »

Voilà ce que lui dictait la raison, mais au fond de lui-même s'élevait une voix plus puissante. Et quand il eut jeté un nouveau regard sur le tas d'or, ses vingt-deux ans, son ardente jeunesse lui tinrent un bien autre langage. Tout ce qu'il avait contemplé jusqu'alors avec des yeux envieux, tout ce qu'il avait admiré de loin, l'eau à la bouche, se trouvait maintenant à sa portée. Ah, comme son cœur ardent se mit à battre dès que cette pensée lui vint ! S'habiller à la dernière mode, faire bombance après ces longs jours de jeûne, louer un bel appartement, aller tout de suite au théâtre, au café, au… Il avait déjà sauté sur son or et se trouvait dans la rue.

Il entra tout d'abord chez un tailleur et une fois vêtu de neuf des pieds à la tête, ne cessa plus de s'admirer comme un enfant. Il loua sans marchander le premier appartement qui se trouva libre sur la Perspective, un appartement magnifique avec de grands trumeaux et des vitres d'un seul carreau. Il acheta des parfums, des pommades, une lorgnette fort coûteuse dont il n'avait que faire et beaucoup plus de cravates qu'il n'en avait besoin. Il se fit friser par un coiffeur, parcourut deux fois la ville en landau sans la moindre nécessité, se bourra de bonbons dans une confiserie, et s'en alla dîner chez un traiteur français, sur lequel il avait jusqu'alors des notions aussi vagues que sur

l'empereur de Chine. Tout en dînant il se donnait
de grands airs, regardait d'assez haut ses voisins,
et réparait sans cesse le désordre de ses boucles
en se mirant dans la glace qui lui faisait face. Il se
commanda une bouteille de champagne, boisson
qu'il ne connaissait que de réputation, et qui lui
monta légèrement à la tête. Il se retrouva dans
la rue de fort belle humeur et prit des allures de
conquérant. Il déambula tout guilleret le long du
trottoir en braquant sa lorgnette sur les passants.
Il aperçut sur le pont son ancien maître et fila crâ-
nement devant lui, comme s'il ne l'avait pas vu :
le bonhomme en demeura longtemps stupide, le
visage transformé en point d'interrogation.

Le soir même, Tchartkov fit transporter son
chevalet, ses toiles, ses tableaux, toutes ses affaires
dans le superbe appartement. Après avoir disposé
bien en vue ce qu'il avait de mieux et jeté le reste
dans un coin, il se mit à arpenter les pièces en
jetant de fréquentes œillades aux miroirs. Il sentait sourdre en lui le désir invincible de violen-
ter la gloire et de faire voir à l'univers ce dont
il était capable. Il croyait déjà entendre les cris :
« Tchartkov ! Tchartkov ! Avez-vous vu le tableau
de Tchartkov ? Quelle touche ferme et rapide !
Quel vigoureux talent ! » Une extase fébrile l'emportait Dieu sait où.

Le matin venu, il prit une dizaine de ducats, et
s'en alla demander une aide généreuse au directeur d'un journal en vogue[1]. Le directeur le reçut
cordialement, lui donna du « cher maître », lui
pressa les deux mains, s'enquit par le menu de ses
nom, prénoms et domicile. Et dès le lendemain, le

journal publiait, à la suite d'une annonce vantant les qualités d'une nouvelle chandelle, un article intitulé : « L'extraordinaire talent de Tchartkov. »

« Hâtons-nous de complimenter les habitants éclairés de notre capitale : ils viennent de faire une acquisition qu'on nous permettra de qualifier de magnifique à tous les points de vue. Chacun se plaît à reconnaître qu'on trouve chez nous un grand nombre de charmants visages et d'heureuses physionomies ; mais nous ne possédions pas encore le moyen de les faire passer à la postérité par l'entremise miraculeuse du pinceau. Cette lacune est désormais comblée : un peintre est apparu qui réunit en lui toutes les qualités nécessaires. Dorénavant nos beautés seront sûres de se voir rendues dans toute leur grâce exquise, aérienne, enchanteresse, semblable à celle des papillons qui voltigent parmi les fleurs printanières. Le respectable père de famille se verra entouré de tous les siens. Le négociant comme le militaire, l'homme d'État comme le simple citoyen, chacun continuera sa carrière avec un zèle redoublé. Hâtez-vous, hâtez-vous, entrez chez lui, au retour d'une promenade, d'une visite à un ami, à une cousine, à un beau magasin ; hâtez-vous d'y aller d'où que vous veniez. Vous verrez dans son magnifique atelier (Perspective Nevski, n°...) une multitude de portraits dignes des Van Dyck et des Titien. On ne sait trop qu'admirer davantage en eux : la vigueur de la touche, l'éclat de la palette ou la ressemblance avec l'original. Soyez loué, ô peintre, vous avez tiré un bon numéro à la loterie ! Bravo, André Pétrovitch ! (Le journaliste aimait évidemment la familiarité.) Travaillez à votre gloire et à la nôtre. Nous savons vous apprécier. L'affluence du public et la fortune (encore que certains de nos confrères s'élèvent contre elle) seront votre récompense. »

Tchartkov lut et relut cette annonce avec un secret plaisir ; son visage rayonnait. Enfin la presse parlait de lui ! La comparaison avec Van Dyck et Titien le flatta énormément. L'exclamation « Bravo, André Pétrovitch ! » ne fut pas non plus pour lui déplaire : les journaux le nommaient familièrement par ses prénoms ; quel honneur insoupçonné ! Dans sa joie, il entreprit à travers l'atelier une promenade sans fin, en ébouriffant ses cheveux d'une main nerveuse ; tantôt il se laissait choir dans un fauteuil, puis bondissait et s'installait sur le canapé, essayant d'imaginer comment il allait recevoir les visiteurs et les visiteuses ; tantôt il s'approchait d'une toile, esquissant des gestes susceptibles de mettre en valeur tant le charme de sa main que la hardiesse de son pinceau.

Le lendemain, on sonna à sa porte ; il courut ouvrir. Une dame entra, suivie d'une jeune personne de dix-huit ans, sa fille ; un valet en manteau de livrée doublé de fourrure les accompagnait.

« Vous êtes bien M. Tchartkov ? » s'enquit la dame.

Le peintre s'inclina.

« On parle beaucoup de vous ; on prétend que vos portraits sont le comble de la perfection. »

Sans attendre de réponse, la dame, levant son face-à-main, s'en fut d'un pas léger examiner les murs ; mais comme elle les trouva vides :

« Où donc sont vos portraits ? demanda-t-elle.

— On les a emportés, dit le peintre quelque peu confus... Je viens d'emménager ici..., ils sont encore en route.

— Vous êtes allé en Italie ? demanda encore la dame en braquant vers lui son face-à-main, faute d'autre objet à lorgner.

— Non..., pas encore... J'en avais bien l'intention... mais j'ai remis mon voyage... Mais voici des fauteuils ; vous devez être fatiguées ?

— Merci, je suis longtemps restée assise en voiture... Ah, ah, je vois enfin de vos œuvres ! » s'écria la dame, dirigeant cette fois son face-à-main vers la paroi au pied de laquelle Tchartkov avait déposé ses études, ses portraits, ses essais de perspective. Elle y courut aussitôt. « *C'est charmant. Lise, Lise, venez ici*[1]. Un intérieur à la manière de Téniers. Tu vois ? Du désordre, du désordre partout ; une table et un buste dessus, une main, une palette... et jusqu'à de la poussière... Tu vois, tu vois la poussière ? *C'est charmant*... Tiens, une femme qui se lave le visage ! *Quelle jolie figure !*... Ah, un moujik !... Lise, Lise, regarde : un petit moujik en blouse russe !... Je croyais que vous ne peigniez que des portraits ?

— Oh, tout cela n'est que bagatelles... Histoire de m'amuser... De simples études !

— Dites, que pensez-vous des portraitistes contemporains ? N'est-ce pas qu'aucun d'eux n'approche du Titien ? On ne trouve plus cette puissance de coloris, cette... Quel dommage que je ne puisse vous exprimer ma pensée en russe ! » La dame, férue de peinture, avait parcouru avec son face-à-main toutes les galeries d'Italie... « Cependant M. Nol... Ah, celui-là comme il peint... Je trouve ses visages plus expressifs même que ceux du Titien !... Vous ne connaissez pas M. Nol ?

— Qui est ce Nol ?

— M. Nol[1] ! Ah, quel talent ! Il a peint le portrait de Lise lorsqu'elle n'avait que douze ans... Il faut absolument que vous veniez le voir. Lise, montre-lui ton album. Vous savez que nous sommes ici pour que vous commenciez son portrait, séance tenante.

— Comment donc !... À l'instant même !... »

En un clin d'œil il avança son chevalet chargé d'une toile, prit sa palette, attacha son regard sur le pâle visage de la jeune fille. Tout connaisseur du cœur humain aurait aussitôt déchiffré sur ces traits : un engouement enfantin pour les bals ; pas mal d'ennui et des plaintes sur la longueur du temps, avant comme après le dîner ; un vif désir de faire voir ses robes neuves à la promenade ; les lourdes traces d'une application indifférente à des arts divers, inspirée par sa mère en vue d'élever son âme. Tchartkov, lui, ne voyait sur cette figure délicate qu'une transparence de chair rappelant presque la porcelaine et bien faite pour tenter le pinceau ; une molle langueur, le cou fin et blanc, la taille d'une sveltesse aristocratique le séduisaient. Il se préparait d'avance à triompher, à montrer l'éclat, la légèreté d'un pinceau qui n'avait eu jusqu'ici affaire qu'à de vils modèles aux traits heurtés, à de sévères antiques, à quelques copies de grands maîtres. Il voyait déjà ce gentil minois rendu par lui.

« Savez-vous quoi ? fit la dame, dont le visage prit une expression quasi touchante. Je voudrais… Elle porte une robe… Je préférerais, voyez-vous, ne pas la voir peinte dans la robe à laquelle nous sommes si habituées. J'aimerais qu'elle fût vêtue simplement, assise à l'ombre de verdures, au sein de quelque prairie… avec un troupeau ou des bois dans le lointain…, qu'elle n'eût pas l'air d'aller à un bal ou à une soirée à la mode. Les bals, je vous l'avoue, sont mortels pour nos âmes ; ils atrophient ce qui nous reste encore de sentiments… Il faudrait, voyez-vous, plus de simplicité. » (Les visages de cire de la mère et de la fille prouvaient, hélas, qu'elles avaient un peu trop fréquenté lesdits bals.)

Tchartkov se mit à l'ouvrage. Il installa son modèle, réfléchit quelques instants, prit ses points de repère en battant l'air du pinceau, cligna d'un œil, se recula pour mieux juger de l'effet. Au bout d'une heure, la préparation terminée à son gré, il commença de peindre. Tout entier à son œuvre, il en oublia jusqu'à la présence de ses aristocratiques clientes et céda bientôt à ses façons de rapin : il chantonnait, poussait des exclamations, faisait sans la moindre cérémonie, d'un simple mouvement de pinceau, lever la tête à son modèle, qui finit par s'agiter et témoigner d'une fatigue extrême

« Assez pour aujourd'hui, dit la mère.

— Encore quelques instants, supplia le peintre.

— Non, il est temps de partir… Trois heures déjà, Lise. Ah mon Dieu, qu'il est tard ! s'écriat-elle en tirant une petite montre accrochée par une chaîne d'or à sa ceinture.

— Rien qu'une petite minute ! » implora Tchartkov, d'une voix naïve, enfantine.

Mais la dame ne paraissait nullement disposée à satisfaire, ce jour-là, les exigences artistiques de son peintre ; elle lui promit, en revanche, de rester davantage une autre fois.

« C'est bien ennuyeux, se dit Tchartkov, ma main commençait à se dégourdir ! » Il se souvint que, dans son atelier de l'île Basile, personne n'interrompait son travail : Nikita gardait la pose indéfiniment et s'endormait même dans cette position. Il abandonna, tout dépité, son pinceau, sa palette, et se figea dans la contemplation de sa toile.

Un compliment de la grande dame le tira de cette rêverie. Il se précipita pour accompagner les visiteuses jusqu'à la porte de la maison ; sur l'escalier il fut autorisé à les venir voir, prié à dîner pour la semaine suivante. Il rentra chez lui tout rasséréné, entièrement captivé par les charmes de la grande dame. Jusqu'alors il avait jugé ces êtres-là inaccessibles, uniquement créés et mis au monde pour rouler dans de belles voitures, avec cochers et valets de pied de grand style, et n'accordant aux pauvres piétons que des regards indifférents. Et voilà qu'une de ces nobles créatures avait pénétré chez lui pour lui commander le portrait de sa fille et l'inviter dans son aristocratique demeure. Une joie délirante l'envahit ; pour fêter ce grand événement, il s'offrit un bon dîner, passa la soirée au spectacle et parcourut de nouveau la ville en landau, toujours sans la moindre nécessité.

Les jours suivants, il ne parvint pas à s'intéresser à ses travaux en cours. Il ne faisait que se préparer,

qu'attendre le moment où l'on sonnerait à la porte.
Enfin la grande dame et sa pâle enfant arrivèrent.
Il les fit asseoir, avança la toile – avec adresse cette
fois et des prétentions à l'élégance – et se mit à
peindre. La journée ensoleillée, le vif éclairage lui
permirent d'apercevoir sur son fragile modèle certains détails qui, traduits sur la toile, donneraient
une grande valeur au portrait. Il comprit que, s'il
arrivait à les reproduire avec la même perfection
que les lui offrait la nature, il ferait quelque chose
d'extraordinaire. Son cœur commença même à
battre légèrement quand il sentit qu'il allait exprimer ce dont nul avant lui ne s'était encore aperçu.
Tout à son art, il oublia de nouveau la noble origine
de son modèle. À voir si bien rendus par son pinceau ces traits délicats, cette chair exquise, quasi
diaphane, il se sentait défaillir. Il tâchait de saisir
la moindre nuance, un léger reflet jaune, une tache
bleuâtre à peine visible sous les yeux et copiait déjà
un petit bouton poussé sur le front, quand il entendit au-dessus de lui la voix de la maman :

« Eh non, voyons... Pourquoi cela ? C'est inutile... Et puis il me semble qu'à certains endroits
vous avez fait... un peu jaune... Et ici, tenez, on
dirait de petites taches sombres. »

Le peintre voulut expliquer que précisément ces
taches et ces reflets jaunes mettaient en valeur
l'agréable et tendre coloris du visage. Il lui fut
répondu qu'elles ne mettaient rien du tout en
valeur, que c'était là une illusion de sa part.

« Permettez-moi pourtant une légère touche
de jaune, une seule, ici tenez », insista le naïf
Tchartkov.

On ne lui permit même pas cela. Il lui fut déclaré que Lise n'était pas très bien disposée ce jour-là, que d'habitude son visage, d'une fraîcheur surprenante, n'offrait pas la moindre trace de jaune.

Bon gré mal gré, Tchartkov dut effacer ce que son pinceau avait fait naître sur la toile. Bien des traits presque invisibles disparurent et avec eux s'évanouit une partie de la ressemblance. Il se mit à donner machinalement au tableau cette note uniforme qui se peint de mémoire et transforme les portraits d'êtres vivants en figures froidement irréelles, semblables à des modèles de dessin. Mais la disparition des tons déplaisants satisfit pleinement la noble dame. Elle marqua toutefois sa surprise de voir le travail traîner si longtemps : M. Tchartkov, lui avait-on dit, terminait ses portraits en deux séances.

L'artiste ne trouva rien à lui répondre. Il déposa son pinceau et, quand il eut accompagné ces dames jusqu'à la porte, demeura longtemps, immobile et songeur, devant sa toile.

Il revoyait avec une douleur stupide les nuances légères, les tons vaporeux qu'il avait saisis puis effacés d'un pinceau impitoyable. Plein de ces impressions, il écarta le portrait, alla chercher une tête de Psyché, qu'il avait naguère ébauchée puis abandonnée dans un coin. C'était une figure dessinée avec art, mais froide, banale, conventionnelle. Il la reprit maintenant dans le dessein d'y fixer les traits qu'il avait pu observer sur son aristocratique visiteuse, et qui se pressaient en foule dans sa mémoire. Il réussit en effet à les y transposer sous cette forme épurée que leur donnent les grands artistes, alors qu'imprégnés de la nature ils s'en éloignent pour la recréer. Psyché parut s'animer : ce qui n'était qu'une implacable abstraction se transforma peu à peu en un corps vivant ; les traits de la jeune mondaine lui furent involontairement communiqués et elle acquit de ce fait cette expression particulière qui donne à l'œuvre d'art un cachet d'indéniable originalité.

Tout en utilisant les détails, Tchartkov semblait avoir réussi à dégager le caractère général de son modèle. Son travail le passionnait ; il s'y consacra entièrement durant plusieurs jours et les deux dames l'y surprirent. Avant qu'il eût eu le temps d'éloigner son tableau, elles battirent des mains, poussèrent des cris joyeux.

« Lise, Lise, ah, que c'est ressemblant ! *Superbe, superbe !* Quelle bonne idée vous avez eue de l'habiller d'un costume grec ! Ah quelle surprise ! »

Le peintre ne savait comment les tirer de cette agréable erreur. Mal à l'aise, baissant les yeux, il murmura :

« C'est Psyché.

— Psyché ! *Ah ! charmant !* dit la mère en le gratifiant d'un sourire que la fille imita aussitôt. N'est-ce pas, Lise, tu ne saurais être mieux qu'en Psyché ? *Quelle idée délicieuse !* Mais quel art ! On dirait un Corrège. J'ai beaucoup entendu parler de vous. J'ai lu bien des choses sur votre compte, mais, vous l'avouerai-je ? je ne vous savais pas un pareil talent. Allons, il faut que vous fassiez aussi mon portrait. »

Évidemment la bonne dame se voyait, elle aussi, sous les traits de quelque Psyché.

« Tant pis ! se dit Tchartkov. Puisqu'elles ne veulent pas être dissuadées, Psyché passera pour ce qu'elles désirent. »

« Ayez la bonté de vous asseoir un moment, proféra-t-il ; j'ai quelques retouches à faire.

— Ah, je crains que vous... Elle est si ressemblante ! »

Comprenant que leur appréhension avait surtout trait aux tons jaunes, le peintre s'empressa de rassurer ces dames : il voulait seulement souligner le brillant et l'expression des yeux. En réalité, il éprouvait une honte extrême et, de peur qu'on ne lui reprochât son impudence, il tenait à pousser la ressemblance aussi loin que possible. Bientôt en effet le visage de Psyché prit de plus en plus nettement les traits de la pâle jeune fille.

« Assez ! » dit la mère redoutant que la ressemblance ne devînt trop parfaite.

Un sourire, de l'argent, des compliments, une poignée de main fort cordiale, une invitation à dîner, bref mille récompenses flatteuses payèrent le peintre de ses peines.

Le portrait fit sensation. La dame le montra à ses amies : toutes admirèrent – non sans qu'une légère rougeur leur montât au visage – l'art avec lequel le peintre avait su à la fois garder la ressemblance et mettre en valeur la beauté du modèle. Et Tchartkov fut soudain assailli de commandes ; toute la ville semblait vouloir se faire portraiturer par lui ; on sonnait à chaque instant à sa porte. Évidemment la diversité de toutes ces figures pouvait lui permettre d'acquérir une pratique extraordinaire. Par malheur, c'étaient des gens difficiles

à satisfaire, des gens pressés, fort occupés, ou des
mondains, c'est-à-dire encore plus occupés que
les autres et par conséquent très impatients. Tous
tenaient à un travail rapide et bien fait. Tchartkov comprit que dans ces conditions il ne pouvait
rechercher le fini ; la prestesse du pinceau devait
lui tenir lieu de toute autre qualité. Il suffisait de
saisir l'ensemble, l'expression générale, sans vouloir approfondir les détails, poursuivre la nature
jusqu'en son intime perfection. En outre, chacun
– ou presque chacun – de ses modèles avait ses
prétentions particulières. Les dames demandaient
que le portrait rendît avant tout l'âme et le caractère, le reste devant être parfois complètement
négligé ; que les angles fussent tous arrondis, les
défauts atténués, voire supprimés ; bref, que le
visage, s'il ne pouvait provoquer des coups de
foudre, inspirât tout au moins l'admiration. Aussi
prenaient-elles en s'installant pour la pose des
expressions bien faites pour déconcerter Tchartkov : l'une jouait la rêveuse, l'autre la mélanco-
lique ; pour amenuiser sa bouche, une troisième
se pinçait les lèvres jusqu'à donner l'illusion d'un
point gros comme une tête d'épingle. Elles ne laissaient pas pour autant d'exiger de lui la ressemblance, le naturel, l'absence d'apprêts.

Les hommes ne le cédaient en rien au sexe
faible. Celui-ci voulait se voir rendu avec un port
de tête énergique, celui-là avec les yeux levés au
ciel d'un air inspiré. Un lieutenant de la garde
désirait que son regard fît songer à Mars ; un fonctionnaire, que son visage exprimât au plus haut
degré la noblesse jointe à la droiture ; sa main

devait s'appuyer sur un livre où s'inscriraient, très
apparemment, ces mots : « J'ai toujours défendu
la vérité. »

Au début ces exigences affolaient Tchartkov :
impossible de les satisfaire sérieusement dans un
laps de temps aussi court ! Mais bientôt il comprit
de quoi il retournait et cessa de se mettre martel
en tête. Deux ou trois mots lui faisaient deviner
les désirs du modèle. Celui qui se voulait en Mars
l'était. À celui qui prétendait jouer les Byron, il
octroyait une pose et un port de tête byroniens.
Qu'une dame désirât être Corinne, Ondine, Aspa-
sie ou Dieu sait quoi encore, il y consentait sur-
le-champ. Il avait seulement soin d'ajouter une
dose suffisante de beauté, de distinction, ce qui,
chacun le sait, ne gâte jamais les choses et peut
faire pardonner au peintre jusqu'au manque de
ressemblance. L'étonnante prestesse de son pinceau finit par le surprendre lui-même. Quant à ses
modèles, ils se déclaraient naturellement enchan-
tés et proclamaient partout son génie.

Tchartkov devint alors, sous tous les rapports,
un peintre à la mode. Il dînait à droite et à
gauche, accompagnait les dames aux expositions,
voire à la promenade, s'habillait en dandy, affir-
mait publiquement qu'un peintre appartient à la
société et ne doit point déroger à son rang. Les
artistes, à l'en croire, avaient grand tort de s'accoutrer comme des savetiers, d'ignorer les belles
manières, de manquer totalement d'éducation. Il
portait maintenant des jugements tranchants sur
l'art et les artistes. À l'entendre on prônait trop
les vieux maîtres : « Les préraphaélites n'ont peint

que des écorchés ; la prétendue sainteté de leurs
œuvres n'existe que dans l'imagination de ceux
qui les contemplent ; Raphaël lui-même n'est pas
toujours excellent, et seule une tradition bien
enracinée assure la célébrité à bon nombre de ses
tableaux ; Michel-Ange est entièrement dénué de
grâce, ce fanfaron ne songe qu'à faire parade de
sa science de l'anatomie ; l'éclat, la puissance du
pinceau et du coloris sont l'apanage exclusif de
notre siècle. » Par une transition bien naturelle,
Tchartkov arrivait alors à lui-même.

« Non, disait-il, je ne comprends pas ceux qui
peinent et pâlissent sur leur travail. Quiconque
traîne des mois sur une toile n'est qu'un artisan ;
je ne croirai jamais qu'il a du talent ; le génie crée
avec audace et rapidité. Tenez, moi, par exemple,
j'ai peint ce portrait en deux jours, cette tête en un
seul, ceci en quelques heures, cela en une heure
au plus... Non, voyez-vous, je n'appelle pas art
ce qui se fabrique au compte-gouttes ; c'est du
métier, si vous voulez, mais de l'art, non pas ! »

Tels étaient les propos qu'il tenait à ses visiteurs, ceux-ci à leur tour admiraient la hardiesse,
la puissance de son pinceau ; cette rapidité d'exécution leur arrachait même des exclamations de
surprise et ils se confiaient ensuite l'un à l'autre.

« C'est un homme de talent, de grand talent !
Écoutez-le parler, voyez comme ses yeux brillent.
*Il y a quelque chose d'extraordinaire dans toute sa
figure !* »

L'écho de ces louanges flattait Tchartkov.
Quand les feuilles publiques le complimentaient,
il se réjouissait comme un enfant, encore qu'il

eût payé de sa poche ces beaux éloges. Il prenait une joie naïve à ces articles, les colportait
partout, les montrait comme par hasard à ses
amis et connaissances. Sa vogue grandissait, les
commandes affluaient. Cependant ces portraits,
ces personnages dont il connaissait par cœur les
attitudes et les mouvements, commençaient à lui
peser. Il les peignait sans grand plaisir, se bornant
à esquisser tant bien que mal la tête et laissant ses
élèves achever le reste. Au début il avait encore
inventé des effets hardis, des poses originales ;
maintenant cette recherche même lui semblait
fastidieuse. Réfléchir, imaginer étaient pour son
esprit de trop pénibles efforts, auxquels il n'avait
d'ailleurs pas le temps de se livrer : son existence
dissipée, le rôle d'homme du monde qu'il s'efforçait de jouer, tout cela l'emportait loin du travail
et de la réflexion. Son pinceau perdait son brio,
sa chaleur, se cantonnait placidement dans les
poncifs les plus désuets. Les visages froids, mono-
tones, toujours fermés, toujours boutonnés si l'on
peut dire, des fonctionnaires, tant civils que militaires, ne lui offraient point un champ bien vaste :
il en oubliait les somptueuses draperies, les gestes
hardis, les passions. Il ne pouvait être question de
grouper des personnages, de nouer quelque noble
action dramatique. Tchartkov n'avait devant lui
que des uniformes, des corsets, des habits noirs,
tous objets bien propres à glacer l'artiste et à
tuer l'inspiration. Aussi ses ouvrages étaient-ils
maintenant dépourvus des qualités les plus ordinaires ; ils jouissaient toujours de la vogue, mais
les vrais connaisseurs haussaient les épaules en

les regardant. Certains d'entre eux, qui avaient
connu Tchartkov autrefois, n'arrivaient pas à comprendre comment, à peine parvenu à son plein
épanouissement, ce garçon bien doué avait soudain perdu un talent dont il avait donné dès ses
débuts des preuves si manifestes.

Le peintre enivré ignorait ces critiques. Il avait
acquis la gravité de l'âge et de l'esprit ; il engrais-
sait, s'épanouissait en largeur. Journaux et revues
l'appelaient déjà « notre éminent André Pétrovitch » ; on lui offrait des postes honorifiques ; on
le nommait membre de jurys, de comités divers.
Comme il est de règle à cet âge respectable, il
prenait maintenant le parti de Raphaël et des
vieux maîtres, non point qu'il se fût pleinement
convaincu de leur valeur, mais pour s'en faire
une arme contre ses jeunes confrères. Car, toujours comme de règle à cet âge, il reprochait à la
jeunesse son immoralité, son mauvais esprit. Il
commençait à croire que tout en ce bas monde
s'accomplit aisément, à condition d'être rigoureusement soumis à la discipline de l'ordre et de l'uni-
formité ; l'inspiration n'est qu'un vain mot. Bref,
il atteignait le moment où l'homme sent mourir
en lui tout élan, où l'archet inspiré n'exhale plus
autour de son cœur que des sons languissants.
Alors le contact de la beauté n'enflamme plus les
forces vierges de son être. En revanche les sens
émoussés deviennent plus attentifs au tintement
de l'or, se laissent insensiblement endormir par sa
musique fascinatrice. La gloire ne peut apporter
de joie à qui l'a volée : elle ne fait palpiter que
les cœurs dignes d'elle. Aussi tous ses sens, tous

ses instincts s'orientèrent-ils vers l'or. L'or devient sa passion, son idéal, sa terreur, sa volupté, son but. Les billets s'amoncelaient dans ses coffres, et comme tous ceux à qui est départi cet effroyable lot, il devint triste, inaccessible, indifférent à tout ce qui n'était pas l'or, lésinant sans besoin, amassant sans méthode. Il allait bientôt se muer en l'un de ces êtres étranges, si nombreux dans notre univers insensible, que l'homme doué de cœur et de vie considère avec épouvante : ils lui semblent des tombeaux mouvants qui portent un cadavre en eux, un cadavre en place de cœur. Un événement imprévu devait cependant ébranler son inertie, réveiller toutes ses forces vives.

Un beau jour il trouva un billet sur sa table : l'Académie des Beaux-Arts le priait, en tant qu'un de ses membres les plus en vue, de venir donner son opinion sur une œuvre envoyée d'Italie par un peintre russe qui s'y perfectionnait dans son art. Ce peintre[1] était un de ses anciens camarades : passionné depuis l'enfance pour la peinture, il s'y était consacré de toute son âme ardente ; abandonnant ses amis, sa famille, ses chères habitudes, il s'était précipité vers le pays où sous un ciel sans nuages mûrit la grandiose pépinière de l'art, cette superbe Rome dont le nom seul fait battre si violemment le grand cœur de l'artiste. Il y vécut en ermite, plongé dans un labeur sans trêve et sans merci. Peu lui importait que l'on critiquât son caractère, ses maladresses, son manque d'usage et que la modestie de son costume fît rougir ses confrères : il se souciait fort peu de leur opinion. Voué corps et âme à l'art, il méprisait tout le reste. Visiteur inlassable des musées, il passait des heures entières devant les œuvres des grands peintres, acharné à poursuivre le secret de leur pinceau. Il ne terminait rien sans s'être confié à ces maîtres, sans avoir tiré de leurs ouvrages un conseil éloquent encore que muet. Il se tenait à l'écart des discussions orageuses et ne prenait parti ni pour ni contre les puristes. Comme il ne s'attachait qu'aux qualités, il savait rendre justice à chacun, mais finalement il ne garda qu'un seul maître, le divin Raphaël – tel ce grand poète qui après avoir lu bien des ouvrages exquis ou grandioses, choisit comme livre de chevet la seule *Iliade*, pour avoir découvert qu'elle renferme tout ce qu'on peut désirer, que tout s'y trouve évoqué avec la plus sublime perfection.

Quand Tchartkov arriva à l'Académie, il trouva réunis devant le tableau une foule de curieux qui observaient un silence pénétré, fort insolite en pareille occurrence. Il s'empressa de prendre une mine grave de connaisseur et s'approcha de la toile. Dieu du ciel, quelle surprise l'attendait !

L'œuvre du peintre s'offrait à lui avec l'adorable pureté d'une fiancée. Innocente et divine comme le génie, elle planait au-dessus de tout. On eût dit que, surprises par tant de regards fixés sur elles, ces figures célestes baissaient modestement leurs paupières. L'étonnement béat des connaisseurs devant ce chef-d'œuvre d'un inconnu était pleinement justifié. Toutes les qualités semblaient ici réunies : si la noblesse hautaine des poses révélait l'étude approfondie de Raphaël et la perfection du pinceau, celle du Corrège, la puissance créatrice appartenait en propre à l'artiste et dominait le reste. Il avait approfondi le moindre détail, pénétré le sens secret, la norme et la règle de toutes choses, saisi partout l'harmonieuse fluidité de lignes qu'offre la nature et que seul aperçoit l'œil du peintre créateur, alors que le copiste la traduit en contours anguleux. On devinait que l'artiste avait tout d'abord enfermé en son âme ce qu'il tirait du monde ambiant, pour le faire ensuite jaillir de cette source intérieure en un seul chant harmonieux et solennel. Les profanes eux-mêmes devaient reconnaître qu'un abîme incommensurable sépare l'œuvre créatrice de la copie servile. Figés dans un silence impressionnant, que n'interrompait nul bruit, nul murmure, les spectateurs sentaient sous leurs yeux émerveillés l'œuvre devenir d'instant en instant plus hautaine, plus lumineuse, plus distante, jusqu'à sembler bientôt un simple éclair, fruit d'une inspiration d'en haut et que toute une vie humaine ne sert qu'à préparer. Tous les yeux étaient gros de larmes. Les goûts les plus divers aussi bien que les écarts les plus insolents du goût semblaient s'unir pour adresser un hymne muet à cet ouvrage divin.

Tchartkov demeurait, lui aussi, immobile et bouche bée. Au bout d'un long moment, curieux et connaisseurs osèrent enfin élever peu à peu la voix et discuter la valeur de l'œuvre ; comme ils lui demandaient son opinion, il retrouva enfin ses esprits. Il voulut prendre l'expression blasée qui lui était habituelle ; émettre un de ces jugements banals chers aux peintres à l'âme racornie : « Oui, évidemment, on ne peut nier le talent de ce peintre ; son tableau n'est pas sans mérite ; on voit qu'il a voulu exprimer quelque chose ; cependant l'essentiel... » ; puis décocher en guise de conclusion certains compliments qui laisseraient pantelant le meilleur des peintres. Mais des larmes, des sanglots lui coupèrent la voix et il s'enfuit comme un dément.

Il demeura quelque temps immobile, inerte au milieu de son magnifique atelier. Un instant avait suffi à réveiller tout son être ; sa jeunesse lui semblait rendue, les étincelles de son talent éteint prêtes à se rallumer. Le bandeau était tombé de ses yeux. Dieu ! perdre ainsi sans pitié ses meilleures années, détruire, éteindre ce feu qui couvait dans sa poitrine et qui, développé en tout son éclat, aurait peut-être lui aussi arraché des larmes de reconnaissance et d'émerveillement ! Et tuer tout cela, le tuer implacablement !...

Soudain et tous à la fois, les élans, les ardeurs qu'il avait connus autrefois parurent renaître en son tréfonds. Il saisit son pinceau, s'approcha d'une toile. La sueur de l'effort perla à son front. Une seule pensée l'animait, un seul désir l'enflammait : représenter l'ange déchu. Nul sujet n'eût mieux convenu à son état d'âme ; mais, hélas, ses personnages, ses poses, ses groupes, tout manquait d'aisance et d'harmonie. Trop longtemps son pinceau, son imagination s'étaient renfermés dans la banalité ; il avait trop dédaigné le chemin montueux des efforts progressifs, trop fait fi des lois primordiales de la grandeur future, pour que n'échouât point piteusement cette tentative de briser les chaînes qu'il s'était lui-même imposées. Exaspéré par cet insuccès, il fit emporter toutes ses œuvres récentes, les gravures de modes, les portraits de hussards, de dames, de conseillers d'État ; puis, après avoir donné l'ordre de n'y laisser entrer personne, il s'enferma dans son atelier et se replongea dans le travail. Mais il eut beau déployer le patient acharnement d'un jeune apprenti, tout ce qui naissait sous son pinceau était irrémédiablement manqué. À tout instant son ignorance des principes les plus élémentaires le paralysait ; le simple métier glaçait sa verve, opposait à son imagination une barrière infranchissable. Son pinceau revenait invariablement aux formes apprises, les mains se joignaient dans un geste familier, la tête se refusait à toute pose insolite, les plis des vêtements eux-mêmes ne voulaient point se draper sur des corps aux attitudes conventionnelles. Tout cela, Tchartkov ne le sentait, ne le voyait que trop.

« Ai-je jamais eu du talent ? finit-il par se dire. Ne me serais-je point trompé ? »

Voulant en avoir le cœur net, il alla droit à ses premiers ouvrages, ces tableaux qu'il avait peints avec tant d'amour et de désintéressement là-bas dans son misérable taudis de l'île Basile, loin des hommes, loin du luxe, loin de tout raffinement. Tandis qu'il les étudiait attentivement, sa pauvre vie d'autrefois ressuscitait devant lui. « Oui, décida-t-il avec désespoir, j'ai eu du talent ; on en voit partout les preuves et les traces ! »

Il s'arrêta soudain, tremblant de tout le corps : ses yeux venaient de croiser un regard immobile fixé sur lui. C'était le portrait extraordinaire, jadis

acheté au Marché Chtchoukine et dont Tchartkov avait entre-temps perdu jusqu'au souvenir,
enfoui qu'il était derrière d'autres toiles. Comme
par un fait exprès, maintenant qu'on avait débarrassé l'atelier de tous les tableaux à la mode qui
l'encombraient, le fatal portrait réapparaissait
en même temps que ses ouvrages de jeunesse.
Cette vieille histoire lui revint à la mémoire, et
quand il se rappela que cette étrange effigie avait
en quelque sorte causé sa transformation, que le
trésor si miraculeusement reçu avait fait naître
en lui ces vaines convoitises funestes à son talent,
il céda à un transport de rage. Il eut beau faire
aussitôt emporter l'odieuse peinture, son trouble
ne s'apaisa point pour autant. Son être était bouleversé de fond en comble, et il connut cette affreuse
torture qui ronge parfois les talents médiocres
quand ils essaient vainement de dépasser leurs
limites. Pareil tourment peut inspirer de grandes
œuvres à la jeunesse, mais hélas ! pour quiconque
a passé l'âge des rêves, il n'est qu'une soif stérile
et peut mener l'homme au crime.

L'envie, une envie furieuse, s'était emparée de
Tchartkov. Dès qu'il voyait une œuvre marquée
au sceau du talent, le fiel lui montait au visage, il
grinçait des dents et la dévorait d'un œil de basilic.
Le projet le plus satanique qu'homme ait jamais
conçu germa en son âme, et bientôt il l'exécuta
avec une ardeur effroyable. Il se mit à acheter
tout ce que l'art produisait de plus achevé. Quand
il avait payé très cher un tableau, il l'apportait
précautionneusement chez lui et se jetait dessus comme un tigre pour le lacérer, le mettre en

pièces, le piétiner en riant de plaisir. Les grandes
richesses qu'il avait amassées lui permettaient de
satisfaire son infernale manie. Il ouvrit tous ses
coffres, éventra tous ses sacs d'or. Jamais aucun
monstre d'ignorance n'avait détruit autant de merveilles que ce féroce vengeur. Dès qu'il apparaissait à une vente publique, chacun désespérait de
pouvoir acquérir la moindre œuvre d'art. Le ciel
en courroux semblait avoir envoyé ce terrible fléau
à l'univers dans le dessein de lui enlever toute
beauté. Cette monstrueuse passion se reflétait en
traits atroces sur son visage toujours empreint
de fiel et de malédiction. Il semblait incarner
l'épouvantable démon imaginé par Pouchkine[1].
Sa bouche ne proférait que des paroles empoi-
sonnées, que d'éternels anathèmes. Il faisait aux
passants l'effet d'une harpie : du plus loin qu'ils
l'apercevaient ses amis eux-mêmes évitaient une
rencontre qui, à les entendre, eût empoisonné
toute leur journée.

Fort heureusement pour l'art et pour le monde
une existence si tendue ne pouvait se prolonger
longtemps ; des passions maladives, exaspérées
ont tôt fait de ruiner les faibles organismes. Les
accès de rage devinrent de plus en plus fréquents.
Bientôt une fièvre maligne se joignit à la phtisie
galopante pour faire de lui une ombre en trois
jours. Les symptômes d'une démence incurable
vinrent s'ajouter à ces maux. Par moments, plusieurs personnes n'arrivaient pas à le tenir. Il
croyait revoir les yeux depuis longtemps oubliés,
les yeux vivants de l'extravagant portrait. Tous
ceux qui entouraient son lit lui semblaient de ter-

ribles portraits. Chacun d'eux se dédoublait, se quadruplait à ses yeux, tous les murs se tapissaient de ces portraits qui le fixaient de leurs yeux immobiles et vivants ; du plafond au plancher ce n'étaient que regards effrayants, et, pour en contenir davantage, la pièce s'élargissait, se prolongeait à l'infini. Le médecin qui avait entrepris de le soigner et connaissait vaguement son étrange histoire, cherchait en vain quel lien secret ces hallucinations pouvaient avoir avec la vie de son malade. Mais le malheureux avait déjà perdu tout sentiment hormis celui de ses tortures et n'entrecoupait que de paroles décousues ses abominables lamentations. Enfin, dans un dernier accès, muet celui-là, sa vie se brisa, et il n'offrit plus qu'un cadavre épouvantable à voir. On ne découvrit rien de ses immenses richesses ; mais, quand on aperçut en lambeaux tant de superbes œuvres d'art dont la valeur dépassait plusieurs millions, on comprit quel monstrueux emploi il en avait fait.

Seconde partie

Toute une file de voitures – landaus, calèches, drojkis – stationnait devant l'immeuble où l'on vendait aux enchères les collections d'un de ces riches amateurs qui somnolaient toute leur vie parmi les *Zéphyrs* et les *Amours*[1] et qui, pour jouir du titre de mécène, dépensaient ingénument les millions amassés par leurs ancêtres, voire par eux-mêmes au temps de leur jeunesse. Comme nul ne l'ignore, ces mécènes-là ne sont plus qu'un souvenir et notre XIXᵉ siècle a depuis longtemps pris la fâcheuse figure d'un banquier, qui ne jouit de ses millions que sous forme de chiffres alignés sur le papier. La longue salle était pleine d'une foule bigarrée accourue en ce lieu comme un vol d'oiseaux de proie s'abat sur un cadavre abandonné. Il y avait là toute une flottille de boutiquiers en redingote bleue à l'allemande, échappés tant du Bazar que du carreau des fripiers. Leur expression, plus assurée qu'à l'ordinaire, n'affectait plus cet empressement mielleux qui se lit sur le visage de tout marchand russe à son comptoir. Ici ils ne faisaient point de façons, bien qu'il se trouvât dans la salle bon nombre de ces aristocrates dont ils étaient prêts ailleurs à épousseter les bottes, à grands coups de chapeaux. Pour éprouver la qualité de la marchandise ils palpaient sans cérémonie les livres et les tableaux, et surenchérissaient hardiment sur les prix offerts par les nobles amateurs. Il y avait là des habitués assidus de ces ventes, à qui elles tiennent lieu de déjeuner ; d'aristocrates connaisseurs, qui, n'ayant rien de mieux à faire entre midi et une heure, ne laissent échapper aucune occasion d'enrichir leurs collections ; il y avait là, enfin, ces personnages désintéressés, dont la poche est aussi mal en point que l'habit et qui assistent tous les jours aux ventes à seule fin de voir le tour que prendront les choses, qui fera monter les enchères et qui finalement l'emportera. Bon nombre de tableaux gisaient pêle-mêle parmi les meubles et les livres marqués au chiffre de leur ancien possesseur, quoique celui-ci n'eût sans doute jamais eu la louable curiosité d'y jeter un coup d'œil. Les vases de Chine, les tables de marbre, les meubles neufs et anciens avec leurs lignes arquées, leurs griffes, leurs sphinx, leurs pattes de lions, les lustres dorés et sans dorures, les quinquets, tout cela, entassé pêle-mêle, formait comme un chaos d'œuvres d'art, bien différent de la stricte ordonnance des magasins. Toute vente publique inspire des pensées moroses ; on croit assister à des funérailles. La salle toujours obscure, car les fenêtres encombrées de meubles et de tableaux ne filtrent qu'une lumière parcimonieuse ; les visages taciturnes ; la voix mortuaire du commissaire-priseur célébrant, avec accompa-

gnement de marteau, le service funèbre des arts
infortunés, si étrangement réunis en ce lieu ; tout
renforce la lugubre impression.

La vente battait son plein. Une foule de gens
de bon ton se bousculaient, s'agitaient à l'envi.
« Un rouble, un rouble, un rouble ! » jetait-on
de toutes parts, et ce cri unanime empêchait le
commissaire-priseur de répéter l'enchère, qui
atteignait déjà le quadruple du prix demandé.
C'était un portrait que se disputaient ces bonnes
gens, et l'œuvre était vraiment de nature à retenir l'attention du moins avisé des connaisseurs.
Bien que plusieurs fois restaurée, elle révélait dès
l'abord un talent de premier ordre. Elle représentait un Asiatique vêtu d'un ample caftan. Ce qui
frappait le plus dans ce visage au teint basané,
à l'expression énigmatique, c'était la surprenante
vivacité de ses yeux : plus on les regardait, plus ils
plongeaient au tréfonds de votre être. Cette sin-
gularité, cette adresse de pinceau, provoquait la
curiosité générale. Les enchères montèrent bientôt
si haut que la plupart des amateurs se retirèrent,
ne laissant aux prises que deux grands personnages qui ne voulaient à aucun prix renoncer
à cette acquisition. Ils s'échauffaient et allaient
faire atteindre au tableau un prix invraisemblable
quand l'un des assistants, en train de l'examiner,
leur dit soudain :

« Permettez-moi d'interrompre un instant votre
dispute. J'ai peut-être plus que personne droit à
ce portrait. »

L'attention générale se reporta sur l'interrup-
teur. C'était un homme d'environ trente-cinq ans,

à la taille bien prise, aux longues boucles noires, et dont l'agréable physionomie, empreinte d'insouciance, révélait une âme étrangère aux vains soucis du monde. Son costume n'avait aucune prétention à la mode : tout dans sa tenue dénonçait un artiste. En effet, bon nombre des assistants reconnurent aussitôt en lui le peintre B***.

« Mes paroles vous semblent évidemment fort étranges, continua-t-il en voyant tous les regards tournés vers lui ; mais, si vous consentez à entendre une brève histoire, vous les trouverez peut-être justifiées. Tout me confirme que ce portrait est bien celui que je cherche. »

Une curiosité fort naturelle se peignit sur tous les visages ; le commissaire-priseur lui-même s'arrêta, bouche bée et marteau levé, et tendit l'oreille. Au début du récit, plusieurs des auditeurs se tournaient involontairement vers le portrait, mais bientôt, l'intérêt croissant, les yeux ne quittèrent plus le conteur.

« Vous connaissez, commença celui-ci, le quartier de Kolomna[1]. Il ne ressemble à aucun des autres quartiers de Pétersbourg. Ce n'est ni la capitale ni la province. Dès qu'on y pénètre, tout désir, toute ardeur juvénile, vous abandonne. L'avenir ne pénètre point en ce lieu ; tout y est silence et retraite. C'est le refuge des "laissés-pour-compte" de la grande ville : fonctionnaires retraités, veuves, petites gens qui, entretenant d'agréables relations avec le Sénat, se condamnent à vivoter presque éternellement en ce lieu ; cuisinières en rupture de fourneaux, qui, après avoir, à longueur de journée, musé dans tous les marchés et bavardé avec tous les garçons épiciers, rapportent chaque soir chez elles pour cinq kopeks de café et pour quatre de sucre ; enfin toute une catégorie d'individus qu'on peut qualifier de "cendreux", car leur costume, leur visage, leur chevelure, leurs yeux ont un aspect trouble et gris, comme ces journées incertaines, ni orageuses ni ensoleillées, où les contours des objets s'estompent dans la brume. À cette catégorie appartiennent les gagistes de théâtre à la retraite ; les conseillers titulaires dans le même cas ; les anciens disciples de Mars à l'œil crevé ou à la lèvre enflée. Ce sont là des êtres totalement apathiques, qui marchent sans jamais lever les yeux, ne soufflent jamais mot et ne pensent jamais à rien. Leur chambre n'est jamais encombrée ; parfois même elle ne recèle qu'un flacon d'eau-de-vie qu'ils sirotent tout doucement du matin au soir ; cette lente absorption leur épargne l'ivresse tapageuse que de trop brusques libations dominicales provoquent chez les apprentis allemands, ces étudiants de la rue Bourgeoise, rois incontestés du trottoir après minuit sonné.

» Quel quartier béni pour les piétons que ce Kolomna ! Il est bien rare qu'une voiture de maître s'y aventure ; seule la patache des comédiens trouble de son tintamarre le silence général. Quelques fiacres s'y traînent paresseusement, le plus souvent à vide ou chargés de foin à l'intention de la rosse barbue qui les tire. On peut y trouver un appartement pour cinq roubles par mois, y compris même le café du matin. Les veuves titulaires d'une pension constituent l'aristocratie du lieu : elles ont une conduite fort décente, balaient soigneusement leur chambre, déplorent avec leurs amies la cherté du bœuf et des choux ; elles sont souvent pourvues d'une toute jeune fille, créature effacée, muette, mais parfois agréable à voir, d'un affreux toutou et d'une pendule dont le balancier va et vient avec mélancolie. Viennent ensuite les comédiens, que la modicité de leur traitement confine en cette thébaïde. Indépendants comme tous les artistes, ils savent jouir de la vie : drapés dans leur robe de chambre, ils réparent des pistolets, fabriquent toutes sortes d'objets en carton fort utiles dans les ménages, jouent aux cartes ou aux échecs avec l'ami qui vient les voir ; ils passent ainsi la matinée, et la soirée presque de même, sauf qu'ils ajoutent parfois un punch à ces agréables occupations.

» Après les gros bonnets, le menu fretin. Il est aussi difficile de l'énumérer que de dénombrer les innombrables insectes qui pullulent dans du vieux vinaigre. Il y a là des vieilles qui prient, des vieilles qui s'enivrent ; d'autres qui prient et s'enivrent à la fois ; des vieilles enfin qui joignent Dieu sait comment les deux bouts. : on les voit traîner, comme des fourmis, d'infâmes guenilles du pont Kalinkine jusqu'au carreau des fripiers, où elles ont grand-peine à en tirer quinze kopeks. Bref, la lie de l'humanité grouille en ce quartier, une lie si marmiteuse que le plus charitable des économistes renoncerait à en améliorer la situation.

» Excusez-moi de m'être appesanti sur de pareilles gens : je voulais vous faire comprendre la nécessité où ils se trouvent bien souvent de chercher un secours subit et de recourir aux emprunts ;

voilà pourquoi s'installent parmi eux des usuriers d'une espèce particulière, qui leur prêtent
sur gages de petites sommes à gros intérêts. Ces
usuriers-là sont encore bien plus insensibles que
leurs grands confrères : ils surgissent dans la
pauvreté, parmi les haillons étalés au grand jour,
spectacle qu'ignore l'usurier riche, dont les clients
roulent carrosse ; aussi tout sentiment humain
meurt-il prématurément dans leur cœur. Parmi
ces usuriers il y en avait un..., mais il faut vous
dire que les choses se passaient au siècle dernier,
plus exactement sous le règne de la défunte impératrice Catherine. Vous comprendrez sans peine
que depuis lors les us et coutumes de Kolomna
et jusqu'à son aspect extérieur se soient sensiblement modifiés. Il y avait donc parmi ces usuriers
un personnage en tout point énigmatique. Depuis
longtemps installé dans ce quartier, il portait
un ample costume asiatique et son teint basané
révélait une origine méridionale. Mais à quelle
nationalité appartenait-il au juste ? Était-il hin-
dou, grec ou persan ? Nul n'aurait su le dire. Sa
taille quasi gigantesque, son visage hâve, noiraud,
calciné, d'une couleur hideuse, indescriptible, ses
grands yeux, animés d'un feu extraordinaire, ses
sourcils touffus le distinguaient nettement des
cendreux habitants du quartier. Son logis lui-
même ne ressemblait guère aux maisonnettes de
bois d'alentour : ce bâtiment de pierre aux fenêtres
irrégulières, aux volets et aux verrous de fer, rappelait ceux qu'édifiaient jadis en quantité les négo-
ciants génois. Bien différent en ceci de ses
confrères, mon usurier pouvait avancer n'importe

quelle somme et satisfaire tout le monde depuis
la vieille mendiante jusqu'au courtisan prodigue.
De luxueux carrosses stationnaient souvent à sa
porte et l'on distinguait parfois derrière leurs
vitres la tête altière d'une grande dame. La renom-
mée répandait le bruit que ses coffres étaient
pleins à craquer d'argent, de pierres précieuses,
de diamants, des gages les plus divers, sans qu'il
montrât pourtant la rapacité habituelle aux gens
de son espèce. Il déliait volontiers les cordons de
sa bourse, fixait des échéances que l'emprunteur
jugeait fort avantageuses, mais faisait, par
d'étranges opérations arithmétiques, monter les
intérêts à des sommes fabuleuses. C'est du moins
ce que prétendait la rumeur publique. Cependant
– trait encore plus surprenant et qui ne manquait
point de confondre beaucoup de monde – une
fatale destinée attendait ceux qui avaient recours
à ses bons offices : tous terminaient tragiquement
leur vie. Étaient-ce là de superstitieux radotages
ou des bruits répandus à dessein ? On ne le sut
jamais au juste. Mais certains faits, survenus à
peu d'intervalle au su et au vu de tout le monde,
ne laissaient guère de place au doute.

» Parmi l'aristocratie de l'époque, un jeune
homme de grande famille eut tôt fait d'attirer sur
lui l'attention. En dépit de son âge tendre, il se
distinguait au service de l'État, se montrait ardent
zélateur du vrai et du bien, s'enflammait pour tous
les ouvrages de l'art et de l'esprit, et promettait de
devenir un véritable mécène. L'impératrice elle-
même le distingua, lui confia un poste important,
tout à fait conforme à ses aspirations, et qui lui

permettait de se rendre fort utile à la science et
en général au bien. Le jeune seigneur s'entoura
d'artistes, de poètes, de savants : il brûlait d'encourager tout le monde. Il entreprit d'éditer à ses
frais de nombreux ouvrages, fit beaucoup de commandes, fonda toutes sortes de prix. Ces générosi-
tés compromirent sa fortune ; mais, dans sa noble
ardeur, il ne voulut point pour autant abandonner
son œuvre. Il chercha partout des fonds et finit
par s'adresser au fameux usurier. À peine celui-ci
lui eut-il avancé une somme considérable que
notre homme se métamorphosa du tout au tout
et devint bientôt le persécuteur des talents nais-
sants. Il se mit à démasquer les défauts de chaque
ouvrage, à en interpréter faussement la moindre
phrase. Et comme, par malheur, la Révolution
française éclata sur ces entrefaites, elle lui servit
de prétexte à toutes les vilenies. Il voyait partout
des tendances, des allusions subversives. Il devint
soupçonneux, au point de se méfier de lui-même,
d'ajouter foi aux plus odieuses dénonciations, de
faire d'innombrables victimes. La nouvelle d'une
telle conduite devait nécessairement parvenir
jusqu'aux marches du trône. Notre magnanime
impératrice fut saisie d'horreur. Cédant à cette
noblesse d'âme qui pare si bien les têtes couron-
nées, elle prononça des paroles, dont le sens profond se grava en bien des cœurs, encore qu'elles
n'aient pu nous atteindre dans toute leur préci-
sion. "Ce n'est point, fit-elle remarquer, sous les
régimes monarchiques que se voient réfrénés les
généreux élans de l'âme ni méprisés les ouvrages
de l'esprit, de la poésie, de l'art. Bien au contraire,

seuls les monarques en ont été les protecteurs : les
Shakespeare, les Molière se sont épanouis, grâce à
leur appui bienveillant, tandis que Dante ne pouvait trouver dans sa patrie républicaine un coin
où reposer sa tête. Les véritables génies se produisent au moment où les souverains et les États
sont dans toute leur puissance, et non pas dans
l'abomination des luttes intestines ni de la terreur républicaine, qui jusqu'à présent n'ont donné
au monde aucun génie. Il faut récompenser les
vrais poètes, car loin de fomenter le trouble et
la révolte, ils font régner dans les âmes une paix
souveraine. Les savants, les écrivains, les artistes
sont les perles et les diamants de la couronne
impériale ; le règne de tout grand monarque s'en
pare et en tire un plus grand éclat." Tandis qu'elle
prononçait ces paroles, l'impératrice resplendis-
sait, paraît-il, d'une beauté divine ; les vieillards
ne pouvaient évoquer ce souvenir sans verser des
larmes. Chacun prit l'affaire à cœur : soit dit à
notre honneur, tout Russe se range volontiers du
côté du faible. Le seigneur qui avait trompé la
confiance placée en lui fut puni de façon exemplaire et destitué de sa charge ; le mépris absolu
qu'il pouvait lire dans les yeux de ses compatriotes
lui parut un châtiment bien plus terrible encore.
Les souffrances de cette âme vaniteuse ne se
peuvent exprimer : l'orgueil, l'ambition déçue, les
espoirs brisés, tout s'unissait pour le torturer, et
sa vie se termina dans d'effroyables accès de folie
furieuse.

» Un second fait, de notoriété non moins générale, vint renforcer la sinistre rumeur. Parmi les

nombreuses beautés dont s'enorgueillissait alors
à bon droit notre capitale, il y en avait une devant
qui pâlissaient toutes les autres. Prodige bien rare,
la beauté du Nord s'unissait admirablement en
elle à la beauté du Midi. Mon père avouait n'avoir
plus jamais rencontré semblable merveille. Tout
lui avait été donné en partage : la richesse, l'esprit, le charme moral. Parmi la foule de ses sou-
pirants se faisait avantageusement remarquer le
prince R***, le plus noble, le plus beau, le plus
chevaleresque des jeunes gens, le type accompli
du héros de roman, un vrai Grandisson sous tous
les rapports. Follement amoureux, le prince R***
se vit payé de retour ; mais les parents de la jeune
fille jugèrent le parti insuffisant. Les domaines
héréditaires du prince avaient depuis longtemps
cessé de lui appartenir, sa famille était mal vue
à la Cour ; nul n'ignorait le mauvais état de ses
affaires. Soudain, après une courte absence moti-
vée par le désir de rétablir sa fortune, le prince
s'entoura d'un luxe, d'un faste inouïs. Des bals, des
fêtes magnifiques le firent connaître en haut lieu.
Le père de la belle jeune fille lui devint favorable
et bientôt les noces furent célébrées avec un grand
éclat. D'où provenait ce brusque revirement de
fortune ? Personne n'en savait rien, mais on allait
chuchotant que le fiancé avait conclu un pacte
avec le mystérieux usurier et obtenu de lui un
emprunt. Ce mariage occupa la ville entière, les
deux fiancés furent l'objet de l'envie générale. Tout
le monde connaissait la constance de leur amour,
les obstacles qui s'étaient mis au travers, leurs
mérites réciproques. Les femmes passionnées se

représentaient d'avance les délices paradisiaques
dont allaient jouir les jeunes époux. Mais il en alla
tout autrement. En quelques mois le mari devint
méconnaissable. La jalousie, l'intolérance, des
caprices incessants empoisonnèrent son caractère
jusqu'alors excellent. Il se fit le tyran, le bourreau
de sa femme ; chose qu'on n'eût jamais attendue
de lui, il recourut aux procédés les plus inhumains
et même aux voies de fait. Au bout d'un an nul
ne pouvait reconnaître la femme qui naguère
brillait d'un si vif éclat et traînait après elle un
cortège d'adorateurs soumis. Bientôt, incapable
de supporter plus longtemps son amère destinée,
elle parla la première de divorce. Le mari aussitôt
d'entrer en fureur, de se précipiter un couteau à
la main dans l'appartement de la malheureuse ;
si on ne l'avait retenu, il l'eût certainement égor-
gée. Alors, fou de rage, il tourna l'arme contre
lui-même et termina sa vie en proie à d'horribles
souffrances.

» Outre ces deux cas, dont toute la société avait
été témoin, on en contait une foule d'autres, arrivés dans les classes inférieures et presque tous
plus ou moins tragiques. Ici, un brave homme,
fort sobre jusqu'alors, s'était soudain adonné à
l'ivrognerie ; là un intègre commis de boutique
s'était mis à voler son patron ; après avoir de longues années voituré le monde de fort honnête
façon, un cocher de fiacre avait tué son client
pour un liard.

» De pareils faits, plus ou moins amplifiés en
passant de bouche en bouche, semaient évidemment la terreur parmi les paisibles habitants

de Kolomna. À en croire la rumeur publique le sinistre usurier devait être possédé du démon : il posait à ses clients des conditions à faire se dresser les cheveux sur la tête ; les malheureux n'osaient les révéler à personne ; l'argent qu'il prêtait avait un pouvoir incendiaire, il s'enflammait tout seul, portait des signes cabalistiques. Bref les bruits les plus absurdes couraient sur le personnage. Et, chose digne de remarque, toute la population de Kolomna, tout cet univers de pauvres vieilles, de petits employés, de petits artistes, toute cette menuaille que j'ai fait rapidement passer sous vos yeux, aimait mieux supporter la plus grande gêne que recourir au terrible usurier ; on trouvait même des vieilles mortes de faim, qui s'étaient laissées périr plutôt que de risquer la damnation. Quiconque le rencontrait dans la rue éprouvait un effroi involontaire ; le piéton s'écartait prudemment pour suivre ensuite longuement des yeux cette forme gigantesque qui disparaissait au loin. Son aspect hétéroclite aurait suffi à lui faire attribuer par chacun une existence surnaturelle. Ces traits forts, creusés plus profondément que sur tout autre visage, ce teint de bronze en fusion, ces sourcils démesurément touffus, ces yeux effrayants, ce regard insoutenable, les larges plis même de son costume asiatique, tout semblait dire que devant les passions qui bouillonnaient en ce corps celles des autres hommes devaient forcément pâlir.

» Chaque fois qu'il le rencontrait, mon père s'arrêtait net et ne pouvait se défendre de mur-

murer : "C'est le diable, le diable incarné !"
Mais il est grand temps de vous faire connaître
mon père, le véritable héros de mon récit, soit dit
entre parenthèses. C'était un homme remarquable
sous bien des rapports ; un artiste comme il y en
a peu ; un de ces phénomènes comme seule la
Russie en fait sortir de son sein encore vierge ; un
autodidacte qui, animé par l'unique désir du per-
fectionnement, était parvenu, sans maître, en
dehors de toute école, à trouver en lui-même ses
règles et ses lois et suivait, pour des raisons peut-
être insoupçonnées, la voie que lui traçait son
cœur ; un de ces prodiges spontanés que leurs
contemporains traitent souvent d'ignorants, mais
qui jusque dans les échecs et les railleries savent
puiser de nouvelles forces et s'élèvent rapidement
au-dessus des œuvres qui leur avaient valu cette
peu flatteuse épithète. Un noble instinct lui faisait
sentir dans chaque objet la présence d'une pensée. Il découvrit tout seul le sens exact de cette
expression : "la peinture d'histoire". Il devina
pourquoi on peut donner ce nom à un portrait, à
une simple tête de Raphaël, de Léonard, du Titien
ou du Corrège, tandis qu'une immense toile au
sujet tiré de l'histoire demeure cependant un
tableau de genre, malgré toutes les prétentions
du peintre à un art historique. Ses convictions,
son sens intime orientèrent son pinceau vers les
sujets religieux, ce degré suprême du sublime. Ni
ambitieux, ni irritable, à l'encontre de beaucoup
d'artistes, c'était un homme ferme, intègre, droit
et même fruste, recouvert d'une carapace un peu
rugueuse, non dénué d'une certaine fierté inté-

rieure, et qui parlait de ses semblables avec un mélange d'indulgence et d'âpreté. "Je me soucie bien de ces gens-là ! avait-il coutume de dire. Ce n'est point pour eux que je travaille. Je ne porterai pas mes œuvres dans les salons. Qui me comprendra me remerciera ; qui ne me comprendra pas élèvera quand même son âme vers Dieu. On ne saurait reprocher à un homme du monde de ne pas se connaître en peinture : les cartes, les vins, les chevaux, n'ont pas de secret pour lui, cela suffit. Qu'il s'en aille goûter à ceci et à cela, il voudra faire le malin et l'on ne pourra plus vivre tranquille ! À chacun son métier. Je préfère l'homme qui avoue son ignorance à celui qui joue l'entendu et ne réussit qu'à tout gâter." Il se contentait d'un gain minime, tout juste suffisant pour entretenir sa famille et poursuivre sa carrière. Toujours secourable au prochain, il obligeait volontiers ses confrères malheureux. En outre, il gardait la foi ardente et naïve de ses ancêtres ; voilà pourquoi sans doute apparaissait spontanément sur les visages qu'il peignait la sublime expression que cherchaient en vain les plus brillants talents. Par son labeur patient, par sa fermeté à suivre la route qu'il s'était tracée, il acquit enfin l'estime de ceux mêmes qui l'avaient traité d'ignorant et de rustre. On lui commandait sans cesse des tableaux d'église. L'un d'eux l'absorba particulièrement ; sur cette toile, dont le sujet exact m'échappe à l'heure actuelle, devait figurer l'Esprit de ténèbres. Désireux de personnifier en cet Esprit tout ce qui accable, oppresse l'humanité, mon père réfléchit longtemps à la forme qu'il lui donnerait. L'image du mystérieux usurier hanta plus d'une fois ses songeries. "Voilà, se disait-il, involontairement, celui que je devrais prendre pour modèle du diable !" Jugez donc de sa stupéfaction quand, un jour qu'il travaillait dans son atelier, il entendit frapper à la porte et vit entrer l'effarant personnage. Il ne put retenir un frisson.

» "Tu es peintre ? demanda l'autre tout de go.

» — Je le suis, répondit mon père, curieux du tour que prendrait l'entretien.

» — Bon, fais mon portrait. Je mourrai peut-être bientôt et je n'ai point d'enfants. Mais je ne veux pas mourir entièrement, je veux vivre. Peux-tu peindre un portrait qui paraisse absolument vivant ?"

» "Tout va pour le mieux, se dit mon père : il se propose lui-même pour faire le diable dans mon tableau !"

» Ils convinrent de l'heure, du prix, et dès le lendemain, mon père, emportant sa palette et ses pinceaux, se rendit chez l'usurier. La cour aux grands murs, les chiens, les portes en fer et leurs verrous, les fenêtres cintrées, les coffres recouverts de curieux tapis, le maître du logis surtout, assis immobile devant lui, tout cela produisit sur mon père une forte impression. Masquées, encombrées comme à dessein, les fenêtres ne laissaient passer le jour que par en haut. "Diantre, se dit-il, son visage est bien éclairé en ce moment !" Et il se mit à peindre rageusement comme s'il redoutait de voir disparaître cet heureux éclairage. "Quelle force diabolique ! se répétait mon père. Si j'arrive à la rendre, ne fût-ce qu'à moitié, tous mes saints,

tous mes anges pâliront devant ce visage. Pourvu
que je sois, au moins en partie, fidèle à la nature,
il va tout simplement sortir de la toile. Quels
traits extraordinaires !" Il travaillait avec tant
d'ardeur que déjà certains de ces traits se repro-
duisaient sur sa toile ; mais, à mesure qu'il les
saisissait, un malaise indéfinissable s'emparait de
son cœur. Malgré cela, il s'imposa de copier scru-
puleusement jusqu'aux expressions quasi imperceptibles. Il s'occupa d'abord de parfaire les yeux.
Vouloir traduire le feu, l'éclat qui les animaient
semblait une folle gageure. Il décida cependant
d'en poursuivre les nuances les plus fugitives ;
mais à peine commençait-il à pénétrer leur secret
qu'une angoisse sans nom le contraignit à lâcher
son pinceau. C'est en vain qu'il voulut plusieurs
fois le reprendre : les yeux s'enfonçaient en son
âme, y soulevaient un grand tumulte. Il dut abandonner la partie. Le lendemain, le surlendemain,
l'atroce sensation se fit encore plus poignante.
Finalement mon père épouvanté jeta son pinceau,
déclara tout net qu'il en resterait là. Il aurait fallu
voir à ces mots se transformer le terrible usurier.
Il se jeta aux pieds de mon père et le supplia
d'achever son portrait : son sort, son existence en
dépendaient ; le peintre avait déjà saisi ses traits ;
s'il les reproduisait exactement, sa vie allait être
fixée à jamais sur la toile par une force surnaturelle ; grâce à cela il ne mourrait point entièrement ; il voulait coûte que coûte demeurer en
ce monde... Cet effarant discours terrifia mon
père ; abandonnant et pinceaux et palette, il se
précipita comme un fou hors de la pièce, et toute

la journée, toute la nuit, l'inquiétante aventure
obséda son esprit.

» Le lendemain matin, une femme, le seul être
que l'usurier eût à son service, lui apporta le portrait : son maître, déclara-t-elle, le refusait, n'en
donnait pas un sou. Le soir de ce même jour, mon
père apprit que son client était mort et qu'on se
préparait à le porter en terre suivant les rites de
sa religion. Il chercha en vain le sens de ce bizarre
événement. Cependant un grand changement se
fit depuis lors dans son caractère : un grand désarroi, dont il ne parvenait pas à s'expliquer la cause,
bouleversait tout son être ; et bientôt il accomplit
un acte que personne n'aurait attendu de sa part.

» Depuis quelque temps l'attention d'un petit
groupe de connaisseurs se portait sur les œuvres
d'un de ses élèves, dont mon père avait dès le premier jour deviné le talent et qu'il prisait entre tous.
Soudain l'envie s'insinua dans son cœur : les éloges
qu'on décernait à ce jeune homme lui devinrent
insupportables. Et quand il apprit qu'on avait com-
mandé à son élève un tableau destiné à une riche
église récemment édifiée, son dépit ne connut plus
de bornes. "Non, disait-il, je ne laisserai pas triompher ce blanc-bec. Ah, ah, tu songes déjà à jeter
les vieux par-dessus bord ; tu t'y prends trop tôt,
mon garçon ! Dieu merci, je ne suis pas encore une
mazette, et nous allons voir qui de nous deux fera
baisser pavillon à l'autre !" Et cet homme droit,
ce cœur pur, cet ennemi de la brigue intrigua si
bien que le tableau fut mis au concours. Alors il
s'enferma dans sa chambre pour y travailler avec
une farouche ardeur. Il semblait vouloir se mettre

tout entier dans son œuvre, et il y réussit pleinement. Quand les concurrents exposèrent leurs
toiles, toutes, auprès de la sienne, furent comme
la nuit devant le jour. Nul ne doutait de lui voir
remporter la palme. Mais soudain un membre du
jury, un ecclésiastique, si j'ai bonne mémoire, fit
une remarque qui surprit tout le monde.

» "Ce tableau, dit-il, dénote à coup sûr un grand
talent, mais les visages ne respirent aucune sainteté ; au contraire il y a dans les yeux je ne sais
quoi de satanique ; on dirait qu'un vil sentiment
a guidé la main du peintre."

» Tous les assistants s'étant tournés vers la toile,
le bien-fondé de cette critique apparut évident à
chacun. Mon père, qui la trouvait fort blessante,
se précipita pour en vérifier la justesse et constata
avec stupeur qu'il avait donné à presque toutes
ses figures les yeux de l'usurier ; ces yeux lui-
saient d'un éclat si haineux, si diabolique qu'il en
frissonna d'horreur. Son tableau fut refusé et il
dut, à son inexprimable dépit, entendre décerner
la palme à son élève. Je renonce à vous décrire
dans quel état de fureur il rentra chez lui. Il faillit
battre ma mère, chassa tous les enfants, brisa ses
pinceaux, son chevalet, s'empara du portrait de
l'usurier, réclama un couteau et fit allumer du feu
afin de le couper en morceaux et de le livrer aux
flammes. Un de ses confrères et amis le surprit
dans ces lugubres préparatifs ; c'était un bon garçon, toujours content de lui, qui ne s'embarrassait
point d'aspirations trop éthérées, s'attaquait gaiement à n'importe quelle besogne et plus gaiement
encore à un bon dîner.

» "Qu'y a-t-il ? Que te prépares-tu à brûler ?
dit-il en s'approchant du portrait. Miséricorde,
mais c'est un de tes meilleurs tableaux ! Je reconnais l'usurier récemment défunt ; tu l'as vraiment
saisi sur le vif et même mieux que sur le vif, car
de son vivant, jamais ses yeux n'ont regardé de
la sorte.

» — Eh bien, je vais voir quel regard ils auront
dans le feu, dit mon père, prêt à jeter sa toile dans
la cheminée.

» — Arrête, pour l'amour de Dieu !... Donne-
le-moi plutôt s'il t'offusque à ce point la vue."

» Après s'être quelque temps entêté dans son
dessein, mon père finit par céder ; et, tandis
que, fort satisfait de l'acquisition, son jovial ami
emportait la toile, il se sentit soudain plus calme :
l'angoisse qui lui pesait sur la poitrine semblait
avoir disparu avec le portrait. Il s'étonna fort de
ses mauvais sentiments, de son envie, du changement manifeste de son caractère. Quand il eut
examiné son acte, il en prit une profonde afflic-
tion. "C'est Dieu qui m'a puni, se dit-il avec tristesse. Mon tableau a subi un affront mérité. Je
l'avais conçu dans le dessein d'humilier un frère.
L'envie ayant guidé mon pinceau, ce sentiment
infernal devait nécessairement apparaître sur la
toile." Il se mit en quête de son ancien élève, le
serra bien fort dans ses bras, lui demanda pardon,
chercha de toutes manières à réparer sa faute.
Et bientôt il reprit paisiblement le cours de ses
occupations. Cependant il semblait de plus en
plus rêveur, taciturne, priait davantage, jugeait les
gens avec moins d'âpreté ; la rude écorce de son

caractère s'adoucissait. Un événement imprévu vint encore renforcer cet état d'esprit.

» Depuis un certain temps le camarade qui avait emporté le portrait ne lui donnait plus signe de vie ; mon père se disposait à l'aller voir quand l'autre entra soudain dans sa chambre et dit, après un bref échange de politesses :

» "Eh bien, mon cher, tu n'avais pas tort de vouloir brûler le portrait. Nom d'un tonnerre, j'ai beau ne pas croire aux sorcières, ce tableau-là me fait peur ! Crois-moi si tu veux, le malin doit y avoir établi sa résidence !...

» — Vraiment ? fit mon père.

» — Sans aucun doute. À peine l'avais-je accroché dans mon atelier que j'ai sombré dans le noir : pour un peu j'aurais égorgé quelqu'un ! Moi qui avais toujours ignoré l'insomnie, non seulement je l'ai connue, mais j'ai eu de ces rêves !... Étaient-ce des rêves ou autre chose, je n'en sais trop rien : un esprit essayait de m'étrangler et je croyais tout le temps voir le maudit vieillard ! Bref, je ne puis te décrire mon état ; jamais rien de pareil ne m'était arrivé. J'ai erré comme un fou pendant plusieurs jours : j'éprouvais sans cesse je ne sais quelle terreur, quelle angoissante appréhension ; je ne pouvais dire à personne une parole joyeuse, sincère, je croyais toujours avoir un espion à mes côtés. Enfin lorsque sur sa demande j'eus cédé le portrait à mon neveu, j'ai senti comme une lourde pierre tomber de mes épaules. Et comme tu le vois, j'ai du même coup retrouvé ma gaieté. Eh bien, mon vieux, tu peux te vanter d'avoir fabriqué là un beau diable !

» — Et le portrait est toujours chez ton neveu ? demanda mon père qui l'avait écouté avec une attention soutenue.

» — Ah bien oui, chez mon neveu ! Il n'a pu y tenir ! répondit le joyeux compère. L'âme du bonhomme est passée dans le portrait, faut croire. Il sort du cadre, il se promène par la pièce ! Ce que raconte mon neveu est proprement inconcevable, et je l'aurais pris pour un fou si je n'avais pas éprouvé quelque chose de ce genre. Il a vendu ton tableau à je ne sais quel collectionneur, mais celui-ci non plus n'a pu y tenir et il s'en est défait à son tour."

» Ce récit produisit une forte impression sur mon père. À force d'y rêver il tomba dans l'hypocondrie et se persuada que son pinceau avait servi d'arme au démon, que la vie de l'usurier avait été, tout au moins partiellement, transmise au portrait : elle jetait maintenant le trouble parmi les hommes, leur inspirant des impulsions diaboliques, les livrant aux tortures de l'envie, écartant les artistes de leur vraie voie, etc. Trois malheurs survenus après cet événement, les trois morts subites de sa femme, de sa fille, d'un fils en bas âge, lui parurent un châtiment du ciel et il se résolut à quitter le monde. À peine eus-je atteint mes neuf ans qu'il me fit entrer à l'École des Beaux-Arts, paya ses créanciers et se réfugia dans un cloître à l'écart, où il prit bientôt l'habit. L'austérité de sa vie, son observance rigoureuse des règles édifièrent tous les religieux. Le supérieur, ayant appris quel habile artiste était mon père, lui demanda instamment de peindre le prin-

cipal tableau de leur église. Mais l'humble moine
déclara tout franc qu'ayant profané son pinceau,
il était pour l'instant indigne d'y toucher ; avant
d'entreprendre une telle œuvre il devait purifier
son âme par le travail et les mortifications. On
ne voulut point le contraindre. Bien qu'il s'ingé-
niât à augmenter les rigueurs de la règle, elle finit
par lui paraître trop facile. Avec l'autorisation du
supérieur, il se retira dans un lieu solitaire et s'y
bâtit une cahute avec des branches d'arbres. Là,
se nourrissant uniquement de racines crues, il
transportait des pierres d'un endroit à l'autre ou
demeurait en prières de l'aurore au coucher du
soleil, immobile et les bras levés au ciel. Bref il
recherchait les pratiques les plus dures, les austérités extraordinaires dont on ne trouve guère
d'exemples que dans la vie des saints. Et durant
plusieurs années il macéra de la sorte son corps
tout en le fortifiant par la prière. Un jour enfin il
revint au monastère et dit d'un ton ferme au supérieur : "Me voici prêt : s'il plaît à Dieu, je mènerai
mon œuvre à bien."

» Il choisit pour sujet la *Nativité de Notre-
Seigneur*. Il s'enferma de longs mois dans sa
cellule, ne prenant qu'une grossière nourriture,
œuvrant et priant sans cesse. Au bout d'un an
le tableau était terminé. Et c'était vraiment un
miracle du pinceau. Encore que ni les moines ni
le supérieur ne fussent grands connaisseurs en
peinture, l'extraordinaire sainteté des personnages
les stupéfia. La douceur, la résignation surnatu-
relles empreintes sur le visage de la sainte Vierge
penchée sur son divin Fils ; la sublime raison qui

animait les yeux, déjà ouverts sur l'avenir, de l'Enfant-Dieu ; le silence solennel des Rois mages prosternés, confondus par le grand mystère ; la sainte, l'indescriptible paix qui enveloppait le tableau ; cette sereine beauté, cette grandiose harmonie produisaient un effet magique. Toute la communauté tomba à genoux devant la nouvelle image sainte, et, dans son attendrissement, le supérieur s'écria :

» "Non, l'homme ne peut créer une pareille œuvre avec le seul secours de l'art humain ! Une force sainte a guidé ton pinceau, le Ciel a béni tes labeurs."

» Je venais précisément de terminer mes études ; la médaille d'or obtenue à l'École des Beaux-Arts m'ouvrait l'agréable perspective d'un voyage en Italie, le plus beau rêve pour un peintre de vingt ans. Il ne me restait plus qu'à prendre congé de mon père ; je ne l'avais pas revu depuis douze ans et j'avoue que son image même s'était effacée de ma mémoire. Vaguement instruit de ses austérités, je m'attendais à lui trouver le rude aspect d'un ascète, étranger à tout au monde, sauf à sa cellule et à la prière, desséché, épuisé par le jeûne et les veilles. Quelle ne fut pas ma stupéfaction quand je me trouvai en présence d'un vieillard très beau, presque divin ! Une joie céleste illuminait son visage, où l'épuisement n'avait point marqué sa flétrissure. Sa barbe de neige, sa chevelure légère, quasi aérienne, du même ton argenté, se répandaient pittoresquement sur ses épaules, sur les plis de son froc noir, et tombaient jusqu'à la corde qui ceignait son pauvre habit monastique. Mais

ce qui me surprit le plus, ce fut de l'entendre prononcer des paroles, émettre des pensées sur l'art
qui se sont à jamais gravées dans ma mémoire
et dont je voudrais voir chacun de mes confrères
tirer profit à son tour.

» "Je t'attendais, mon fils, me dit-il quand je
m'inclinai pour recevoir sa bénédiction. Voici que
s'ouvre devant toi la route où ta vie va désormais
s'engager. C'est une noble voie, ne t'en écarte pas.
Tu as du talent ; le talent est le don le plus précieux du ciel ; ne le dilapide point. Scrute, étudie
tout ce que tu verras, soumets tout à ton pinceau ;
mais sache trouver le sens profond des choses,
essaie de pénétrer le grand secret de la création.
Heureux l'élu qui le possède : pour lui il n'est plus
rien de vulgaire dans la nature. L'artiste créateur
est aussi grand dans les sujets infimes que dans
les sujets les plus élevés ; ce qui fut vil ne l'est plus
grâce à lui, car sa belle âme transparaît à travers
l'objet bas, et pour avoir été purifié en passant
par elle, cet objet acquiert une noble expression…
Si l'art est au-dessus de tout, c'est que l'homme
trouve en lui comme un avant-goût du Paradis.
La création l'emporte mille et mille fois sur la
destruction, une noble sérénité sur les vaines agitations du monde ; par la seule innocence de son
âme radieuse un ange domine les orgueilleuses, les
incalculables légions de Satan ; de même l'œuvre
d'art surpasse de beaucoup toutes les choses d'ici-
bas. Sacrifie tout à l'art ; aime-le passionnément,
mais d'une passion tranquille, éthérée, dégagée
des concupiscences terrestres ; sans elle, en effet,
l'homme ne peut s'élever au-dessus de la terre, ni

faire entendre les sons merveilleux qui apportent l'apaisement. Or c'est pour apaiser, pour pacifier, qu'une grande œuvre d'art se manifeste à l'univers ; elle ne saurait faire sourdre dans les âmes le murmure de la révolte ; c'est une prière harmonieuse qui tend toujours vers le ciel. Cependant il est des minutes, de tristes minutes…"

» Il s'interrompit et je vis comme une ombre passer sur son clair visage.

» "Oui, reprit-il, il y a eu dans ma vie un événement… Je me demande encore qui était celui dont j'ai peint l'image. Il semblait vraiment une incarnation du diable. Je le sais, le monde nie l'existence du démon. Je me tairai donc sur son compte. Je dirai seulement que je l'ai peint avec horreur ; mais je voulus coûte que coûte surmonter ma répulsion et, étouffant tout sentiment, me montrer fidèle à la nature. Ce ne fut point une œuvre d'art que ce portrait : tous ceux qui le regardent éprouvent un violent saisissement, la révolte gronde en eux ; un pareil désarroi n'est point un effet de l'art, car l'art respire la paix jusque dans l'agitation. On m'a dit que le tableau passe de main en main, causant partout de cruels ravages, livrant l'artiste aux sombres fureurs de l'envie, de la haine, lui inspirant la soif cruelle d'humilier, d'opprimer son prochain. Daigne le Très-Haut te préserver de ces passions, il n'en est point de plus cruelles ! Mieux vaut souffrir mille et mille persécutions qu'infliger à autrui l'ombre d'une amertume. Sauve la pureté de ton âme. Celui en qui réside le talent doit être plus pur que les autres : à ceux-ci il sera beaucoup pardonné, mais à lui rien. Qu'une voiture lance la moindre éclaboussure sur un homme paré de clairs habits de fête, aussitôt la foule l'entoure, le montre du doigt, commente sa négligence ; cependant cette même foule ne remarque même pas les taches nombreuses des autres passants vêtus d'habits ordinaires, car sur ces vêtements sombres les taches ne sont point visibles."

» Il me bénit, m'attira sur son cœur. Je n'avais jamais connu une si noble émotion. C'est avec une vénération plus que filiale que je me pressai contre sa poitrine, que je baisai ses cheveux argentés, librement épandus. Une larme brilla dans ses yeux.

» "Exauce, mon fils, une prière que je vais t'adresser, me dit-il au moment des adieux. Peut-être découvriras-tu quelque part le portrait dont je t'ai parlé. Tu le reconnaîtras aussitôt à ses yeux extraordinaires et à leur regard surnaturel. Détruis-le aussitôt."

» Jugez vous-mêmes si je pouvais ne point m'engager par serment à exaucer un tel vœu. Depuis quinze ans il ne m'est jamais advenu de rencontrer quelque chose qui ressemblât, si peu que ce fût, à la description de mon père. Et voici que soudain, à cette vente... »

Sans achever sa phrase, le peintre se tourna vers le fatal portrait ; ses auditeurs l'imitèrent. Quelle ne fut pas leur surprise quand ils s'aperçurent qu'il avait disparu ! Un murmure étouffé passa à travers la foule, puis on entendit clairement ce mot : « Volé ! » Tandis que l'attention unanime était suspendue aux lèvres du narrateur, quelqu'un avait sans doute réussi à le dérober. Les assistants demeurèrent un bon moment stupides, hébétés, ne sachant trop s'ils avaient réellement vu ces yeux extraordinaires ou si leurs propres yeux, lassés par la contemplation de tant de vieux tableaux, avaient été le jouet d'une vaine illusion.

Le Journal d'un fou

Traduction de Sylvie Luneau.

Le 3 octobre.

Il m'est arrivé aujourd'hui une aventure étrange.
Je me suis levé assez tard, et quand Mavra m'a
apporté mes bottes cirées, je lui ai demandé
l'heure. Quand elle m'a dit qu'il était dix heures
bien sonnées, je me suis dépêché de m'habiller.
J'avoue que je ne serais jamais allé au ministère,
si j'avais su d'avance quelle mine revêche ferait
notre chef de section. Voilà déjà un bout de temps
qu'il me dit : « Comment se fait-il que tu aies
toujours un pareil brouillamini dans la cervelle,
frère ? Certains jours, tu te démènes comme un
possédé, tu fais un tel gâchis que le diable lui-
même n'y retrouverait pas son bien, tu écris un
titre en petites lettres, tu n'indiques ni la date ni le
numéro. » Le vilain oiseau ! Il est sûrement jaloux
de moi, parce que je travaille dans le cabinet du
directeur et que je taille les plumes de Son Excellence... Bref, je ne serais pas allé au ministère, si
je n'avais pas eu l'espoir de voir le caissier et de
soutirer à ce juif fût-ce la plus petite avance sur

ma paie. Quel être encore que celui-ci ! Le Jugement Dernier sera là avant qu'il vous fasse jamais
une avance sur votre mois, Seigneur ! Tu peux
supplier, te mettre en quatre, même si tu es dans
la misère, il ne te donnera rien, le vieux démon !
Et quand on pense que, chez lui, sa cuisinière lui
donne des gifles ! Tout le monde sait cela.

Je ne vois pas l'intérêt qu'il y a à travailler dans
un ministère. Cela ne rapporte absolument rien. À
la régence de la province, à la chambre civile ou à
la chambre des finances[1], c'est une autre paire de
manches : on en voit là-bas qui sont blottis dans
les coins à griffonner. Ils portent des vestons mal-
propres, ils ont une trogne telle qu'on a envie de
cracher, mais il faut voir les villas qu'ils habitent !
Pas question de leur offrir des tasses de porcelaine
dorée : ils vous répondront : « Ça c'est un cadeau
pour un docteur », mais une paire de trotteurs,
une calèche, ou un manteau de castor dans les
trois cents roubles, cela oui, on peut y aller ! À
les voir, ils ont une mine paisible, et ils s'expri-
ment d'une manière si raffinée : « Veuillez me permettre de tailler votre plume avec mon canif » ;
et ensuite ils étrillent si bien le solliciteur qu'il ne
lui reste plus que sa chemise. Il est vrai que chez
nous, par contre, le service est distingué : partout une propreté telle qu'on n'en verra jamais de
semblable à la régence de la province : des tables
d'acajou, et tous les chefs se disent « vous ». Oui,
j'en conviens, si ce n'était la distinction du service,
il y a longtemps que j'aurais quitté le ministère.

J'avais mis ma vieille capote et emporté mon
parapluie car il pleuvait à verse. Personne dans les

rues : je n'ai rencontré que des femmes qui se pro-
tégeaient avec le pan de leur robe, des marchands
russes[1] sous leur parapluie et des cochers. Comme
noble, il y avait juste un fonctionnaire comme moi
qui traînait. Je l'ai aperçu au carrefour. Dès que je
l'ai vu, je me suis dit : « Hé ! hé ! mon cher, tu ne te
rends pas au ministère, tu presses le pas derrière
celle qui court là-bas et tu regardes ses jambes. »
Quels fripons nous sommes, nous autres, fonctionnaires ! Ma parole, nous rendrions des points à
n'importe quel officier ! Qu'une dame en chapeau
montre seulement le bout de son nez, et nous passons infailliblement à l'attaque !

Tandis que je réfléchissais ainsi, j'ai aperçu
une calèche qui s'arrêtait devant le magasin dont
je longeais la devanture. Je l'ai reconnue sur-
le-champ : c'était la calèche de notre directeur.
« Mais il n'a que faire dans ce magasin, me suis-je
dit, c'est sans doute sa fille. » Je me suis effacé
contre la muraille. Le valet a ouvert la portière et
elle s'est envolée de la voiture comme un oiseau.
Elle a jeté un coup d'œil à droite, à gauche, j'ai
distingué dans un éclair ses yeux, ses sourcils...
Seigneur mon Dieu ! j'étais perdu, perdu ! Quelle
idée de sortir par une pluie pareille ! Allez soutenir
maintenant que les femmes n'ont pas la passion
de tous ces chiffons. Elle ne m'a pas reconnu et
d'ailleurs je m'efforçais de me dissimuler du mieux
que je pouvais car ma capote était très sale et, qui
plus est, d'une coupe démodée. Aujourd'hui, on
porte des manteaux à grand col, tandis que j'en
avais deux petits l'un sur l'autre ; et puis, c'est du
drap mal décati.

Sa petite chienne, qui n'avait pas réussi à franchir le seuil du magasin, était restée dans la rue. Je connais cette petite chienne. Elle s'appelle Medji. Il ne s'était pas écoulé une minute que j'ai entendu soudain une voix fluette : « Bonjour, Medji ! » En voilà bien d'une autre ! Qui disait cela ? J'ai regardé autour de moi et j'ai vu deux dames qui passaient sous un parapluie : l'une vieille, l'autre toute jeune ; mais elles m'avaient déjà dépassé et, à côté de moi, la voix a retenti de nouveau : « Tu n'as pas honte, Medji ! » Quelle diablerie ! je vois Medji flairer le chien qui suivit les dames. « Hé ! hé ! me suis-je dit, mais est-ce que je ne serais pas saoul ! » Pourtant cela m'arrive rarement. « Non, Fidèle, tu te trompes (j'ai vu de mes yeux Medji prononcer ces mots), j'ai été, ouah ! ouah ! j'ai été, ouah ! ouah ! ouah ! très malade. » Voyez-moi un peu ce chien ! J'avoue que j'ai été stupéfait en l'entendant parler comme les hommes. Mais plus tard, après avoir bien réfléchi à tout cela, j'ai cessé de m'étonner.

En effet, on a déjà observé ici-bas un grand nombre d'exemples analogues. Il paraît qu'en Angleterre on a vu sortir de l'eau un poisson qui a dit deux mots dans une langue si étrange que depuis trois ans déjà les savants se penchent sur le problème sans avoir encore rien découvert. J'ai lu aussi dans les journaux que deux vaches étaient entrées dans une boutique pour acheter une livre de thé. Mais je reconnais que j'ai été beaucoup plus surpris, quand Medji a dit : « Je t'ai écrit, Fidèle ; sans doute Centaure ne t'a-t-il pas apporté ma lettre ! » Je veux bien qu'on me supprime ma paie, si de ma vie j'ai entendu dire qu'un chien pouvait écrire ! Un noble seul peut écrire correctement[1]. Bien sûr, il y a aussi des commis de magasin et même des serfs qui sont capables de gribouiller de temps à autre en noir sur blanc : mais leur écriture est le plus souvent machinale ; ni virgules, ni points, ni style.

Je fus donc étonné. J'avoue que, depuis quelque temps, il m'arrive parfois d'entendre et de voir des choses que personne n'a jamais vues ni entendues. « Allons, me suis-je dit, je vais suivre cette chienne et je saurai qui elle est et ce qu'elle pense. » J'ai ouvert mon parapluie et emboîté le pas aux deux dames. Elles ont pris la rue aux Pois, tourné à la rue des Bourgeois, puis à la rue des Menuisiers dans la direction du pont Kokouchkine[2] et se sont arrêtées devant une grande maison.

« Je connais cette maison, ai-je pensé, c'est la maison Zverkov. » C'est une véritable caserne ! Il y vit toutes espèces de gens : des cuisiniers, des voyageurs ! Et les fonctionnaires de mon espèce y sont entassés les uns sur les autres comme des chiens ! J'y ai aussi un ami qui joue gentiment de la trompette. Les dames sont donc montées au quatrième étage. « C'est bon, me suis-je dit, pour aujourd'hui, j'en reste là, mais je retiens l'endroit et ne manquerai pas d'en profiter à l'occasion. »

4 octobre.

C'est aujourd'hui mercredi, aussi me suis-je rendu dans le cabinet de notre chef. J'ai fait exprès d'arriver en avance ; je me suis installé et je lui ai taillé toutes ses plumes.

Notre directeur est certainement un homme très intelligent. Tout son cabinet est garni de bibliothèques pleines de livres. J'ai lu les titres de certains d'entre eux : tout cela, c'est de l'instruction, mais une instruction qui n'est pas à la portée d'hommes de mon acabit : toujours de l'allemand ou du français. Et quand on le regarde : quelle gravité brille dans ses yeux ! Je ne l'ai jamais entendu prononcer une parole inutile. C'est tout juste si, quand on lui remet un papier, il vous demande :

« Quel temps fait-il ?

— Humide, Votre Excellence ! »

Ah ! il n'est pas de la même pâte que nous. C'est un homme d'État. Je remarque, toutefois, qu'il a pour moi une affection particulière. Si sa fille, elle aussi… Eh ! canaillerie… C'est bon, c'est bon… Je me tais !

J'ai lu *L'Abeille du Nord*[1]. Quels imbéciles que ces Français[2] ! Qu'est-ce qu'ils veulent donc ? Ma parole, je les ferais tous arrêter et passer aux verges ! J'ai lu aussi dans le journal le compte rendu d'un bal, décrit avec grâce par un propriétaire de Koursk. Les propriétaires de Koursk écrivent bien. Après cela, j'ai vu qu'il était midi et demi passé et que notre chef ne sortait toujours pas de sa chambre. Mais vers une heure et demie il s'est produit un incident qu'aucune plume ne peut dépeindre. La porte s'est ouverte : j'ai cru que c'était le directeur et me suis levé aussitôt, mes papiers à la main. Or c'était elle,

elle-même ! Saints du paradis, comme elle était
bien habillée ! Elle portait une robe blanche
comme du duvet de cygne : une splendeur ! Et
le coup d'œil qu'elle m'a jeté ! Un soleil, par Dieu,
un vrai soleil !

Elle m'a adressé un petit salut, et m'a dit : « Papa
n'est pas là ? » Aïe ! Aïe ! Aïe ! quelle voix ! un
canari, aussi vrai que je suis là, un canari ! « Votre
Excellence, ai-je voulu dire, ne me punissez pas,
mais si c'est là votre bon plaisir, châtiez-moi de
votre auguste petite main. » Oui, mais, le diable
m'emporte, ma langue s'est embarrassée, et je lui
ai répondu seulement : « N... non. »

Elle a posé son regard sur moi, puis sur les
livres et a laissé tomber son mouchoir. Je me suis
précipité, ai glissé sur ce maudit parquet et peu
s'en est fallu que je me décolle le nez ; mais je me
suis rattrapé et j'ai ramassé le mouchoir. Saints
anges, quel mouchoir ! en batiste la plus fine... de
l'ambre, il n'y a pas d'autre mot ! Sans mentir, il
sentait le généralat ! Elle m'a remercié d'un léger
sourire qui a à peine entrouvert ses douces lèvres
et elle a quitté la pièce.

Je suis resté là encore une heure. Soudain,
un valet est venu me dire : « Rentrez chez vous,
Auxence Ivanovitch, le maître est déjà parti ! » Je
ne peux pas souffrir la société des valets : ils sont
toujours à se vautrer dans les antichambres et ils
ne daigneraient même pas vous faire un signe de
tête. Et si ce n'était que cela ! Un jour, une de ces
brutes s'est avisée de m'offrir du tabac, sans bouger de sa place ! Sais-tu bien, esclave stupide, que
je suis un fonctionnaire de noble origine ? Quoi

qu'il en soit, j'ai pris mon chapeau, j'ai endossé moi-même ma capote, car ces messieurs ne vous la tendent jamais, et je suis sorti.

Chez moi, je suis resté couché sur mon lit, presque toute la journée. Puis j'ai recopié de très jolis vers :

> *Une heure passée loin de ma mie*
> *Me dure autant qu'une année.*
> *Si je dois haïr ma vie,*
> *La mort m'est plus douce, ai-je clamé*

C'est sans doute Pouchkine[1] qui a écrit cela.

Sur le soir, enveloppé dans ma capote, je suis allé jusqu'au perron de Son Excellence et j'ai fait le guet un long moment : si elle sortait pour monter en voiture, je pourrais la regarder encore une petite fois… mais non, elle ne s'est pas montrée.

6 novembre.

Notre chef de section est déchaîné. Quand je suis arrivé au ministère, il m'a fait appeler et a commencé ainsi :

« Dis-moi, je te prie, ce que tu fais.

— Comment cela ? Je ne fais rien, ai-je répondu.

— Allons, réfléchis bien. Tu as passé la quarantaine, n'est-ce pas ? Il serait temps de rassembler tes esprits. Qu'est-ce que tu t'imagines ? Crois-tu que je ne suis pas au courant de toutes tes gamineries ? Voilà que tu tournes autour de la fille du directeur maintenant ? Mais regarde-toi, songe une minute à ce que tu es ! Un zéro, rien de plus. Et tu n'as pas un sou vaillant. Regarde-toi un peu dans la glace, tu ne manques pas de prétention ! »

Sapristi ! Sa figure, à lui, tient de la fiole d'apothicaire ; il a sur le sommet du crâne une touffe de cheveux bouclée en toupet, il la fait tenir en l'air, l'enduit d'une espèce de pommade à la rose, et il se figure qu'il n'y a qu'à lui que tout est permis ! Je comprends fort bien pourquoi il m'en veut. Il est jaloux ; il a peut-être surpris les marques de bienveillance toutes particulières qu'on m'a octroyées. Mais je crache sur lui ! La belle affaire qu'un conseiller aulique[1] ! Il accroche une chaîne d'or à sa montre, il se commande des bottes à trente roubles... et après ?... que le diable le patafiole ! Et moi, est-ce que mon père était roturier, tailleur, ou sous-officier ? Je suis noble. Je peux monter en grade, moi aussi. Pourquoi pas ? Je n'ai que quarante-deux ans : à notre époque, c'est l'âge où l'on commence à peine sa carrière. Attends, mon ami ! Nous aussi, nous deviendrons colonel, et même peut-être quelque chose de mieux, si Dieu le permet. Nous nous ferons une réputation encore plus flatteuse que la tienne. Alors, tu t'es fourré dans la tête qu'il n'existait pas un seul homme convenable en dehors de toi ? Qu'on me donne seulement un habit de chez Routch[2], que je mette une cravate comme la tienne, et tu ne m'arriveras pas à la cheville. Je n'ai pas d'argent, c'est là le malheur.

8 novembre.

Je suis allé au théâtre. On jouait *Filatka*, le nigaud russe[1]. J'ai beaucoup ri. Il y avait aussi un vaudeville avec des vers amusants sur les avoués, et en particulier sur un enregistreur de collège[2] ; ces vers étaient vraiment très libres et j'ai été étonné que la censure les ait laissés passer ; quant aux marchands, on dit franchement qu'ils trompent les gens et que leurs fils s'adonnent à la débauche et se faufilent parmi les nobles. Il y a aussi un couplet fort comique sur les journalistes ; on y dit qu'ils aiment déblatérer sur tout, et l'auteur demande la protection du public. Les écrivains sortent aujourd'hui des pièces bien divertissantes.

J'aime aller au théâtre. Dès que j'ai un sou en poche, je ne peux pas me retenir d'y aller. Eh bien, parmi mes pareils, les fonctionnaires, il y a de véritables cochons qui ne mettraient pas le pied au théâtre pour un empire : les rustres ! C'est à peine s'ils se dérangeraient si on leur donnait un billet gratis ! Il y avait une actrice qui chantait à ravir. J'ai pensé à l'autre… Eh ! canaillerie !… C'est bon, c'est bon… je me tais.

9 novembre.

À huit heures, je suis allé au ministère. Notre chef de section a fait mine de ne pas remarquer mon arrivée. De mon côté, j'ai fait comme s'il n'y avait rien eu entre nous. J'ai revu et vérifié les paperasses. Je suis sorti à quatre heures. J'ai passé devant l'appartement du directeur, mais il n'y avait personne en vue. Après le dîner, je suis resté étendu sur mon lit presque tout l'après-midi.

11 novembre.

Aujourd'hui, je me suis installé dans le cabinet du directeur et j'ai taillé pour lui vingt-trois plumes, et, pour elle..., ah !... pour « Son » Excellence, quatre plumes. Il aime beaucoup avoir un grand nombre de plumes à sa disposition. Oh ! c'est un cerveau, pour sûr ! Il n'ouvre pas la bouche, mais je suppose qu'il soupèse tout dans sa tête. Je voudrais savoir à quoi il pense le plus souvent, ce qui se trame dans cette cervelle. J'aimerais observer de plus près la vie de ces messieurs. Toutes ces équivoques, ces manèges de courtisans, comment ils se conduisent, ce qu'ils font dans leur monde.. Voilà ce que je désirerais apprendre !

J'ai essayé plusieurs fois d'engager la conversation avec Son Excellence, mais, sacrebleu, ma langue m'a refusé tout service : j'ai juste dit qu'il faisait froid ou chaud dehors, et je n'ai positivement rien pu sortir d'autre ! J'aimerais jeter un coup d'œil dans son salon, dont la porte est quelquefois ouverte, et dans la pièce qui est derrière. Ah ! quel riche mobilier ! quels beaux miroirs ! quelle fine porcelaine ! J'aimerais entrer une seconde là-bas, dans le coin où demeure « Son » Excellence ; voilà où je désirerais pénétrer : dans son boudoir. Comment sont disposés tous ces vases et tous ces flacons, ces fleurs qu'on a peur de flétrir avec son haleine, ses vêtements en désordre, plus semblables à de l'air qu'à des vêtements ? Je voudrais jeter un coup d'œil dans sa chambre à coucher... Là, j'imagine des prodiges, un paradis tel qu'il ne s'en trouve même pas de pareil dans les cieux. Regarder l'escabeau où elle pose son petit pied au saut du lit, la voir gainer ce petit pied d'un bas léger blanc comme neige... Aïe ! aïe ! aïe !... c'est bon, c'est bon... Je me tais.

Aujourd'hui, par ailleurs, j'ai eu comme une illumination : je me suis rappelé cette conversation que j'ai surprise entre deux chiens sur la Perspective Nevski. « C'est bon, me suis-je dit, maintenant, je saurai tout. Il faut intercepter la correspondance qu'entretiennent ces sales cabots. Alors, j'apprendrai sûrement quelque chose. » J'avoue qu'une fois même, j'ai appelé Medji et lui ai dit :

« Écoute, Medji, nous sommes seuls, tu le vois ; si tu veux, je peux aussi fermer la porte, ainsi personne ne nous verra. Dis-moi tout ce que tu sais de ta maîtresse. Que fait-elle ? Qui est-elle ? Je te jure de ne rien dire à personne. »

Mais ce rusé animal a serré sa queue entre ses jambes, s'est ramassé de plus belle et a gagné la porte comme s'il n'avait rien entendu.

Il y a longtemps que je soupçonne que le chien est beaucoup plus intelligent que l'homme. Je suis même persuadé qu'il peut parler mais qu'il y a en lui une espèce d'obstination. C'est un remarquable politique : il observe tout, les moindres pas de l'homme. Oui, coûte que coûte, j'irai dès demain à la maison Zverkov ; j'interrogerai Fidèle et, si j'en trouve le moyen, je saisirai toutes les lettres que lui a écrites Medji.

12 novembre.

À deux heures de l'après-midi, je suis sorti de chez moi, dans l'intention bien arrêtée de trouver Fidèle et de l'interroger. Je ne peux pas supporter cette odeur de chou qui se dégage de toutes les petites boutiques de la rue des Bourgeois ; de plus, il vous parvenait de chaque porte cochère une telle puanteur que je me suis sauvé à toutes jambes en me bouchant le nez. Et puis, ces coquins d'artisans laissent échapper de leurs ateliers une si grande quantité de suie et de fumée qu'il est décidément impossible de se promener par ici.

Arrivé au cinquième[1] étage, j'ai sonné. Une jeune fille m'a ouvert la porte : pas mal faite, avec des petites taches de rousseur. Je l'ai reconnue : c'était celle-là même qui marchait à côté de la vieille. Elle a rougi légèrement, et j'ai tout de suite vu de quoi il retournait : « Toi, ma belle, tu as envie d'un fiancé. »

« Vous désirez ? m'a-t-elle dit.

— J'ai besoin de parler à votre chienne. »

Que cette fille était sotte ! J'ai compris immédiatement qu'elle était sotte ! À ce moment, la chienne a accouru en aboyant ; j'ai voulu l'attraper, mais cet ignoble animal a manqué refermer ses mâchoires sur mon nez ! J'ai malgré tout aperçu sa corbeille dans un coin. Hé ! voilà ce qu'il me faut ! Je m'en suis approché. J'ai retourné la paille du panier et, à mon extrême satisfaction, en ai retiré une mince liasse de petits papiers. Cette sale chienne, en voyant cela, m'a tout d'abord mordu au mollet, puis, quand elle a senti que j'avais pris les lettres, elle s'est mise à glapir et à me faire des caresses : « Non, ma chère, adieu ! » et je suis parti bien vite.

Je crois que la jeune fille m'a pris pour un fou car elle a semblé extrêmement effrayée. Rentré chez moi, j'ai voulu sur l'heure me mettre au travail et déchiffrer ces lettres, car je n'y vois pas très bien à la lumière de la bougie. Mais Mavra s'était avisée de laver le plancher. Ces idiotes de Finnoises ont toujours des idées de propreté au mauvais moment ! Alors, je suis parti faire un tour et méditer sur l'événement. Ce coup-ci, enfin, je vais savoir toutes ses actions et ses pensées, tous ses mobiles, je vais enfin démêler tout cela. Ce sont ces lettres qui vont m'en donner la clef. Les chiens sont des gens intelligents, au fait de toutes les relations politiques, et sans doute vais-je trouver tout là-dedans : le portrait et les moindres actions de cet homme. Et il y sera bien fait aussi une petite allusion à celle qui… c'est bon, je me tais ! Je suis rentré chez moi à la fin de l'après-midi. Je suis resté couché sur mon lit une bonne partie de la soirée.

13 novembre.

Eh bien, voyons : cette lettre est calligraphiée assez lisiblement. Pourtant, il y a un je-ne-sais-quoi de canin dans ces caractères. Lisons :

« Chère Fidèle,

Je ne peux décidément pas m'habituer à ce nom bourgeois. Comme s'ils ne pouvaient pas t'en donner un plus élégant ! Fidèle, Rose, comme c'est vulgaire ! Mais laissons cela. Je suis très contente que nous ayons décidé de nous écrire. »

Cette lettre est écrite très correctement. La ponctuation et les accents sont toujours à leur place. À parler franchement, notre chef de section lui-même n'écrit pas aussi bien, quoiqu'il nous rebatte les oreilles de l'université où il a fait ses études. Voyons la suite :

« Il me semble que partager ses pensées, ses sentiments et ses impressions avec autrui est un des plus grands bonheurs sur cette terre. »

Hum ! Cette réflexion est puisée dans un ouvrage traduit de l'allemand. J'en ai oublié le titre.

« Je dis cela par expérience, quoique je n'aie pas couru le monde au-delà de la porte cochère de notre maison. Ma vie ne s'écoule-t-elle pas dans le bien-être ? Ma maîtresse, que papa appelle Sophie, m'aime à la folie. »

Aïe ! aïe !... C'est bon, c'est bon, je me tais.

« Papa lui aussi me caresse très souvent. Je bois du thé et du café avec de la crème. Ah ! ma chère, je dois te dire que je ne trouve aucun agrément

à ces énormes os rongés que dévore à la cuisine
notre Centaure. Il n'y a que les os de gibier qui
sont savoureux, surtout quand personne n'en a
encore sucé la moelle. J'aime beaucoup qu'on
mélange plusieurs sauces, mais sans câpres et
sans herbes potagères ; je ne sais rien de pire que
l'habitude de donner aux chiens des boulettes de
pain. Un quelconque monsieur assis à table et
dont les mains ont tripoté toutes sortes de saletés
se met à pétrir de la mie de pain avec ces mêmes
mains, vous appelle et vous fourre sa boulette
dans la gueule ! Et c'est impoli de refuser, alors
on la mange : avec dégoût, mais on la mange tout
de même... »

Le diable sait ce que cela veut dire ! Quelle
absurdité ! Comme s'il n'y avait pas de sujets plus
intéressants à traiter ! Voyons la page suivante.
Peut-être y trouverons-nous quelque chose de plus
sensé.

« ... Je me ferai un plaisir de te tenir au courant
de tous les événements qui se produisent chez
nous. Je t'ai déjà donné quelques détails sur le
personnage principal que Sophie appelle Papa.
C'est un homme très étrange. »

Ah ! enfin ! Oui, je sais : ils ont des vues politiques sur tous les sujets. Voyons ce qui concerne
Papa :

« ... un homme très étrange. Il se tait le plus
souvent. Il ouvre rarement la bouche, mais, il y a

huit jours, il n'arrêtait pas de répéter tout seul : "Est-ce qu'on me le donnera, oui ou non ?" Il prenait une feuille de papier à la main, en pliait une autre, vide, et disait : "Est-ce qu'on me le donnera, oui ou non ?" Un jour même, il s'est tourné vers moi et m'a demandé : "Qu'en penses-tu, Medji ? Est-ce qu'on me le donnera, oui ou non ?" Je n'y ai compris goutte ; j'ai reniflé ses bottes et me suis éloignée. Puis, ma chère, une semaine plus tard, Papa est rentré tout joyeux. Toute la matinée, des messieurs en uniforme sont venus le féliciter. À table, il était plus gai que jamais et ne tarissait pas d'anecdotes. Après le dîner, il m'a soulevée jusqu'à son cou et m'a dit : "Regarde, Medji ? Qu'est-ce que c'est que cela ?" J'ai vu un ruban. Je l'ai reniflé mais ne lui ai trouvé aucun arôme ; enfin, je lui ai donné un coup de langue, sans me faire voir... c'était un peu salé[1]. »

Hum ! Il me semble que cette chienne est par trop... Elle mérite le fouet ! Ainsi, notre homme est un ambitieux ! Il faut en prendre bonne note.

« ... Adieu, ma chère ! Je me sauve, etc., etc. Je terminerai ma lettre demain. »

« Bonjour ! nous voici de nouveau réunies Aujourd'hui, ma maîtresse Sophie... »

Ah ! Voyons ce que fait Sophie ! Eh, canaillerie !... C'est bon... c'est bon... poursuivons.

« ... ma maîtresse Sophie était dans tous ses états. Elle se préparait à partir au bal et je me suis réjouie de pouvoir t'écrire en son absence. Ma Sophie est toujours ravie d'aller au bal, quoiqu'elle se mette toujours très en colère en faisant sa toilette. Je ne comprends nullement, ma chère, le plaisir d'aller au bal. Sophie revient vers six heures du matin et, presque chaque fois, je devine, à son pauvre visage pâle, qu'on ne lui a rien donné à manger là-bas, la malheureuse enfant ! Je ne pourrais jamais vivre ainsi, je l'avoue. Si on ne me donnait pas de ces gelinottes en sauce, ou une aile de poulet... je ne sais ce que je deviendrais. La bouillie à la sauce est bonne aussi. Mais les carottes, les navets, ou les artichauts... ce n'est jamais bon... »

Style extrêmement inégal. On voit tout de suite que ce n'est pas un homme qui a écrit cela. Cela commence comme il faut, puis cela finit à la manière chien. Regardons encore un de ces billets. C'est un peu longuet. Hum ! la date n'est même pas indiquée !

« Ah ! ma chère, comme l'approche du printemps se fait sentir ! Mon cœur bat à tout propos, comme s'il attendait quelque chose. Mes oreilles bourdonnent sans cesse. Parfois, je reste plusieurs minutes de suite, une patte en l'air, à écouter aux portes. Je ne te cacherai pas que j'ai beaucoup de galants. Souvent je les observe, assise derrière la fenêtre. Ah ! si tu savais quels monstres on voit parmi eux ! Il y a un mâtin taillé à la hache, effroyablement bête, sa bêtise est écrite sur son visage ; il se promène dans la rue avec des airs supérieurs et il s'imagine qu'il est un personnage considérable, il croit qu'on n'a d'yeux que pour lui, ma parole ! Il n'en est rien ! Je ne fais pas plus attention à lui que si je ne le voyais pas. Et cet horrible dogue qui stationne devant ma fenêtre ! S'il se dressait sur ses pattés de derrière (ce qu'il est certainement incapable de faire, le rustre !), il dépasserait de toute la tête le Papa de ma Sophie, qui est déjà d'une taille et d'une corpulence respectables. Ce malotru est visiblement d'une impudence sans pareille. J'ai grogné une ou deux fois après lui, mais c'est le cadet de ses soucis ! Il ne sourcille même pas ! Il fixe ma croisée, les oreilles basses, la langue pendante… un vrai paysan ! Mais tu penses bien, ma chère, que mon cœur ne reste pas indifférent à toutes les sollicitations… loin de là !… Si tu voyais ce cavalier qui escalade la clôture de la maison voisine, et qui a nom Trésor ! Ah ! ma chère, la jolie frimousse que la sienne ! »

Pouah ! Au diable !… Quelle abomination ! Et comment peut-on remplir une lettre de semblables inepties ! Qu'on m'amène un homme ! Je veux voir un homme ; je réclame une nourriture dont mon âme se repaisse et se délecte ; tandis que ces niaiseries… Tournons la page, ce sera peut-être mieux :

« … Sophie cousait, assise près d'un guéridon. Je regardais par la fenêtre, car j'aime surveiller les passants. Tout à coup, un valet est entré et a annoncé : "Tieplov ! — Introduis-le !" s'est écriée Sophie et elle s'est jetée vers moi pour m'embrasser. "Ah ! Medji, Medji, si tu savais qui c'est : Il est brun, gentilhomme de la chambre[1], et il a des yeux noirs et étincelants comme la braise !" Et Sophie s'est sauvée dans ses appartements. Une minute plus tard, est entré un jeune gentilhomme de la chambre avec des favoris noirs ; il s'est approché de la glace, a rectifié sa coiffure et a fait le tour de la pièce. J'ai poussé un petit grognement et me suis tapie dans mon coin. Sophie est arrivée peu après et a répondu joyeusement à sa révérence ; moi, je continuais tranquillement à regarder par la fenêtre comme si de rien n'était ; mais j'ai penché légèrement la tête et me suis efforcée de comprendre de quoi ils s'entretenaient. Ah ! ma chère, quelles sottises ils disaient ! Ils racontaient qu'une dame, au milieu d'une danse, avait exécuté telle figure au lieu de telle autre ; ou qu'un certain Bobov, qui ressemblait à s'y méprendre à une cigogne avec son jabot, avait failli tomber. Qu'une dame Lidina s'imaginait avoir les yeux bleus, alors qu'elle les avait verts… et tout à l'avenant. Il ferait beau voir comparer ce gentilhomme à Trésor ! me suis-je dit en moi-même. Ciel ! quelle différence ! Premièrement, ce monsieur a un visage large et absolument plat avec des favoris autour, comme s'il l'avait enveloppé d'un fichu noir, tandis que Trésor a des traits fins et une tache blanche juste sur le front. Quant à la taille de Trésor, il n'est même pas besoin de la comparer à celle du gentilhomme de la chambre. Et les yeux, les manières, l'allure sont tout à fait autres. Oh ! quelle différence ! Je ne sais pas, ma chère, ce qu'elle trouve à son Tieplov. Pourquoi en est-elle tellement entichée ?… »

Il me semble aussi qu'il y a là quelque chose qui cloche. Il est impossible que Tieplov ait pu la charmer à ce point. Voyons plus loin :

« Si ce jeune homme trouve grâce à ses yeux, je ne vois pas pourquoi il n'en irait pas bientôt de même de ce fonctionnaire qui travaille dans le cabinet de Papa. Ah ! ma chère, si tu voyais cet avorton !... »

Qui cela peut-il être ?...

« Il a un nom de famille très bizarre. Il reste assis toute la journée à tailler des plumes. Ses cheveux ressemblent à du foin. Papa l'emploie toujours pour faire les commissions... »

On dirait que c'est à moi que ce vilain chien fait allusion. Où prend-il que mes cheveux ressemblent à du foin ?

« Sophie ne peut se retenir de rire quand elle le regarde. »

Tu mens, maudit cabot ! L'abominable langage ! Comme si je ne savais pas que c'est là l'ouvrage de la jalousie ! Comme si je ne savais pas de qui c'est le fait. Ce sont les menées de mon chef de section. Cet homme m'a juré une haine implacable et il s'acharne à me faire tort à chaque pas. Lisons encore une de ces lettres. Peut-être tout cela va-t-il s'éclairer de soi-même.

« Ma chère Fidèle,

Tu m'excuseras d'être restée si longtemps sans t'écrire. J'ai vécu dans une parfaite ivresse. C'est avec raison qu'un écrivain a dit que l'amour était une seconde vie. Et puis, il y a maintenant de grands changements chez nous. Le gentilhomme de la chambre vient nous voir tous les jours. Sophie l'aime à la folie. Papa est très gai. J'ai même entendu dire à notre Grégoire, qui parle presque toujours tout seul en balayant les parquets, que le mariage aurait lieu bientôt, car Papa veut absolument voir Sophie mariée soit à un général, soit à un gentilhomme de la chambre, soit à un colonel... »

Malédiction ! Je ne peux pas en lire davantage... C'est toujours un gentilhomme de la chambre ou un général. Tout ce qu'il y a de meilleur au monde échoit toujours aux gentilshommes de la chambre ou aux généraux. On se procure une modeste aisance, on croit l'atteindre, et un gentilhomme de la chambre ou un général vous l'arrache sous le nez. Nom d'un chien ! Ce n'était pas pour obtenir sa main et autres choses de ce genre que je voulais devenir général. Non, si je voulais être général c'était pour les voir s'empresser autour de moi, se livrer à tous ces manèges et équivoques de courtisans, et leur dire ensuite : « Vous deux, je vous crache dessus ! » Sapristi ! comme c'est vexant ! J'ai déchiré en petits morceaux les lettres de cette chienne stupide !

3 décembre.

C'est impossible, cela ne tient pas debout. Ce mariage ne se fera pas ! Il est gentilhomme de la chambre, et après ? Ce n'est qu'une distinction : ce n'est pas une chose visible qu'on puisse prendre dans ses mains. Ce n'est pas parce qu'il est gentilhomme de la chambre qu'il lui viendra un troisième œil au milieu du front. Son nez n'est pas en or, que je sache, mais tout pareil au mien, au nez de n'importe qui ; il lui sert à priser, et non à manger, à éternuer, et non à tousser. J'ai déjà plusieurs fois essayé de démêler l'origine de toutes ces différences. Pourquoi suis-je conseiller titulaire[1], et à quel propos ? Peut-être que je suis comte ou général et que j'ai seulement l'air comme ça d'être un conseiller titulaire ? Peut-être que j'ignore moi-même qui je suis. Il y en a de nombreux exemples dans l'histoire : un homme ordinaire, sans parler d'un noble, un simple bourgeois ou un paysan, découvre subitement qu'il est un grand seigneur, ou un baron ou quelque chose d'approchant. Si un si illustre personnage peut sortir d'un moujik, que sera-ce s'il s'agit d'un noble ! Si, par exemple, je descendais dans la rue en uniforme de général : une épaulette sur l'épaule droite, une autre sur l'épaule gauche et un ruban bleu ciel[2] en écharpe ? Sur quel ton chanterait alors ma dame ? Et que dirait Papa, notre directeur ? Oh ! c'est un grand ambitieux ! Un franc-maçon, sans aucun doute ; bien qu'il fasse semblant d'être ceci et cela, j'ai tout de suite deviné qu'il était franc-maçon :

quand il tend la main à quelqu'un, il n'avance que deux doigts. Est-ce que je ne peux pas, à l'instant même…, être promu général-gouverneur ou intendant, ou quelque chose de ce genre ? Je voudrais savoir pourquoi je suis conseiller titulaire ? Pourquoi précisément conseiller titulaire ?

5 décembre.

Aujourd'hui, j'ai lu les journaux toute la matinée. Il se passe de drôles de choses en Espagne[1]. Je ne comprends même pas très bien. On dit que le trône est vacant, que les dignitaires sont embarrassés pour choisir un héritier, et que cela provoque des émeutes. Cela me paraît tout à fait étrange. Comment le trône peut-il être vacant ? On dit qu'une certaine doña doit monter sur le trône. Une doña ne peut pas monter sur le trône. En aucune façon. Sur le trône, il faut un roi. Mais ils disent qu'il n'y a pas de roi ; il est impossible qu'il n'y ait pas de roi. Un État ne peut exister sans roi. Il y en a un, mais on ignore où il se trouve. Il est même peut-être là-bas, mais des raisons de famille ou des craintes du côté des puissances voisines, à savoir la France et les autres pays, l'obligent à se cacher ; ou peut-être y a-t-il là d'autres motifs.

8 décembre.

J'étais tout à fait décidé à me rendre au ministère, mais différentes raisons et réflexions m'en ont

empêché. Les affaires d'Espagne ne peuvent toujours pas me sortir de l'esprit. Comment se peut-il
qu'une doña devienne reine ? On ne le permettra
pas. Et d'abord, l'Angleterre s'y opposera. Et puis,
il y a la situation politique de toute l'Europe : l'empereur d'Autriche, notre empereur... J'avoue que
ces événements m'ont tellement abattu, ébranlé
que je n'ai absolument rien pu faire de toute la
journée. Mavra m'a fait remarquer que j'étais très
distrait à table. En effet, j'ai, par distraction sans
doute, jeté deux assiettes sur le plancher : elles
ont aussitôt volé en éclats. Après le dîner, je suis
allé me promener aux montagnes russes[1]. Je n'ai
rien pu en tirer d'instructif. Je suis demeuré sur
mon lit le reste du temps, à réfléchir aux affaires
d'Espagne.

An 2000. 43e jour d'avril.

Aujourd'hui est un jour de grande solennité !
L'Espagne a un roi. On l'a trouvé. Ce roi, c'est
moi. Ce n'est qu'aujourd'hui que je l'ai appris.
J'avoue que j'ai été brusquement comme inondé
de lumière. Je ne comprends pas comment j'ai pu
penser, m'imaginer que j'étais conseiller titulaire.
Comment cette pensée extravagante a-t-elle pu
pénétrer dans mon cerveau ? Il est encore heureux
que personne n'ait songé alors à me faire enfermer
dans une maison de santé. Maintenant, tout m'est
révélé. Maintenant, tout est clair... Avant, je ne
comprenais pas, avant, tout était devant moi dans
une espèce de brouillard.

Tout ceci vient, je crois, de ce que les gens se figurent que le cerveau de l'homme est logé dans son crâne ; pas du tout : il est apporté par un vent qui souffle de la mer Caspienne. J'ai tout de suite révélé à Mavra qui j'étais. Quand elle a appris qu'elle avait devant elle le roi d'Espagne, elle s'est frappé les mains l'une contre l'autre et a failli mourir de frayeur. Cette sotte n'avait encore jamais vu de roi d'Espagne ! Je me suis malgré tout efforcé de la tranquilliser et de l'assurer, en termes gracieux, de ma bienveillance ; je lui ai dit que je ne lui gardais pas la moindre rancune d'avoir quelquefois mal ciré mes bottes. Ces gens sont ignorants. On ne peut pas les entretenir de sujets élevés. Elle a pris peur parce qu'elle était convaincue que tous les rois d'Espagne ressemblent à Philippe II ! Mais je lui ai expliqué qu'il n'y avait rien de commun entre Philippe et moi.

Je ne suis pas allé au ministère. Le diable les emporte ! Non, mes amis, maintenant vous ne m'y prendrez plus ; je ne vais pas continuer à recopier vos sales paperasses !

86e jour de Martobre. Entre
le jour et la nuit.

Aujourd'hui, l'huissier est venu me dire de me rendre au ministère, car il y avait plus de trois semaines que je n'assurais plus mon service.

Je suis allé au ministère pour rire. Notre chef de section pensait que j'allais lui faire des révérences et lui adresser des excuses, mais je l'ai regardé d'un

air indifférent, ni trop courroucé ni trop bienveillant, et je me suis assis à ma place, comme si je ne
remarquais rien... J'ai regardé toute cette vermine
administrative et me suis dit : « Si vous saviez
qui est assis parmi vous, que se passerait-il ? »
Seigneur Dieu ! quel tohu-bohu cela soulèverait !
Le chef de section lui-même me ferait un salut
jusqu'à la ceinture, comme il fait maintenant pour
le directeur. On a placé des papiers devant moi,
afin que j'en fasse un résumé. Mais je ne les ai
même pas effleurés du bout des doigts.

Quelques minutes plus tard, tout le monde s'est
mis à s'agiter. On avait dit que le directeur allait
venir. Beaucoup de fonctionnaires ont couru, à
qui se présenterait le plus vite devant lui. Mais je
n'ai pas bougé. Quand il a traversé notre bureau,
tous ont boutonné leurs habits ; moi, j'ai fait
comme si de rien n'était ! Qu'est-ce que c'est qu'un
directeur ? Que je me lève devant lui ? Jamais !
Quel directeur est-ce là ? C'est un bouchon, pas
un directeur. Un bouchon ordinaire, un simple
bouchon, rien de plus. Comme ceux qui servent
à boucher les bouteilles.

Ce qui m'a amusé plus que tout, c'est quand
ils m'ont glissé des papiers, pour que je les signe.
Ils s'imaginaient que j'allais écrire tout en bas de
la feuille : chef de bureau un tel. Allons donc !
J'ai gribouillé, bien en vue, là où signe le directeur du département : « Ferdinand VIII. » Il fallait
voir le silence respectueux qui a régné alors ! Mais
j'ai fait seulement un petit geste de la main, en
disant : « Je ne veux aucun témoignage de sou-
mission ! » et je suis sorti.

Du bureau, je me suis rendu tout droit à l'appartement du directeur. Il n'était pas chez lui. Le valet a voulu m'empêcher d'entrer, mais je lui ai dit deux mots : les bras lui en sont tombés. J'ai gagné directement le cabinet de toilette. Elle était assise devant son miroir : elle s'est levée brusquement et a fait un pas en arrière. Mais je ne lui ai pas dit que j'étais le roi d'Espagne. Je lui ai dit seulement qu'elle ne pouvait même pas s'imaginer le bonheur qui l'attendait, et que nous serions réunis, malgré les machinations de nos ennemis. Je n'ai rien voulu ajouter de plus et j'ai quitté la pièce.

Oh ! quelle créature rusée que la femme ! C'est seulement maintenant que j'ai compris ce qu'est la femme. Jusqu'à présent, personne ne savait de qui elle est amoureuse : je suis le premier à l'avoir découvert. La femme est amoureuse du diable. Oui, sans plaisanter. Les physiciens écrivent des absurdités, qu'elle est ceci, cela… Elle n'aime que le diable. Voyez là-bas, celle qui braque ses jumelles de la loge du second rang. Vous croyez qu'elle regarde ce personnage bedonnant décoré d'une plaque ? Vous n'y êtes pas, elle regarde le diable qui se tient debout derrière lui. Tenez, le voilà qui se dissimule sous son habit. Il lui fait signe du doigt ! Et elle l'épousera. Elle l'épousera !

Et tous ceux que vous voyez là, tous ces pères de famille gradés, tous ces hommes qui font des pirouettes dans toutes les directions et qui prennent la Cour d'assaut, en disant qu'ils sont patriotes, et patati et patata[1] : des fermes, des fermes, voilà ce que veulent ces patriotes ! Leur père, leur mère, Dieu lui-même ils le vendraient pour de l'argent, les ambitieux, les Judas ! Et cette ambition illimitée provient de ce qu'ils ont sous la luette une vésicule qui contient un vermisseau de la grosseur d'une tête d'épingle ; c'est un barbier de la rue aux Pois qui fait tout cela. J'ai oublié son nom ; mais on sait de source certaine qu'il veut, avec l'aide d'une sage-femme, répandre le mahométisme dans le monde entier, et on dit que c'est pour cela que la plus grande partie du peuple français confesse la foi de Mahomet.

> Pas de date. Ce jour-là était sans date.

Je me suis promené incognito sur la Perspective Nevski. Sa Majesté l'Empereur a passé en voiture. Toute la ville a ôté ses bonnets et j'ai fait de même ; pourtant, je n'ai nullement laissé voir que j'étais le roi d'Espagne. J'ai jugé inconvenant de me faire connaître aussitôt devant tout le monde ; car il faut avant tout que je me présente à la Cour. Ce qui m'a arrêté, c'est que je n'ai pas encore le costume national espagnol. Si je pouvais au moins me procurer une cape. Je voulais en commander une à un tailleur, mais ce sont de véritables ânes ; de plus, ils négligent totalement leur travail : ils se sont lancés dans la spéculation et, le plus souvent, ils pavent les chaussées. J'ai eu l'idée de me faire une cape dans mon uniforme neuf[1] que je n'ai porté que deux fois en tout et pour tout. Mais pour que ces vauriens ne me la massacrent pas,

j'ai décidé de la faire moi-même, en fermant la
porte à clef pour n'être vu de personne. Je l'ai
tailladé de bout en bout avec mes ciseaux, car la
coupe doit être tout autre.

> J'ai oublié la date. Il n'y
> a pas eu de mois non plus.
> C'était le diable sait quoi.

Ma cape est achevée et cousue. Mavra a poussé
un cri quand je l'ai mise. Pourtant, je ne me décide
pas encore à me présenter à la Cour. La députa-
tion d'Espagne n'est toujours pas là. Sans députés,
ce n'est pas convenable. Cela enlèverait tout poids
à ma dignité. Je les attends d'un instant à l'autre.

> Le 1er.

Cette lenteur des députés m'étonne prodigieuse-
ment. Quelles sont les raisons qui ont pu les retar-
der ? La France, peut-être ? Oui, c'est la nation la
moins bien disposée. Je suis allé demander à la
poste si les députés espagnols n'étaient pas arrivés, mais le directeur, qui est parfaitement stupide, ne sait rien. Il m'a dit : « Non, il n'y a aucun
député espagnol, mais si vous voulez écrire des
lettres, nous les prendrons au cours fixé. » Qu'il
aille se faire pendre ! Qu'est-ce qu'une lettre ? Une
absurdité. Ce sont les apothicaires qui écrivent
des lettres...

Madrid, 30 février.

Voilà, je suis en Espagne ; cela s'est fait si rapidement que j'ai à peine eu le temps de m'y reconnaître. Ce matin, les députés espagnols se sont présentés chez moi, et je suis monté en voiture avec eux. Cette extraordinaire précipitation m'a paru étrange. Nous avons marché à un tel train que nous avions atteint la frontière d'Espagne une demi-heure plus tard. D'ailleurs, il est vrai que maintenant il y a des chemins de fer[1] dans toute l'Europe et que les bateaux à vapeur vont extrêmement vite.

Curieux pays que l'Espagne : quand nous sommes entrés dans la première pièce, j'y ai aperçu une foule d'hommes à la tête rasée. Mais j'ai deviné que cela devait être ou des grands ou des soldats, car ils se rasent la tête. Ce qui m'a paru extrêmement bizarre, c'est la conduite du chancelier d'Empire : il m'a pris par le bras, m'a poussé dans une petite chambre, et m'a dit : « Reste là, et si tu racontes que tu es le roi Ferdinand, je te ferai passer cette envie. » Sachant que ce n'était qu'une épreuve, j'ai répondu négativement. Alors le chancelier m'a donné deux coups de bâton sur le dos, si douloureux que j'ai failli pousser un cri, mais je me suis dominé, me rappelant que c'était un rite de la chevalerie, lors de l'entrée en charge d'un haut dignitaire : en Espagne, ils observent encore les coutumes de la chevalerie.

Resté seul, j'ai voulu m'occuper des affaires de l'État. J'ai découvert que la Chine et l'Espagne ne sont qu'une seule et même terre et que c'est seulement par ignorance qu'on les considère comme des pays différents. Je conseille à tout le monde d'écrire « Espagne » sur un papier ; cela donnera : « Chine ». Mais j'ai été profondément affligé d'un événement qui doit se produire demain. Demain, à sept heures, s'accomplira un étrange phénomène : la terre s'assiéra sur la lune. Le célèbre chimiste anglais Wellington lui-même en parle. J'avoue que j'ai ressenti une vive inquiétude lorsque je me suis imaginé la délicatesse et la fragilité extraordinaire de la lune. On sait que la lune se fait habituellement à Hambourg, et d'une façon abominable. Je m'étonne que l'Angleterre n'y fasse pas attention. C'est un tonnelier boiteux qui la fabrique et il est clair que cet imbécile n'a aucune notion de la lune. Il y met un câble goudronné et une mesure d'huile d'olive ; il se répand alors sur toute la terre une telle puanteur qu'il faut se boucher le nez. De là vient que la lune elle-même est une sphère si délicate et que les hommes ne peuvent y vivre. Pour l'instant elle n'est habitée que par des nez. Et voilà pourquoi nous ne pouvons voir nos nez : ils se trouvent tous dans la lune.

Quand j'ai pensé que la terre, matière pesante, pouvait réduire nos nez en poudre en s'asseyant dessus, j'ai été saisi d'une angoisse telle que j'ai enfilé mes bas et mes chaussures et me suis rendu en hâte dans la salle du conseil d'État pour donner ordre à la police d'empêcher la terre de s'asseoir sur la lune. Les grands à tête rasée que j'avais aperçus en nombre dans la salle du Conseil d'État sont des gens très intelligents. Quand je leur ai dit : « Messieurs, sauvons la lune, car la terre veut s'asseoir dessus », ils se sont tous précipités à l'instant pour exécuter ma volonté souveraine et beaucoup ont grimpé aux murs pour attraper la lune ; mais à ce moment est entré le grand chancelier. En le voyant, tous se sont enfuis. Comme je suis le roi, je suis resté seul. Mais le chancelier, à ma stupéfaction, m'a donné un coup de bâton et m'a reconduit de force dans ma chambre. Si grand est le pouvoir des coutumes populaires en Espagne !

> Janvier de la même année,
> qui a succédé à février.

Je ne peux arriver à comprendre quel pays est l'Espagne. Les usages populaires et les règles de l'étiquette de la Cour y sont tout à fait extraordinaires. Je ne comprends pas, décidément je n'y comprends rien. Aujourd'hui, on m'a tondu, bien que j'aie crié de toutes mes forces que je ne voulais pas être moine. Mais je ne peux même plus me rappeler ce qu'il est advenu de moi lorsqu'ils ont commencé à me verser de l'eau froide sur le crâne. Je n'avais encore jamais enduré un pareil enfer. Pour un peu je devenais enragé, et c'est à peine s'ils ont pu me retenir. Je ne comprends pas du tout la signification de cette étrange coutume. C'est un usage stupide, absurde. La légèreté des rois qui ne l'ont pas encore aboli me semble inconcevable.

Je suppose, selon toute vraisemblance, que je suis tombé entre les mains de l'Inquisition, et

celui que j'ai pris pour le chancelier est sans doute
le Grand Inquisiteur en personne. Mais je ne peux
toujours pas comprendre comment il est possible
qu'un roi soit soumis à l'Inquisition. Il est vrai
que c'est possible de la part de la France et surtout de Polignac. Oh ! ce coquin de Polignac ! Il
a juré de me faire du mal jusqu'à ma mort. Il me
harcèle et me persécute. Mais, je sais, mon ami,
que c'est l'Anglais qui te mène. L'Anglais est un
grand politique. Il essaie de se faufiler partout.
Tout le monde sait que, quand l'Angleterre prise,
la France éternue.

Le 25.

Aujourd'hui, le Grand Inquisiteur est venu
dans ma chambre, mais je m'étais caché sous ma
chaise en entendant son pas. Voyant que je n'étais
pas là, il s'est mis à m'appeler. Tout d'abord, il
a crié : « Poprichtchine ! » mais je n'ai pipé mot
Ensuite : « Auxence Ivanov ! Conseiller titulaire !
Gentilhomme ! » J'ai gardé le silence. « Ferdinand VIII ! » J'ai voulu sortir la tête, mais je me
suis dit : « Non, frère, tu ne me donneras pas le
change ! Nous te connaissons : tu vas encore me
verser de l'eau froide sur la tête. » Enfin, il m'a vu
et m'a fait sortir de dessous la chaise à coups de
bâton. Ce maudit bâton vous fait un mal horrible.
Mais la révélation que je viens d'avoir m'a
dédommagé de tout cela : j'ai découvert que tous
les coqs ont une Espagne ; elle se trouve sous
leurs plumes. Le Grand Inquisiteur est sorti de

chez moi furibond en me menaçant de je ne sais
quel châtiment. Mais j'ai méprisé totalement sa
malice impuissante, car je sais qu'il agit comme
une machine, comme un instrument de l'Anglais.

Jo 34ᵉ ur Ms nnaée. ɹǝᴉɹʌ́ǝℲ
349.

Non, je n'ai plus la force d'endurer cela ! Mon
Dieu ! que font-ils de moi ! Ils me versent de l'eau
froide sur la tête. Ils ne m'écoutent pas, ne me
voient pas, ne m'entendent pas. Que leur ai-je fait ?
Pourquoi me tourmentent-ils ? Que veulent-ils de
moi, malheureux ? Que puis-je leur donner ? Je
n'ai rien.

Je suis à bout, je ne peux plus supporter leurs
tortures ; ma tête brûle, et tout tourne devant moi.
Sauvez-moi ! Emmenez-moi ! Donnez-moi une
troïka de coursiers rapides comme la bourrasque !
Monte en selle, postillon, tinte, ma clochette !
Coursiers, foncez vers les nues et emportez-moi
loin de ce monde ! Plus loin, plus loin, qu'on
ne voie rien, plus rien. Là-bas, le ciel tournoie
devant mes yeux : une petite étoile scintille dans
les profondeurs ; une forêt vogue avec ses arbres
sombres, accompagnée de la lune ; un brouillard
gris s'étire sous mes pieds ; une corde résonne
dans le brouillard ; d'un côté la mer, de l'autre
l'Italie ; tout là-bas, on distingue même les isbas
russes. Est-ce ma maison, cette tache bleue dans
le lointain ? Est-ce ma mère qui est assise devant
la fenêtre ? Maman ! Sauve ton malheureux fils !

Laisse tomber une petite larme sur sa tête douloureuse ! Regarde comme on le tourmente ! Serre le
pauvre orphelin contre ta poitrine ! Il n'a pas sa
place sur la terre ! On le pourchasse ! Maman !
Prends en pitié ton petit enfant malade !... Hé,
savez-vous que le dey d'Alger[1] a une verrue juste
en dessous du nez ?

Le Nez

Traduction d'Henri Mongault.

Ce jour-là, 25 mars dernier[1], Pétersbourg fut
le théâtre d'une aventure des plus étranges. Le
barbier Ivan Yakovlévitch, domicilié avenue de
l'Ascension (son nom de famille est perdu et son
enseigne ne porte que l'inscription : On *pratique
aussi les saignées*, au-dessous d'un monsieur à la
joue barbouillée de savon), le barbier Ivan Yakovlévitch se réveilla d'assez bonne heure et perçut
une odeur de pain chaud. S'étant mis sur son
séant, il vit que son épouse – personne plutôt respectable et qui prisait fort le café[2] – défournait des
pains tout frais cuits.

« Aujourd'hui, Prascovie Ossipovna, je ne prendrai pas de café, déclara Ivan Yakovlévitch ; je
préfère grignoter un bon pain chaud avec de la
ciboule. »

À la vérité, Ivan Yakovlévitch aurait bien voulu
pain et café, mais il jugeait impossible de demander les deux choses à la fois, Prascovie Ossipovna
ne tolérant pas de semblables caprices.

« Tant mieux, se dit la respectable épouse en
jetant un pain sur la table. Que mon nigaud

s'empiffre de pain ! Il me restera davantage de café. »

Respectueux des convenances, Ivan Yakovlé-vitch passa son habit par-dessus sa chemise et se mit en devoir de déjeuner. Il posa devant lui une pincée de sel, nettoya deux oignons, prit son cou-teau et, la mine grave, coupa son pain en deux. Il aperçut alors, à sa grande surprise, un objet blan-châtre au beau milieu ; il le tâta précautionneuse-ment du couteau, le palpa du doigt… « Qu'est-ce que cela peut bien être ? » se dit-il en éprouvant de la résistance.

Il fourra alors ses doigts dans le pain et en retira… un nez ! Les bras lui en tombèrent. Il se frotta les yeux, palpa l'objet de nouveau : un nez, c'était bien un nez, et même, semblait-il, un nez de connaissance ! L'effroi se peignit sur les traits d'Ivan Yakovlévitch. Mais cet effroi n'était rien, comparé à l'indignation qui s'empara de sa res-pectable épouse.

« Où as-tu bien pu couper ce nez, bougre d'ani-mal ? s'exclama-t-elle. Ivrogne ! filou ! coquin ! Je vais aller de ce pas te dénoncer à la police, brigand que tu es ! J'ai déjà entendu dire à trois personnes qu'en leur faisant la barbe tu tirailles le nez des gens à le leur arracher ! »

Cependant Ivan Yakovlévitch était plus mort que vif : il venait de reconnaître le nez de M. Kovaliov, assesseur de collège, qu'il avait l'honneur de raser le mercredi et le dimanche.

« Minute, Prascovie Ossipovna ! Je m'en vais l'envelopper dans un chiffon et le poser dans ce coin, en attendant ; je l'emporterai plus tard.

— Il ne manquait plus que cela ! Crois-tu, par hasard, que je vais garder ici un nez coupé ? Espèce de vieux croûton ! tu ne sais plus que repasser ton rasoir ! Tu ne seras bientôt plus capable de raser les gens comme il faut ! Ah ! le maudit coureur, ah ! la brute, ah ! le malappris ! Et il faudrait encore que je réponde pour lui à la police ! Emporte-le tout de suite, saligaud ! Emporte-le où tu voudras, et que je n'en entende plus parler ! »

Ivan Yakovlévitch demeurait pétrifié de surprise. Il avait beau réfléchir, il ne savait que penser.

« Comment diantre cela est-il arrivé ? proféra-t-il enfin en se grattant derrière l'oreille. Étais-je plein quand je suis rentré hier soir ? Je ne m'en souviens plus... Et puis, vraiment, l'aventure tient de l'invraisemblable... Qu'est-ce que ce nez est venu faire dans ce pain ? Non, je n'y comprends goutte ! »

Ivan Yakovlévitch se tut. À la pensée que les gens de police pourraient le trouver en possession de ce nez et l'accuser d'un crime, il perdit définitivement ses esprits. Il crut voir apparaître une épée, un collet rouge vif brodé d'argent..., et se prit à trembler de tout le corps. Enfin, il enfila son pantalon et ses bottes, enveloppa le nez dans un chiffon et se précipita dehors, accompagné des imprécations de Prascovie Ossipovna.

Il avait l'intention de jeter son paquet dans un trou de borne[1] sous quelque portail, ou de le laisser choir comme par hasard au coin d'une venelle. Par malheur, il se heurtait sans cesse à des personnes de connaissance, qui lui demandaient dès l'abord : « Où cours-tu comme ça ? » ou bien : « Qui t'en vas-tu barbifier de si bonne heure ? » Il ne parvenait pas à saisir l'instant propice. Une fois pourtant, il crut s'être débarrassé de son paquet, mais un garde de ville le lui désigna du bout de sa hallebarde en disant :

« Eh, là-bas, le particulier, faudrait voir à relever ça, hein ? »

Force fut bien à Ivan Yakovlévitch de ramasser le nez et de le fourrer dans sa poche. Le désespoir le gagnait, car les boutiques s'ouvraient et les passants se faisaient de plus en plus nombreux.

Il décida de gagner le pont Saint-Isaac dans l'espoir de jeter à la Néva son encombrant fardeau.

Mais je me repens de n'avoir donné aucun détail sur Ivan Yakovlévitch, personnage fort honorable sous beaucoup de rapports.

Comme tout artisan russe qui se respecte, Ivan Yakovlévitch était un ivrogne fieffé ; et bien qu'il rasât tous les jours le menton d'autrui, le sien demeurait éternellement broussailleux. La couleur de son habit – Ivan Yakovlévitch ne portait jamais de surtout – rappelait celle des chevaux rouans : à vrai dire, cet habit était noir, mais entièrement pommelé de taches grises et brunâtres ; le col luisait ; trois bouts de fil pendaient à la place des boutons absents. Quand il se confiait aux soins de notre barbier, l'assesseur de collège Kovaliov avait coutume de lui dire : « Sapristi, Ivan Yakovlévitch, que tes mains sentent mauvais ! — Pourquoi voulez-vous qu'elles sentent mauvais ? répliquait Ivan Yakovlévitch. — Je n'en sais rien, mon cher,

toujours est-il qu'elles puent ! » rétorquait l'assesseur de collège. Alors, Ivan Yakovlévitch prenait
une prise, et, pour se venger, savonnait impitoyablement les joues, le nez, le cou, les oreilles, toutes
les parties du patient que son blaireau pouvait
atteindre...

Cependant, ce respectable citoyen avait déjà
gagné le pont Saint-Isaac. Il commença par inspec-
ter les alentours, puis il se pencha sur le parapet
comme pour voir s'il y avait toujours beaucoup de
poissons, et se débarrassa discrètement du chiffon
fatal. Aussitôt, Ivan Yakovlévitch se crut délivré
d'un poids de cent livres ; il esquissa même un
sourire. Au lieu d'aller rafraîchir des mentons de
bureaucrates, il résolut d'aller prendre un verre
de punch dans un établissement dont l'enseigne
indiquait : *Ici, l'on sert du thé et à manger*. Il y
portait déjà ses pas quand, soudain, il aperçut au
bout du pont un exempt de police à l'extérieur
imposant : larges favoris, tricorne, épée au côté.
Il perdit contenance, tandis que l'exempt l'appelait
du doigt et disait :

« Approche, mon brave ! »

Ivan Yakovlévitch, qui connaissait les usages,
retira sa casquette et accourut à pas rapides.

« Je souhaite le bonjour à Votre Seigneurie !

— Laisse là ma seigneurie et dis-moi plutôt ce
que tu faisais sur le pont.

— Par ma foi, monsieur, en allant raser mes
pratiques, je me suis arrêté pour voir comme l'eau
coule vite.

— Ne m'en conte pas, réponds-moi franchement.

— Je suis prêt à raser gratis Votre Grâce deux

ou trois fois par semaine, répliqua Ivan Yakovlévitch.

— Trêve de sornettes, l'ami ! J'ai déjà trois de
tes pareils qui s'estiment fort honorés de me barbifier. Voyons, dis-moi ce que tu faisais sur le
pont ? »

Ivan Yakovlévitch pâlit... Mais la suite de l'aventure se perd dans un brouillard si épais que personne n'a jamais pu le percer.

II

L'assesseur de collège Kovaliov se réveilla d'assez bonne heure en murmurant : « Brrr ! » suivant
une habitude qu'il aurait été bien en peine d'expliquer. Il s'étira et se fit donner un miroir dans l'intention d'examiner un petit bouton qui, la veille
au soir, lui avait poussé sur le nez. À son immense
stupéfaction, il s'aperçut que la place que son nez
devait occuper ne présentait plus qu'une surface
lisse ! Tout alarmé, Kovaliov se fit apporter de
l'eau et se frotta les yeux avec un essuie-mains : le
nez avait bel et bien disparu ! Il se palpa, se pinça
même pour se convaincre qu'il ne dormait point :
mais non, il paraissait bien éveillé. Kovaliov sauta
à bas du lit, s'ébroua : toujours pas de nez !... Il
s'habilla séance tenante et se rendit tout droit chez
le maître de police[1].

Il me paraît nécessaire de dire quelques mots
de Kovaliov, afin que le lecteur sache à quel genre

d'individu ce personnage appartenait. Les asses-
seurs de collège à qui les parchemins universi-
taires confèrent de droit ce titre ne sauraient se
comparer à ceux qui l'ont obtenu au Caucase. Ce
sont deux catégories bien différentes. Les premiers... Mais la Russie est un pays si étrange
que si l'on parle d'un assesseur de collège, tous
les autres, de Riga au Kamtchatka, croiront qu'il
s'agit d'eux. Et il en va de même pour tous les
autres grades... Kovaliov était assesseur de collège caucasien. Comme il l'était depuis à peine
deux ans, Kovaliov s'en montrait encore très fier.
Même, pour se donner plus de poids, il se faisait
toujours appeler : Monsieur le Major[1]. « Écoute,
ma brave femme, avait-il accoutumé de dire
quand une vendeuse de plastrons de chemises lui
offrait ses services ; écoute, ma bonne, viens me
trouver chez moi ; j'habite avenue des Jardins ; tu
n'auras qu'à demander le logis du major Kovaliov,
tout le monde te l'indiquera. » Si, d'aventure, il
rencontrait parmi ces vendeuses un joli minois,
il lui passait en outre des instructions secrètes en
ayant soin d'ajouter : « Tu n'oublieras pas, mon
petit cœur, de demander le logis du major Kovaliov ! » Nous ferons comme lui et dorénavant nous
donnerons du major à cet assesseur de collège.

Le major Kovaliov avait l'habitude d'aller faire
les cent pas sur la Perspective. Son col et son
plastron étaient toujours admirablement empesés.
Il portait des favoris comme en portent encore
aujourd'hui les géomètres, les architectes[2], les
médecins-majors, d'autres personnes encore exer-
çant les fonctions les plus diverses[3], en général

tous les individus qui étalent des joues rebondies et jouent au boston avec dextérité. Ces favoris descendent jusqu'au milieu de la joue, et, de là, gagnent en droite ligne le nez. Le major Kovaliov portait en breloque un grand nombre de cachets en cornaline, où se trouvaient gravés, soit des armoiries, soit le nom des jours : lundi, mercredi, jeudi, etc. Le major Kovaliov était venu à Pétersbourg pour y chercher quelque emploi en rapport avec son grade : une charge de vice-gouverneur, voire une place d'inspecteur dans une administration importante. Le major Kovaliov eût volontiers pris femme, à condition que la dot se montât à deux cent mille roubles. Le lecteur peut maintenant se figurer l'état du major quand, à la place d'un nez point trop laid, il ne trouva plus qu'une bête de surface lisse.

Par un fait exprès aucun fiacre ne se montrait dans la rue ; il dut faire le chemin à pied, enveloppé dans son manteau, et le visage enfoui dans son mouchoir, comme s'il saignait du nez. « Eh ! se dit-il, j'ai sans doute été victime d'une hallucination. Mon nez n'a pas pu se perdre sans rime ni raison, que diable ! » Et il entra aussitôt dans un café afin de se regarder dans une glace. Le café était heureusement vide ; les garçons balayaient les salles et rangeaient les chaises ; d'aucuns, les yeux bouffis de sommeil, apportaient des plateaux chargés de petits pâtés chauds ; les journaux de la veille, maculés de café, jonchaient les tables et les chaises. « Dieu merci, il n'y a personne, je vais pouvoir me regarder ! » se dit Kovaliov en s'approchant d'une glace. Mais après un timide coup

d'œil : « Pouah, l'horreur ! murmura-t-il, en cra-
chant de dépit. S'il y avait au moins quelque chose
en place de nez ; mais non, rien, rien, rien ! »

Il sortit du café en se pinçant les lèvres et bien
résolu, contre sa coutume, à n'adresser ni regard,
ni sourire à personne. Soudain il s'arrêta, cloué
sur place : un événement incompréhensible se
passait sous ses yeux : un landau venait de s'arrêter devant la porte d'une maison ; la portière
s'ouvrit ; un personnage en uniforme sauta tout
courbé de la voiture et grimpa l'escalier quatre à
quatre. Quels ne furent pas la surprise et l'effroi
de Kovaliov en reconnaissant dans ce personnage... son propre nez ! À ce spectacle extraordinaire il crut qu'une révolution s'était produite
dans son appareil visuel ; il sentit ses jambes fla-
geoler, mais décida pourtant d'attendre coûte que
coûte le retour du personnage. Il demeura donc
là tremblant comme dans un accès de fièvre. Au
bout de deux minutes, le Nez réapparut ; il portait un uniforme brodé d'or, à grand col droit,
un pantalon de chamois et une épée au côté. Son
bicorne à plumes laissait inférer qu'il avait rang de
conseiller d'État. Il faisait à coup sûr une tournée
de visites. Il regarda de côté et d'autre, héla sa
voiture, y prit place et disparut.

Le pauvre Kovaliov tout pantois ne savait que
penser de cet étrange incident. Comment diantre
son nez, hier encore ornement de son visage et
incapable de se mouvoir, pas plus à pied qu'en
voiture, portait-il aujourd'hui l'uniforme ? Il courut derrière la voiture qui, heureusement pour lui,
s'arrêta bientôt devant le Bazar[1]. Kovaliov s'y pré-

cipita à travers une rangée de vieilles mendiantes, dont le visage entièrement emmitouflé, sauf deux ouvertures pour les yeux, provoquait d'ordinaire ses quolibets. Il n'y avait pas encore grand monde[1]. Kovaliov se sentait si déprimé qu'il ne savait à quoi se résoudre. Ses yeux cherchaient le monsieur dans tous les coins ; ils le découvrirent enfin, arrêté devant une boutique. Le visage dissimulé dans son grand col droit, le Nez se plongeait tout entier dans l'examen des marchandises.

« Comment faire pour l'aborder ? songeait Kovaliov. Tout, le bicorne, l'uniforme, indique le conseiller d'État. Que décider ? »

Il tourna autour du personnage en toussotant. Mais le Nez ne bougea pas.

« Monsieur, dit enfin Kovaliov en s'armant de courage, monsieur...

— Que désirez-vous ? demanda le Nez en se retournant.

— Je suis surpris, monsieur ; vous devriez, il me semble, un peu mieux connaître votre place... Mais puisque je vous retrouve... Avouez que...

— Mille pardons, je ne parviens pas à comprendre ce que vous voulez dire ; expliquez-vous. »

« Comment lui expliquer ? » songea Kovaliov qui, s'enhardissant, reprit : « Évidemment, je... Mais enfin, monsieur, je suis major. Et je ne saurais, convenez-en, me promener sans nez. Que pareille aventure arrive à une vendeuse d'oranges pelées du pont de l'Ascension, passe encore ! Mais moi, monsieur, je suis en passe d'obtenir... Et puis, je suis reçu dans de nombreuses maisons ; je compte parmi mes connaissances Mme la

conseillère Tchékhtariov, et bien d'autres dames...
Je ne sais vraiment... Excusez, monsieur (ici, le
major Kovaliov haussa les épaules), mais à parler
franc, si l'on envisage la chose selon les règles de
l'honneur et du devoir... Bref, vous conviendrez...

— Je n'y comprends goutte, répéta le Nez ;
expliquez-vous plus clairement.

— Monsieur, répliqua Kovaliov d'un ton fort
digne, je ne sais quel sens donner à vos paroles...
L'affaire est pourtant bien claire... Enfin, monsieur, n'êtes-vous pas mon propre nez ? »

Le Nez considéra le major avec un léger fron-
cement de sourcils.

« Vous vous trompez, monsieur, je n'appartiens
qu'à moi-même. D'étroites relations ne sauraient
d'ailleurs exister entre nous. À en juger par les
boutons de votre uniforme, nous appartenons à
des administrations différentes. »

Sur ce, le Nez tourna le dos à Kovaliov, qui
perdit contenance et ne sut plus ni que faire ni
que penser. À ce moment, un agréable froufrou se
fit entendre ; deux dames arrivaient : l'une, d'un
certain âge, couverte de dentelles ; l'autre, toute
menue, moulée dans une robe blanche et dont le
chapeau jaune paille avait la légèreté d'un souf-
flé. Un grand flandrin de heiduque, dont le visage
s'ornait d'énormes favoris et la livrée d'une bonne
douzaine de collets, s'arrêta derrière elles et ouvrit
sa tabatière.

Kovaliov redressa le col de batiste de sa chemise, mit en ordre ses cachets suspendus à une
chaînette d'or et, souriant à la ronde, concentra
toute son attention sur la jeune personne aérienne,

qui, s'inclinant un peu, comme une fleur printa-
nière, porta à son front une main blanche aux
doigts diaphanes. Le sourire de Kovaliov s'épanouit davantage encore quand il aperçut sous le
chapeau un petit menton rond, d'une blancheur
éclatante, et une moitié de joue fraîche pareille à
une rose de mai. Mais il recula aussitôt à la façon
d'un homme qui se brûle : il venait de se souvenir qu'il n'avait pas de nez ! Il se retourna pour
déclarer sans ambages au monsieur en uniforme
qu'il usurpait le titre de conseiller d'État, puisqu'il
n'était en réalité que son fripon de nez. Cependant
le Nez avait eu déjà le temps de s'éclipser et pour-
suivait, sans doute, le cours de ses visites.

Ce nouveau contretemps plongea Kovaliov dans
le désespoir. Revenu sur ses pas, il s'immobilisa
un instant sous la colonnade, et promena ses
regards de tous côtés, à la recherche de son nez.
Il se rappelait fort bien que son coquin portait un
chapeau à plumes et un uniforme brodé d'or ; toutefois, il n'avait remarqué ni la coupe du manteau,
ni la couleur de la voiture, ni la robe des chevaux,
ni même la livrée du valet de pied, si valet de pied
il y avait. Les équipages se croisaient si nombreux
et roulaient à si belle allure qu'il était difficile
d'en distinguer un parmi les autres ; et d'ailleurs,
comment l'arrêter ? Par cette belle journée ensoleillée, la Perspective était noire de monde : du
pont de la Police au pont Anitchkov, le flot des
dames s'écoulait le long du trottoir comme une
cascade de fleurs. Kovaliov reconnut un conseiller
aulique auquel il donnait volontiers du lieutenant-
colonel, surtout en présence d'un tiers. Il aperçut

son grand ami Yaryjkine, chef de bureau au Sénat, qui perdait toujours lorsqu'il demandait huit au boston. Il vit aussi de loin un autre major, qui avait également décroché son grade au Caucase et lui faisait signe de venir le rejoindre...

« Saperlipopette ! maugréa Kovaliov en sautant dans un fiacre Cocher, au galop ! chez le maître de police ! »

« Monsieur, le maître de police est-il visible ? s'écria-t-il en pénétrant dans l'antichambre de ce haut fonctionnaire.

— Non, répondit l'huissier, Monsieur vient de sortir.

— Il ne manquait plus que ça !

— Une minute plus tôt et vous l'auriez trouvé », crut devoir ajouter le suisse.

Kovaliov, le visage toujours enfoui dans son mouchoir, se rejeta dans son fiacre en criant d'une voix désespérée :

« Marche !

— Où cela ? demanda le cocher.

— Droit devant toi !

— Droit devant moi ? Mais nous sommes à un carrefour ; faut-il prendre à droite ou à gauche ? »

Cette question contraignit Kovaliov à réfléchir. La situation lui commandait de s'adresser à la préfecture de police. Bien que l'affaire ne fût pas précisément de son ressort, cette administration était à même de prendre plus rapidement qu'une autre les mesures nécessaires. Il ne fallait pas songer à demander satisfaction au directeur du département auquel le Nez s'était prétendu atta-

ché ; les réponses de cet effronté montraient qu'il
ne respectait rien ni personne ; qui l'empêchait
en l'occurrence de mentir comme il l'avait fait
en prétendant ignorer le major ? Kovaliov allait
donc donner au cocher l'adresse de la préfecture
de police ; mais il se fit soudain la réflexion qu'un
sacripant capable de se conduire dès la première
rencontre d'une manière aussi indigne pouvait, si
on lui en laissait le temps, gagner le large en douceur ; les recherches dureraient un mois entier, si
tant est qu'elles aboutissent jamais. Enfin, le ciel
daigna l'inspirer. Il résolut de recourir à la presse
et de publier dans les journaux une description
détaillée de son nez ; tous ceux qui rencontre-
raient le fugitif pourraient ainsi le lui ramener
ou, tout au moins, lui indiquer le logis du fripon.
Il se fit aussitôt conduire à un bureau d'annonces
et, tout le long du chemin, ne cessa de bourrer de
coups de poing le dos du cocher.

« Plus vite, animal ! Plus vite, scélérat !

— Eh là ! monsieur », disait le pauvre diable
en hochant la tête et en stimulant des guides son
méchant bidet dont le poil était aussi long que
celui d'un épagneul.

Le fiacre finit par s'arrêter ; Kovaliov hors
d'haleine se précipita dans une petite salle où un
employé grisonnant, vêtu d'un vieux frac fort usé
et portant des lunettes, comptait, la plume entre
les lèvres, de la monnaie de billon.

« À qui faut-il s'adresser pour une annonce ?
s'écria dès l'abord Kovaliov. Ah ! pardon, bonjour,
monsieur !

— J'ai bien l'honneur…, répondit l'employé

grisonnant, qui leva un instant les yeux pour les reporter aussitôt sur ses piles de monnaie.

— Je désirerais faire insérer...

— Si vous voulez bien attendre », dit l'employé en inscrivant un chiffre de la main droite, tandis que de la gauche il faisait glisser deux boules sur son boulier.

Un domestique de grande maison, à en juger par sa livrée galonnée et sa tenue assez décente, se tenait devant l'employé, un papier à la main. Il crut bon de faire montre de son savoir-vivre.

« Vous pouvez m'en croire, monsieur, le toutou ne vaut pas quatre-vingts kopeks ; je n'en donnerais pas dix liards, quant à moi ; mais la comtesse l'adore, oui, monsieur, c'est le mot : elle l'adore. Voilà pourquoi elle promet cent roubles à qui le lui rapportera. Que voulez-vous, tous les goûts sont dans la nature ! À mon avis, quand on se pique d'être amateur, on se doit d'avoir soit un caniche, soit un chien couchant. Payez-le cinq cents, payez-le mille roubles, mais que cette bête-là vous fasse honneur ! »

Le brave employé prêtait l'oreille à ces discours avec une mine de circonstance, tout en comptant les lettres de l'annonce en question. Billets à la main, un grand nombre de commis, concierges et commères attendaient leur tour. Dans tous ces billets on cédait quelque chose : un cocher d'une sobriété parfaite ; une calèche presque neuve, ramenée de Paris en 1814 ; une fille de dix-neuf ans, blanchisseuse de son métier, mais également apte à d'autres travaux ; un solide *drojki* auquel il ne manquait qu'un ressort ; un jeune cheval

fougueux, gris pommelé, âgé de dix-sept ans ; des
graines de navet et de radis récemment reçues de
Londres ; une maison de campagne et ses dépen-
dances, soit deux boxes à chevaux et un emplacement fort commode pour y planter sapins ou
bouleaux ; un lot de vieilles semelles vendues aux
enchères tous les jours de huit heures du matin à
trois heures de relevée.

Toute cette compagnie assemblée dans une
pièce aussi exiguë en rendait l'atmosphère particulièrement lourde. Cependant le major Kovaliov
ne s'en trouvait point incommodé : il tenait son
mouchoir sur son visage, et d'ailleurs son nez se
promenait... Dieu sait où.

« Permettez, monsieur, je suis très pressé, fit-il
enfin, pris d'impatience.

— Tout de suite, tout de suite !... Deux roubles
quarante-trois kopeks... Tout de suite !... Un
rouble soixante-quatre kopeks, disait le grison en
jetant leurs billets à la tête des concierges et des
commères... Vous désirez ? reprit-il en s'adres-
sant, cette fois, à Kovaliov.

— Je voudrais..., déclara celui-ci. Voyez-vous,
je ne sais s'il s'agit d'une canaillerie ou d'une fri-
ponnerie... Je voudrais seulement faire savoir que
quiconque me ramènera mon coquin recevra une
honnête récompense.

— Votre nom, si vous le permettez ?

— Mon nom ? Impossible ! Vous comprenez,
j'ai beaucoup de connaissances : Mme la conseillère Tchékhtariov, Mme Podtotchine, Pélagie
Grigorievna, une veuve d'officier supérieur... Les
voyez-vous apprenant tout à coup... Que Dieu

m'en préserve !... Écrivez tout simplement : un assesseur de collège, ou mieux encore, un monsieur ayant rang de major..

— Et le fugitif est l'un de vos serfs ?

— Un serf ! Il s'agit bien de cela ! Non, le fugitif n'est autre que... mon nez.

— Vous dites ? Quel nom bizarre ! Et ce monsieur "Monnez" vous a emporté une forte somme ?

— Eh non ! vous faites erreur ! Mon nez, monsieur, mon propre nez a pris la poudre d'escampette. C'est le diable, sans doute, qui m'a joué ce beau tour !

— Comment diantre cela est-il arrivé ? Je ne comprends pas très bien !

— Je ne saurais vous le dire ; toujours est-il que ce monsieur roule carrosse et se fait passer pour conseiller d'État. Je vous prie donc d'annoncer que quiconque mettra la main dessus ait à me le remettre dans le plus bref délai possible. Voyons, monsieur, je vous le demande, que puis-je faire sans cet organe apparent ? S'il ne s'agissait que d'un orteil, je fourrerais mon pied dans ma botte et personne n'en remarquerait l'absence. Mais, vous comprenez, je vais tous les jeudis chez Mme la conseillère Tchékhtariov ; Mme Podtotchine, Pélagie Grigorievna, une veuve d'officier supérieur et sa charmante fille sont aussi de mes amies... Jugez-en vous-même... Impossible maintenant de me présenter décemment chez elles !... »

L'employé se prit à réfléchir ; du moins la contraction de ses lèvres permettait de le supposer.

« Non, déclara-t-il après un long silence. Aucun journal ne voudra insérer une pareille annonce.

— Pourquoi cela ?

— Parce que cela nuirait à leur réputation... Vous comprenez, si chacun se met à déclarer que son nez a pris la clef des champs... On reproche déjà aux journaux d'imprimer tant de sornettes...

— Permettez, il ne s'agit pas de sornettes...

— Vous avez beau dire. Pas plus tard que la semaine dernière, là où vous êtes, il y avait un fonctionnaire désireux de faire passer une annonce... Cette annonce qui, je m'en souviens, se montait à deux roubles soixante-treize, signa-lait la disparition d'un caniche noir. Rien de plus innocent, n'est-ce pas ? Eh bien, monsieur, vous me croirez si vous voulez, c'était un libelle : le caniche désignait le trésorier de je ne sais plus quelle administration.

— Mais, dans mon annonce à moi, il ne s'agit pas de caniche ; il ne s'agit que de mon propre nez, comme qui dirait de moi-même !

— Non, je vous assure, c'est impossible !

— Mais puisque mon nez a réellement disparu !

— Alors consultez un médecin. Certains sont, dit-on, fort habiles à poser tous les nez qu'on désire. À ce que je vois, monsieur, vous êtes d'hu-meur gaie ; vous devez aimer les farces de société.

— Je vous jure que je dis vrai. Si vous ne me croyez pas, je puis vous faire voir.

— Inutile ! objecta l'employé en prenant une prise. Après tout, si cela ne vous dérange pas », reprit-il, cédant à la curiosité.

Le major se découvrit le visage.

« C'est ma foi vrai ! s'écria l'employé. Quelle étrange aventure ! La place est lisse et plate comme une crêpe au sortir de la poêle !

— Refuserez-vous encore d'accepter mon annonce ? Impossible de rester comme ça, vous le voyez bien ! Je vous serai extrêmement reconnaissant et me félicite que cette aventure m'ait procuré le plaisir de votre connaissance. »

Le major, on le voit, s'était résolu à baisser un peu le ton : une fois n'est pas coutume...

« Évidemment, acquiesça l'employé, cela peut se faire ; mais, à mon sens, pareille annonce ne vous servira de rien. Mieux vaudrait soumettre le cas à un habile écrivain : il le présentera comme un jeu bizarre de la nature et publiera son article dans *L'Abeille du Nord* (ici l'employé huma une nouvelle prise) au grand profit de la jeunesse (ici l'employé s'essuya le nez) ou, simplement, à la grande satisfaction des curieux. »

Le major avait perdu tout espoir. Ses yeux tombèrent sur une annonce de spectacle, au bas d'une page de journal. Au nom d'une charmante actrice il s'apprêtait à sourire, voire à chercher dans sa poche un billet de cinq roubles, car il était d'avis que les officiers supérieurs ne doivent se montrer qu'aux fauteuils. Mais, hélas ! le souvenir de son nez absent lui revint..

L'employé lui-même parut touché de la situation embarrassée de Kovaliov. Désireux de lui alléger sa peine, il jugea convenable de lui témoigner un peu de sympathie.

« Je suis vraiment désolé de ce qui vous arrive. Puis-je vous offrir une prise ? Cela calme les maux de tête et dissipe les humeurs noires ; c'est même excellent contre les hémorroïdes. »

Tout en parlant, l'employé tendait à Kovaliov sa tabatière, non sans en avoir adroitement fait sauter le couvercle, qu'agrémentait le portrait d'une dame en chapeau.

Cette offre innocente mit le comble à la fureur du major.

« Eh quoi ! s'exclama-t-il, vous avez le front de plaisanter ! Vous ne voyez donc pas qu'il me manque justement l'organe avec lequel on prise ! Le diable soit de votre sale tabac ! Je suis dans un état à refuser le meilleur "râpé" ! »

Sur ces mots, Kovaliov quitta, fort irrité, le bureau d'annonces et s'en fut tout droit chez le commissaire du quartier. Il le trouva en train de s'étirer, de bâiller en marmonnant : « Ah ! quelle bonne petite sieste je viens de faire ! » Le major n'aurait su arriver plus mal à propos. Le commissaire aimait fort à encourager les arts et les métiers, mais il aimait encore davantage les billets de banque. « Qu'y a-t-il de meilleur ? avait-il coutume de dire. Un billet, cela ne prend pas de place, cela ne demande aucun entretien : on peut toujours le fourrer dans sa poche, et si on le laisse tomber, il ne se fait aucun mal. »

Le commissaire reçut Kovaliov plutôt froidement : on ne procède point à des enquêtes aussitôt après dîner ; la nature a sagement ordonné une légère sieste après la réfection corporelle (le commissaire montra ainsi au major que les maximes des anciens ne lui étaient pas inconnues) ; d'ailleurs un homme comme il faut ne se laisse pas arracher le nez.

Le commissaire ne mâchait pas ses mots. Et Kovaliov, remarquons-le en passant, était fort susceptible. Il pardonnait à la rigueur les attaques dirigées contre sa personne, mais n'admettait aucun manque de respect envers son grade ou son état. À l'en croire, on pouvait permettre aux auteurs dramatiques de railler les officiers subalternes à condition de les empêcher de s'en prendre aux officiers supérieurs. L'accueil du commissaire déconcerta Kovaliov à tel point qu'il proféra sur un ton très digne, les bras légèrement écartés du corps :

« Après une réflexion aussi désobligeante, je n'ai plus rien à ajouter. »

Il se retira donc et rentra chez lui en chancelant. La nuit tombait déjà. Après toutes ses démarches infructueuses, son logis lui parut d'une tristesse, d'une laideur infinies. Il trouva dans l'antichambre son domestique Ivan qui, vautré sur un divan de cuir sordide, s'exerçait avec assez de bonheur à cracher au même endroit du plafond. Une pareille indifférence redoubla la fureur de Kovaliov ; il donna au faquin un grand coup de chapeau sur le front en criant :

« Ah, le dégoûtant ! toujours des sottises en tête ! »

Ivan sauta à bas du divan et se mit précipitamment en devoir de retirer le manteau de son maître.

Une fois dans sa chambre, le major, en proie à la fatigue et à la mélancolie, se laissa choir dans un fauteuil. Il poussa quelques soupirs, puis se tint ce discours :

« Mon Dieu, mon Dieu, pourquoi m'envoyez-vous cette calamité ? S'il s'agissait d'un bras ou d'une jambe, ce ne serait que demi-malheur. Mais, sans nez, un homme n'est plus un homme ; c'est un rien qui vaille, bon à jeter par la fenêtre. Si encore je l'avais perdu en duel, ou à la guerre, ou par ma faute ! Hélas non ! il a disparu comme cela, sans rime ni raison... Non, reprit-il après quelques instants de silence, c'est inconcevable. Je suis le jouet d'un cauchemar, d'une hallucination. Sans doute ai-je bu, au lieu d'eau pure, de cette eau-de-vie dont je me frotte le menton quand on m'a fait la barbe Cet imbécile d'Ivan aura oublié d'emporter le flacon et je l'aurai avalé par distraction. »

Pour se convaincre qu'il n'était pas ivre, le major se pinça si fort qu'il en poussa un cri. La douleur le convainquit qu'il jouissait bel et bien de toutes ses facultés. Il s'approcha à petits pas du miroir, les yeux à demi clos, dans l'espoir qu'en les rouvrant, il aurait la surprise de retrouver son nez en bonne et due place ; mais il bondit aussitôt en arrière en grommelant

« Pouah ! quelle sale bobine ! »

C'était vraiment à n'y rien comprendre. Un bouton, une cuiller d'argent, une montre ou tout autre objet de ce genre, passe encore ! Mais perdre son nez, et dans son propre logis !...

Tout bien considéré, le major Kovaliov se persuada que l'auteur du délit ne pouvait être que Mme Podtotchine. Cette personne désirait le voir épouser sa fille ; lui-même, à l'occasion, courtisait volontiers la demoiselle, mais reculait devant un engagement définitif. Mis au pied du mur par la maman, il avait rengainé ses compliments et déclaré qu'il était encore trop jeune : encore cinq ans de service, il aurait alors quarante-deux ans, et l'on verrait. Par esprit de vengeance, la Podtotchine s'était résolue à le défigurer, sans doute, et avait employé à cette fin quelque jeteuse de sorts. En effet, le nez n'avait pu être coupé : personne n'avait pénétré dans sa chambre ; le barbier Ivan Yakovlévitch l'avait encore rasé le mercredi ; et ce jour-là ainsi que le suivant, le nez était encore en place ; Kovaliov s'en souvenait parfaitement. Au reste, une blessure de ce genre, sans doute fort douloureuse, ne se fût pas cicatrisée si vite ; elle n'eût point affecté la forme plate d'une crêpe. Le major ruminait divers plans de conduite. Devait-il porter plainte contre Mme Podtotchine ou se rendre chez elle pour la confondre ? Une lueur qui filtrait à travers les fissures de la porte interrompit ses méditations et lui révéla qu'Ivan avait allumé une bougie dans l'antichambre. Bientôt Ivan apparut, porteur de ladite bougie, qui répandit une vive clarté dans toute la pièce.

Le premier mouvement de Kovaliov fut de s'emparer de son mouchoir et de dissimuler l'emplacement où, la veille encore, trônait son nez : il ne tenait pas à ce que ce maraud de valet demeurât bouche bée à contempler l'aspect hétéroclite de son maître.

Ivan avait à peine regagné sa tanière qu'une voix inconnue retentit dans l'antichambre.

« C'est bien ici qu'habite M. l'assesseur de collège Kovaliov ? »

Le major bondit.

« Entrez ; le major Kovaliov est chez lui », dit-il
en ouvrant la porte.

Celle-ci livra passage à un exempt de belle prestance, dont les joues plutôt rebondies se paraient
de favoris ni trop clairs ni trop foncés, le même
que nous avons rencontré au commencement de
ce récit, au bout du pont Saint-Isaac.

« Vous avez perdu votre nez ?

— Tout juste.

— Eh bien, il est retrouvé !

— Que dites-vous ? » s'écria le major Kovaliov,
à qui la joie enleva l'usage de la parole. Il dévorait
des yeux l'exempt planté devant lui, sur les lèvres
et les joues duquel se jouait la lueur vacillante de
la bougie. « Comment l'a-t-on retrouvé ?

— Oh, d'une manière fort étrange ! On l'a arrêté
au moment où il se disposait à prendre la dili-
gence de Riga. Il s'était depuis longtemps muni
d'un passeport au nom d'un fonctionnaire. Et
le plus bizarre, c'est que je l'ai tout d'abord pris
pour un monsieur ! Heureusement que j'avais mes
lunettes ! Cela m'a permis de reconnaître que ce
n'était qu'un nez. Je dois vous dire que je suis
myope : vous êtes là devant moi, mais je ne vois
que votre visage, sans distinguer ni votre nez ni
votre barbe. Ma belle-mère, j'entends la mère de
ma femme, a, elle aussi, la vue faible. »

Kovaliov ne se sentait plus de joie.

« Où est-il ? Où est-il ? Que je coure le chercher !

— Inutile de vous déranger. Sachant que vous en

aviez besoin, je vous l'ai apporté. Le plus curieux de l'affaire, c'est que le principal complice est un chenapan de barbier de la rue de l'Ascension ! Il est maintenant sous les verrous. Il y a longtemps que je le soupçonnais de vol et d'ivrognerie : pas plus tard qu'avant-hier, il a chapardé dans une boutique une douzaine de boutons. Votre nez est d'ailleurs en parfait état. »

L'exempt fouilla dans sa poche et en retira un nez enveloppé dans un papier.

« C'est bien lui, s'écria Kovaliov, c'est bien lui ! Permettez-moi de vous offrir une tasse de thé.

— J'accepterais avec grand plaisir ; par malheur, je n'ai pas le temps ; il me faut encore passer à la maison d'arrêt... Les denrées, voyez-vous, deviennent inabordables... J'entretiens ma belle-mère, mes enfants ; l'aîné, un garçon très intelligent, donne de grandes espérances ; mais je n'ai pas les moyens de leur donner de l'instruction[1]... »

Après le départ de l'exempt, le major fut quelque temps sans recouvrer l'usage de ses sens : la joie avait failli lui faire perdre la raison. Il prit avec force précautions dans le creux de sa main le nez retrouvé et le considéra très attentivement.

« C'est lui, c'est bien lui ! dit-il. Voici sur la narine gauche le bouton qui m'est venu hier ! »

Le major faillit éclater de rire. Mais rien n'est durable ici-bas ; au bout d'une minute, la joie perd de sa vivacité ; une minute encore et la voilà plus faible ; elle se fond ainsi par degrés avec notre état d'âme habituel, comme le cercle fermé par la chute d'un caillou se dilue à la surface de l'eau.

Toutefois, en y réfléchissant, le major s'aperçut

que tout n'était pas dit. Il ne suffisait pas d'avoir retrouvé le nez, il fallait encore le remettre en place.

Et s'il allait ne pas tenir ?

À cette question qu'il s'était posée à lui-même, le major pâlit. Sous le coup d'une peur indicible, les mains tremblantes, il se précipita vers le miroir de sa table de toilette. Il risquait bel et bien de replacer son nez de travers ! Doucement, avec précaution, il le posa à son ancienne place. Horreur ! le nez ne voulait pas tenir !... Il l'approcha de ses lèvres, le réchauffa de son souffle, l'appliqua sur la surface lisse qui s'offrait entre les deux joues : peine perdue, le nez n'adhérait toujours pas !

« Allons, allons ! remets-toi en place, animal ! » lui disait-il, mais le nez semblait sourd et retombait chaque fois sur la table en émettant un son étrange, comme s'il eût été de liège.

« Ne voudra-t-il jamais tenir ? » s'écria le major, les traits contractés. Mais plus il le remettait en place et moins le nez voulait adhérer.

En désespoir de cause, Kovaliov envoya chercher le médecin qui habitait au premier, dans le meilleur appartement de la maison. Cet homme de belle mine possédait une femme appétissante et des favoris d'ébène ; il mangeait des pommes crues et tous les matins passait trois quarts d'heure à se rincer la bouche et à se frotter les dents avec cinq brosses différentes. Il ne tarda pas à se présenter et demanda tout d'abord quand s'était produit l'accident. Puis il souleva le menton du major et lui appliqua une chiquenaude à l'endroit où aurait dû se trouver le nez : la violence du coup

fit reculer Kovaliov qui alla donner de la nuque
contre le mur. L'esculape lui conseilla de ne pas
prêter attention à cette bagatelle et d'éloigner légèrement sa tête du mur. Il la lui fit alors tourner,
d'abord à droite, puis à gauche, en palpant chaque
fois l'endroit où aurait dû se trouver le nez et en
murmurant : « Hum ! » Finalement il lui donna
une seconde chiquenaude : cette fois-ci, Kovaliov
rejeta la tête en arrière comme un cheval auquel
on inspecte les dents. Après cet examen, l'homme
de l'art branla le chef et déclara :

« Restez donc comme vous êtes, pour éviter
des complications. On peut évidemment remettre
votre nez en place ; je m'en chargerais volontiers ;
mais, je vous le répète, vous vous en trouverez
plus mal.

— Comment cela ? dit Kovaliov. Quelle situation peut être pire que la mienne ? Que voulez-vous
que je devienne sans nez ? Où irai-je, accommodé
de la sorte ? Pourtant, je suis assez répandu dans
le monde : aujourd'hui même, je dois assister à
deux soirées. J'ai de nombreuses connaissances :
Mme la conseillère Tchékhtariov, Mme Podtotchine, la veuve d'un officier supérieur... Il est
vrai que je ne saurais dorénavant fréquenter cette
dernière. Après de pareils procédés, je n'aurai de
relations avec elle que par l'intermédiaire de la
police... Mais enfin... Voyons, docteur, poursuivit
Kovaliov d'une voix suppliante, n'y a-t-il vraiment
pas moyen ? Arrangez-le tant bien que mal ; à la
rigueur et en cas de danger, je puis le soutenir
de la main. Comme d'ailleurs je ne danse pas, il
n'y a pas à redouter de geste imprudent... En ce

qui concerne vos honoraires, soyez persuadé que, dans la mesure de mes moyens, je...

— Voyez-vous, répliqua le médecin d'une voix entre deux tons extrêmement persuasive, voyez-vous, je n'exerce pas la médecine par esprit de lucre. Cela serait contraire à mes principes et à la dignité de mon art. Si je fais payer mes visites, c'est uniquement pour ne pas faire aux gens l'affront d'un refus. Je pourrais, c'est certain, remettre votre nez en place, mais je vous jure sur l'honneur que votre situation ne ferait ensuite qu'empirer. Laissez agir la nature. Faites de fréquentes ablutions à l'eau froide ; je vous assure que, sans nez, vous vous porterez aussi bien que si vous en aviez un. Quant à votre nez, je vous conseille de le mettre dans un bocal et de le conserver dans un peu d'alcool, ou mieux encore dans un peu de vinaigre tiédi après y avoir versé deux cuillerées d'esprit de sel. Vous pourrez alors en tirer une somme assez coquette : je serai le premier à l'acheter, si vous n'en demandez pas trop cher.

— Non, non, s'écria le major exaspéré ; je ne vous le vendrai pas, je préfère le perdre tout à fait.

— À votre aise, dit le praticien en prenant congé. Je désirais vous être utile ; vous ne le voulez pas ; c'est votre affaire. Tout au moins, croyez bien que j'ai fait tout mon possible pour vous. »

Sur ces paroles, il se retira avec un grand air de dignité, auquel Kovaliov, complètement désemparé, ne prit d'ailleurs point garde : c'est à peine si le malheureux remarqua les manchettes d'une blancheur de neige qui tranchaient sur l'habit noir de l'esculape.

Le lendemain, le major se résolut, avant de porter plainte, à une tentative de conciliation : Mme Podtotchine consentirait peut-être à lui retourner son bien sans esclandre. En conséquence, il lui écrivit la lettre suivante :

« Très honorée Alexandrine[1] Grigorievna,

Je n'arrive pas à comprendre votre manière d'agir. Vous n'y gagnerez rien. Pareil procédé ne saurait me contraindre à épouser mademoiselle votre fille. Car l'affaire est éclaircie : vous en êtes la principale instigatrice, nul ne l'ignore plus. La disparition subite de mon nez, sa fuite, son déguisement sous les traits d'un fonctionnaire, sa réapparition sous sa propre forme, sont l'effet des sortilèges opérés par vous ou par les personnes qui vous prêtent leur concours pour de si nobles exploits. Je crois bon de vous prévenir que si mon nez n'a pas repris dès aujourd'hui sa place, je me verrai contraint de me placer sous la protection des lois.

Sur ce, j'ai l'honneur d'être, madame, avec un profond respect,

Votre dévoué serviteur,

PLATON KOVALIOV. »

« Très honoré Platon Kouzmitch,

Votre lettre a tout lieu de me surprendre. Je ne me serais jamais attendue à pareils reproches de votre part. Je n'ai jamais reçu, ni sous un déguisement, ni sous son véritable aspect, le fonctionnaire dont vous m'entretenez. Philippe Ivanovitch

Potantchikov a, il est vrai, fréquenté chez moi et recherché la main de ma fille. Cependant, malgré ses bonnes mœurs, sa sobriété, son instruction, je ne lui ai jamais donné le moindre espoir. Vous me parlez d'une histoire de nez. Si vous entendez par là que vous avez reçu un pied de nez, en d'autres termes que vous avez essuyé un refus de ma part, laissez-moi vous dire que c'est précisément le contraire. J'ai toujours été et je suis toujours prête à vous accorder la main de ma fille ; c'est le plus cher de mes désirs. Et dans cet espoir, j'ai l'honneur d'être

Votre bien dévouée,

ALEXANDRINE PODTOTCHINE. »

« Non, se dit Kovaliov après lecture de cette lettre, non, elle n'est pas coupable ! Impossible ! Je ne reconnais pas là le style d'une criminelle. »

L'assesseur, qui avait procédé au Caucase à plus d'une enquête, s'entendait en ces matières.

« Mais alors, comment cela est-il arrivé ? Le diable seul pourrait débrouiller l'affaire ! » s'exclama-t-il enfin en laissant retomber ses bras de désespoir.

Cependant, cette singulière aventure faisait, non sans les embellissements coutumiers, le tour de la capitale. Les esprits étaient alors tournés vers le surnaturel. Des expériences de magnétisme venaient depuis peu de passionner le public. L'histoire des chaises tournantes de la rue des Grandes-Écuries était encore présente à toutes les mémoires. Aussi ne tarda-t-on pas à prétendre que le nez de l'assesseur de collège Kovaliov se promenait tous les jours à trois heures précises sur la Perspective. Les curieux affluèrent. Quelqu'un ayant affirmé que le nez se trouvait chez Junker, il se forma devant ce magasin un rassemblement si considérable que la police dut intervenir. Un spéculateur, homme qui d'ordinaire vendait des gâteaux secs à la porte des théâtres et qui ne manquait pas de prestance, grâce à des favoris bien fournis, fabriqua incontinent de solides banquettes qu'il loua aux curieux à raison de quatre-vingts kopeks la place. Attiré par ce faux bruit, un brave colonel en retraite partit de chez lui plus tôt que de coutume et se fraya un chemin à grand-peine à travers la foule. En fait de nez, il aperçut dans la vitrine un vulgaire gilet de laine, ainsi qu'une lithographie exposée là depuis plus de dix ans, laquelle représente un petit-maître à barbiche et gilet en cœur, épiant, de derrière un arbre, une jeune fille en train de rattacher son bas. Le colonel ne dissimula pas son dépit et se retira en grommelant :

« A-t-on idée de répandre des bruits aussi ineptes, aussi invraisemblables ! »

D'autres nouvellistes jurèrent alors que ce n'était point sur la Perspective, mais au Jardin de Tauride que se promenait le nez du major Kovaliov ; cela ne datait pas d'hier ; lorsque Khozrev-Mirza[1] y avait sa résidence, ce jeu de la nature l'avait fortement intrigué. Plusieurs élèves de l'École de chirurgie allèrent alors voir ce qui en était. Une grande dame très respectable écrivit au gardien de bien vouloir montrer à ses enfants ce rare phé-

nomène, en leur donnant, si possible, quelques-
unes de ces explications qui sont si profitables à
la jeunesse.

Tous ces événements réjouirent fort les habitués des réceptions mondaines, qui se trouvaient
justement à court d'anecdotes propres à distraire
les dames. En revanche, un petit nombre de personnes bien-pensantes ne cachèrent point leur
mécontentement. Un monsieur s'indignait hau-
tement : comment, en un siècle aussi éclairé,
pouvait-on propager de telles sornettes, et pourquoi le gouvernement n'y mettait-il pas bon
ordre ? Le monsieur appartenait à la catégorie
des individus qui voudraient voir le gouvernement
intervenir partout, même dans les disputes qu'ils
ont journellement avec leurs femmes[1].

Alors… ; mais de nouveau l'aventure se perd
dans un brouillard si épais que personne n'a
jamais pu le percer.

III

Il se passe en ce bas monde des choses d'où la
vraisemblance est bien souvent bannie. Un beau
jour, ce fameux nez, qui se promenait affublé en
conseiller d'État et faisait tant parler de lui, se
retrouva soudain, comme si rien ne s'était passé,
à son ancienne place, c'est-à-dire entre les deux
joues du major Kovaliov. L'événement eut lieu le
7 avril. À son réveil, le major jeta par hasard un

coup d'œil à son miroir et s'aperçut du retour de son nez. Il y porta la main. C'était bien lui.

« Ah bah ! » s'écria Kovaliov qui, dans sa joie, aurait dansé, pieds nus, un *trépak* endiablé au travers de sa chambre si la venue d'Ivan ne l'en avait empêché. Il se fit aussitôt apporter de l'eau pour ses ablutions. En se débarbouillant, il se mira de nouveau : le nez était bien là ! Il se mira encore tout en s'essuyant : le nez restait en place !

« Dis-moi, Ivan, il me semble que j'ai un bouton sur le nez ? » demanda-t-il en songeant avec anxiété :

« Et si Ivan allait me dire : "Un bouton ? mais non, monsieur, puisque vous n'avez pas de nez !" »

Mais Ivan répondit :

« Pas le moindre bouton, monsieur, votre nez est absolument net. »

« Ça va, ça va, saperlotte ! » se dit le major en faisant claquer ses doigts.

À ce moment apparut au seuil de la chambre le barbier Ivan Yakovlévitch, craintif comme un chat qui vient d'être fouetté pour avoir volé du lard.

« D'abord et avant tout, as-tu les mains propres ? lui cria de loin le major Kovaliov.

— Oui, monsieur.

— Tu mens !

— Parole d'honneur, monsieur !

— Prends garde ! »

Kovaliov s'assit, Ivan Yakovlévitch lui passa une serviette au cou et, en une minute, lui convertit à coups de blaireau le menton, puis une partie de la joue, en une crème pareille à celle que l'on sert les jours de fête dans le monde marchand.

« Ah ! très bien ! » se dit-il en regardant le nez, après quoi il inclina la tête de l'autre côté et le contempla de biais. « Le voilà revenu, le brigand ! » reprit-il *in petto*. Quand il se fut absorbé un temps suffisant dans la contemplation du nez, il leva deux doigts pour le saisir par le bout avec toutes les précautions d'usage. Telle était sa méthode.

« Attention, nom d'une pipe ! » lui cria Kovaliov.

Ivan Yakovlévitch laissa retomber son bras, intimidé comme il ne l'avait encore jamais été. Enfin il se mit à racler prudemment le menton du major. Bien qu'il éprouvât une grande difficulté à raser ses pratiques sans les tenir par leur organe olfactif, il parvint, en appuyant son pouce calleux sur la joue et la gencive de Kovaliov, à mener non sans peine sa tâche à bien.

Kovaliov s'habilla à la hâte, sauta dans un fiacre et se fit conduire au café.

« Garçon, un chocolat ! » cria-t-il dès l'entrée. Un regard dans une glace lui permit de constater aussitôt la présence de son nez. Il se retourna tout joyeux et lança en clignotant une œillade sarcastique du côté de deux militaires, dont l'un avait le nez pas plus gros qu'un bouton de gilet.

De là, il se rendit dans les bureaux où il sollicitait une charge de vice-gouverneur, et, en cas d'insuccès, une place d'inspecteur. En traversant l'antichambre, il se regarda au miroir : le nez était toujours là.

Puis il alla faire visite à un autre assesseur ou major, un grand railleur aux brocards duquel il répliquait d'ordinaire : « Je te connais, mauvaise langue ! » En chemin, il se disait : « Si le major n'éclate pas de rire en me voyant, c'est que tout va bien. » Le major ne souffla mot. « Ça va, ça va saperlotte ! » se répéta Kovaliov.

Il rencontra Mme Podtotchine et sa fille. Ces dames répondirent à son salut par de joyeuses exclamations, preuve que tout allait bien. Une longue conversation s'engagea. Kovaliov tira sa tabatière et se bourra consciencieusement les deux narines en marmonnant : « Voilà, belles dames ! Et vous aurez beau faire, je n'épouserai pas la gamine..., si ce n'est de la main gauche[1]... »

Depuis lors, le major Kovaliov se fait voir partout, à la promenade comme au théâtre. Et son nez demeure planté au bon endroit, comme s'il n'avait jamais eu la fantaisie d'aller se pavaner ailleurs. Aussi le major Kovaliov se montre-t-il toujours d'excellente humeur ; il poursuit, le sourire aux lèvres, toutes les jolies femmes. On l'a même vu une fois au Bazar en train d'acheter le ruban de je ne sais plus quel ordre, chose d'ailleurs surprenante, car il n'est chevalier d'aucun ordre.

Telle est l'aventure qui eut pour théâtre la capitale septentrionale de notre vaste empire. À y bien réfléchir, beaucoup de détails en paraissent inconcevables. Sans parler de la disparition, vraiment surnaturelle, du nez et de sa réapparition en divers endroits sous forme de conseiller d'État, comment Kovaliov a-t-il pu songer à réclamer son nez par la voie des journaux ? Je ne parle pas du coût de l'annonce – n'allez pas me ranger parmi les avares ! – mais de son inconvenance, de son

immodestie ! Et puis comment le nez s'est-il trouvé
tout d'un coup dans un pain frais ? Comment Ivan
Yakovlévitch… Non, cela ne tient pas debout, je
ne le comprends absolument pas… Mais, ce qu'il
y a de plus étrange, de plus extraordinaire, c'est
qu'un auteur puisse choisir de pareils sujets… Je
l'avoue, cela est, pour le coup, absolument inconcevable, c'est comme si… non, non, je renonce à
comprendre. Premièrement, cela n'est absolument
d'aucune utilité pour la patrie ; deuxièmement…
mais deuxièmement non plus, d'aucune utilité.
Bref, je ne sais pas ce que c'est que ça…

   Et cependant, malgré tout, bien que, certes, on
puisse admettre et ceci, et cela, et encore autre
chose, peut-être même… et puis enfin quoi, où n'y
a-t-il pas d'incohérences ? Et après tout, tout bien
considéré, dans tout cela, vrai, il y a quelque chose.
Vous aurez beau dire, des aventures comme cela
arrivent en ce monde, c'est rare, mais cela arrive.

Le Manteau

Traduction d'Henri Mongault.

Au ministère de... Non, mieux vaut ne pas le nommer. Personne n'est plus susceptible que les fonctionnaires, officiers, employés de bureau et autres gens en place. À l'heure actuelle, chaque particulier croit que si l'on touche à sa personne, toute la société en est offensée. Dernièrement, paraît-il, le capitaine-ispravnik de je ne sais plus quelle ville a exposé sans ambages dans une supplique que le respect des lois se perd et que son nom sacré est prononcé « en vain ». À l'appui de ses dires, il a joint à la pétition un gros ouvrage romantique où, toutes les dix pages, apparaît un capitaine-ispravnik, parfois dans un état d'ébriété prononcée. Aussi, pour éviter des désagréments, appellerons-nous le ministère dont il s'agit tout simplement *un certain ministère*.

Donc, il y avait *dans un certain ministère un employé*. Cet employé ne sortait guère de l'ordinaire : petit, grêlé, rousseau, il avait la vue basse, le front chauve, des rides le long des joues et l'un de ces teints que l'on qualifie d'hémorroïdaux... Que voulez-vous, la faute en est au climat pétersbourgeois ! Quant au grade (car chez nous, c'est toujours par cette indication qu'il faut commencer), c'était l'éternel *conseiller titulaire* dont se sont amplement gaussés bon nombre d'écrivains parmi ceux qui ont la louable habitude de s'en prendre aux gens incapables de montrer leurs crocs. Il s'appelait Bachmatchkine, nom qui provient, cela se voit, de *bachmak*, savate ; mais on ignore comment se produisit la dérivation. Le père, le grand-père, le beau-frère même, et tous les parents de Bachmatchkine sans exception, portaient des bottes qu'ils se contentaient de faire ressemeler deux ou trois fois l'an. Il se prénommait Akaki Akakiévitch. Mes lecteurs trouveront peut-être ce prénom bizarre et recherché. Je puis les assurer qu'il n'en est rien et que certaines circonstances ne permirent pas de lui en donner un autre. Voici comment les choses se passèrent : Akaki Akakiévitch naquit à la tombée de la nuit, un 23 mars, si j'ai bonne mémoire. Sa pauvre mère, une femme de fonctionnaire très estimable sous tous les rapports, se mit en devoir de le faire baptiser. Elle était encore couchée dans son lit, en face de la porte, ayant à sa droite le parrain Ivan Ivanovitch Iérochkine, un excellent homme, chef de bureau au Sénat, et la marraine, Irène Sémionovna Biélobriouchkov, femme d'un exempt de police, douée de rares vertus. On soumit trois noms au choix de l'accouchée : Mosée, Sosie et Cosdazat martyr. « Diables de noms ! se dit-elle ; je n'en veux pas. » Pour lui faire plaisir, on ouvrit l'almanach à une autre page, et de nouveau trois noms se présentèrent : Triphylle,

Dulas et Barachise. « C'est une vraie punition du
bon Dieu, grommela la bonne dame ; rien que des
noms impossibles ; je n'en ai jamais entendu de
pareils ! Passe encore pour Baradate ou Baruch,
mais Triphylle et Barachise ! » L'on tourna encore
une page et l'on tomba sur Pausicace et Bacti-
soès. « Allons ! dit l'accouchée, c'est décidément
un coup du sort ; dans ces conditions, mieux vaut
lui donner le nom de son père. Le père s'appelait
Acace ; que le fils s'appelle aussi Acace. » Voilà
pourquoi notre héros se prénommait Akaki Akakiévitch. On baptisa l'enfant, qui se prit à pleurer
et à grimacer comme s'il pressentait qu'il serait un
jour conseiller titulaire. C'est ainsi que les choses
se passèrent. Nous avons donné ces détails pour
que le lecteur puisse se convaincre que la nécessité seule dicta ce prénom[1].

Personne ne se rappelait à quelle époque Akaki
Akakiévitch était entré au ministère et qui l'y avait
recommandé. Les directeurs, les chefs de division,
les chefs de service et autres avaient beau changer,
on le voyait toujours à la même place, dans la
même attitude, occupé à la même besogne d'expéditionnaire, si bien que par la suite on prétendit
qu'il était venu au monde en uniforme et le crâne
dénudé. On ne lui témoignait aucune considération. Loin de se lever sur son passage, les huissiers
ne prêtaient pas plus d'attention à son approche
qu'au vol d'une mouche. Ses supérieurs le trai-
taient avec une froideur despotique. Le premier
sous-chef venu lui jetait des paperasses sous le nez
sans même prendre la peine de dire : « Ayez

l'obligeance de copier ça », ou : « Voilà un petit dossier fameux », ainsi qu'il se pratique entre bureaucrates bien élevés. Sans un regard pour la personne qui lui imposait cette tâche, sans se préoccuper si elle avait le droit de le faire, Akaki Akakiévitch considérait un instant le document, puis se mettait en devoir de le copier. Ses jeunes collègues épuisaient sur lui l'arsenal des plaisanteries en cours dans les bureaux. Ils racontaient en sa présence toutes sortes d'historiettes inventées sur son compte ; ils prétendaient qu'il endurait les sévices de sa logeuse, vieille femme de soixante-dix ans, et lui demandaient quand il l'épouserait ; ils lui versaient sur la tête des rognures de papier, « une chute de neige », s'exclamaient-ils. Mais Akaki Akakiévitch demeurait impassible ; on aurait dit que personne ne se trouvait devant lui ; il ne se laissait pas distraire de sa besogne et toutes ces importunités ne lui faisaient pas commettre une seule bévue. Si la taquinerie dépassait les bornes, si quelqu'un lui poussait le coude et l'arrachait à sa tâche, il se contentait de dire :

« Laissez-moi ! Que vous ai-je fait ? »

Il y avait quelque chose d'étrange dans ces paroles. Il les prononçait d'un ton si pitoyable qu'un jeune homme, récemment entré au ministère et qui avait cru bon d'imiter ses collègues en persiflant le bonhomme, s'arrêta soudain comme frappé au cœur. Depuis lors, le monde prit à ses yeux un nouvel aspect ; une force surnaturelle parut le détourner de ses camarades, qu'il avait tenus tout d'abord pour des gens bien élevés. Et longtemps, longtemps ensuite, au cours des

minutes les plus joyeuses, il revit le petit employé
au front chauve, et il entendit ses paroles pénétrantes : « Laissez-moi ! Que vous ai-je fait ? »
Et dans ces paroles pénétrantes résonnait l'écho
d'autres paroles : « Je suis ton frère ! » Alors, le
malheureux jeune homme se voilait la face, et plus
d'une fois au cours de son existence, il frissonna
en voyant combien l'homme recèle d'inhumanité,
en constatant quelle grossière férocité se cache
sous les manières polies, même, ô mon Dieu, chez
ceux que le monde tient pour d'honnêtes gens...

On aurait difficilement trouvé un fonctionnaire
aussi profondément attaché à son emploi qu'Akaki
Akakiévitch. Il s'y adonnait avec zèle ; non, c'est
trop peu dire, il s'y adonnait avec amour. Cette
éternelle transcription lui paraissait un monde
toujours charmant, toujours divers, toujours
nouveau. Le plaisir qu'il y prenait se reflétait sur
ses traits ; quand il arrivait à certaines lettres qui
étaient ses favorites, il ne se sentait plus de joie,
souriait, clignotait, remuait les lèvres comme pour
s'aider dans sa besogne. C'est ainsi qu'on pouvait
lire sur son visage les lettres que traçait sa plume.
Si l'on avait dignement récompensé son zèle, il
fût sans doute parvenu, non sans surprise de sa
part, au titre de conseiller d'État ; mais il n'avait
jamais obtenu, pour parler comme ses plaisan-
tins de collègues, que zéro-zéro à la boutonnière
et des hémorroïdes au bas des reins. Toutefois,
ce serait aller trop loin de prétendre qu'on ne lui
témoigna jamais d'égards. Désireux de récompenser ses longs états de service, un brave homme de
directeur lui confia un beau jour une besogne plus

importante que ses travaux de copie habituels. Il
s'agissait d'extraire d'un mémoire complètement
au point un rapport destiné à une autre administration : tout le travail consistait à changer le titre
général et à faire passer quelques verbes de la première à la troisième personne. Cette tâche parut si
ardue à Akaki Akakiévitch que le malheureux tout
en nage se frotta le front et finit par dire :

« Non, décidément, donnez-moi quelque chose
à copier. »

Depuis lors on le laissa à sa copie, en dehors de
laquelle rien ne semblait exister pour lui. Il ne se
préoccupait pas de sa toilette : son veston d'uniforme avait passé du vert au roux farineux. Il portait un col bas, étroit, au sortir duquel son cou,
bien que court, semblait d'une longueur extraordinaire, comme celui de ces chats de plâtre, au
chef branlant, que colportent par douzaines sur
leur tête de prétendus « étrangers », natifs de
Pétersbourg. Il fallait toujours qu'un fil, un fétu,
un brin de paille demeurât accroché à son veston ;
qui plus est, il avait l'art de se trouver sous une
fenêtre au moment précis où l'on en jetait toutes
sortes de détritus : en conséquence des écorces de
melons, de pastèques et d'autres brimborions du
même genre ornaient toujours son chapeau. Pas
une fois dans sa vie il ne prit garde au spectacle
quotidien de la rue, spectacle auquel les jeunes
employés accordent des regards si attentifs qu'ils
vont jusqu'à distinguer sur le trottoir d'en face la
déchirure d'un sous-pied, chose qui amène invariablement sur leurs lèvres un sourire narquois.
À supposer qu'Akaki Akakiévitch jetât les yeux

sur quelque objet, il devait y apercevoir des lignes écrites de sa belle écriture nette et coulante. Si un cheval venait tout à coup poser le nez sur son épaule et lui souffler une vraie tempête dans le cou, il reconnaissait enfin qu'il se trouvait au milieu de la rue et non point au milieu d'une ligne d'écriture. Rentré chez lui, il se mettait aussitôt à table, avalait sa soupe aux choux accompagnée d'un morceau de bœuf à l'oignon ; il ingurgitait ce mélange sans en remarquer le goût, avec les mouches et tous les suppléments que le bon Dieu daignait y ajouter selon la saison. Quand il se sentait l'estomac bien rempli, il se levait, sortait d'un tiroir une bouteille d'encre et copiait des documents apportés du bureau. Le travail venait-il à manquer, il prenait des copies pour son propre plaisir, préférant aux pièces intéressantes pour la beauté du style celles qui étaient adressées à des personnages nouvellement nommés ou haut placés.

Il est une heure où le ciel gris de Pétersbourg s'obscurcit complètement, où la gent bureaucrate ayant déjà dîné, chacun selon ses moyens ou sa fantaisie, se sent déjà reposée des tracas du bureau, grincements de plume, allées et venues, besognes pressantes, toutes les tâches qu'un travailleur infatigable s'impose parfois sans nécessité ; alors, elle se hâte de consacrer au plaisir le reste du jour. Les plus entreprenants s'en vont au théâtre ; celui-ci gagne la rue pour y contempler de jolies coiffures ; celui-là se rend en soirée pour y débiter des compliments à quelque piquante jeune fille, étoile d'un petit cénacle d'employés ; d'autres, les plus nombreux, s'en vont tout simplement voir

un collègue qui occupe au second ou au troisième
étage un petit appartement de deux pièces avec
cuisine, antichambre et certaines prétentions à la
mode, une lampe, un bibelot quelconque, fruit de
nombreux sacrifices, tels que privations de dîner,
de promenades, etc. À cette heure-là donc, où
tous les employés se dispersent dans les minus-
cules logements de leurs amis pour y jouer un
whist infernal tout en dégustant des verres de thé
accompagnés de biscuits d'un sou, en fumant de
longues chibouques, en racontant, tandis qu'on
donne les cartes, un de ces commérages du grand
monde dont le Russe ne saurait se passer, ou en
ressassant, faute de mieux, l'éternelle historiette
du commandant de place avisé par un plaisantin
que le Pierre le Grand de Falconnet a vu couper
la queue de son cheval ; bref, à cette heure-là où
chacun tâche de se distraire, seul Akaki Akakiévitch ne se permettait aucun délassement. Personne ne pouvait se souvenir de l'avoir jamais
aperçu à une soirée quelconque. Après avoir écrit
tout son saoul, il se couchait en souriant d'avance
à la pensée du lendemain : quels documents la
grâce de Dieu lui confierait-elle à copier ? Ainsi
s'écoulait dans la paix la vie d'un homme qui, avec
quatre cents roubles de traitement, se montrait
content de son sort ; et sans doute eût-il atteint
de la sorte une extrême vieillesse si, en ce bas
monde, toutes sortes de calamités n'attendaient
pas les conseillers titulaires, voire les conseillers
secrets, virtuels, auliques, etc., enfin les conseillers
de calibre divers, même ceux qui ne donnent ni
ne demandent de conseils à personne.

Un puissant ennemi guette à Pétersbourg les personnes qui jouissent d'un traitement de quatre cents roubles ou approchant. Cet ennemi, c'est notre climat septentrional, que l'on dit cependant fort sain. Le matin, entre huit et neuf, à cette heure où les employés s'en vont à leur ministère, le froid est justement si piquant et s'attaque avec une telle violence à tous les nez sans discernement que leurs malheureux propriétaires ne savent où se fourrer. Quand le froid donne de telles chiquenaudes au front des hauts fonctionnaires que les larmes leur jaillissent des yeux, les pauvres conseillers titulaires se trouvent parfois sans défense. Il ne leur reste qu'une chance de salut : s'envelopper de leur maigre pardessus et gagner en courant à travers cinq ou six rues le vestibule du ministère pour y battre la semelle jusqu'au moment où seront dégelées les facultés nécessaires à l'accomplissement de leurs devoirs professionnels. Depuis quelque temps, Akaki Akakiévitch avait beau franchir en courant la fatale distance, il se sentait tout transi, particulièrement au dos et aux épaules. Il en vint à se demander si ce n'était point par hasard la faute de son manteau. Il l'examina chez lui, à loisir, et découvrit qu'en deux ou trois endroits, précisément au dos et aux épaules, le drap avait pris la transparence de la gaze, et que la doublure avait à peu près disparu. Il faut savoir que le pardessus d'Akaki Akakiévitch alimentait aussi les sarcasmes de son bureau ; on lui avait même enlevé le noble nom de manteau pour le traiter dédaigneusement de « capote ». De fait, le vêtement avait un aspect plutôt bizarre. son col diminuait d'année en année, car il servait à rapiécer les autres parties. Le rapiéçage ne mettait pas en valeur les talents du tailleur ; l'ensemble était lourd et fort laid. Akaki Akakiévitch comprit qu'il lui faudrait porter son manteau au tailleur Pétrovitch, qui travaillait en chambre au troisième étage d'un escalier de service et qui, malgré un œil bigle et un visage grêlé, réparait assez habilement les habits et pantalons d'uniformes, même les habits civils, à condition, bien entendu, qu'il fût à jeun et n'eût point d'autre fantaisie en tête. Certes, il siérait de ne pas s'étendre sur ce tailleur ; mais comme on a pris l'habitude dans les romans de ne laisser dans l'ombre aucun caractère, attaquons-nous donc à ce personnage. Il ne devint Pétrovitch qu'après son affranchissement[1], lorsqu'il eut accoutumé de s'enivrer, d'abord aux grandes fêtes, puis à toutes celles que le calendrier marque d'une croix. Sous ce rapport, il observait fidèlement les coutumes ancestrales et, dans ses disputes avec sa noble épouse, traitait celle-ci soit de mondaine, soit d'Allemande. Et puisque nous avons fait allusion à cette personne, il va bien falloir aussi en dire deux mots. Par malheur, on ne savait trop rien sur son compte, sauf qu'elle était la femme de Pétrovitch et qu'elle portait un bonnet au lieu d'un fichu[2] ; elle n'avait point lieu, semble-t-il, de se vanter d'être belle ; du moins, il n'y avait que les soldats de la garde pour lui regarder sous le bonnet ; mais, ce faisant, ils hérissaient leur moustache et poussaient un grognement qui en disait long.

En grimpant l'escalier de Pétrovitch, escalier

qui, il faut lui rendre cette justice, était tout enduit de détritus et d'eaux grasses, tout pénétré aussi de cette odeur spiritueuse qui pique les yeux et qui se retrouve, comme nul ne l'ignore, dans tous les escaliers de service de Pétersbourg, – en grimpant donc l'escalier, Akaki Akakiévitch s'inquiétait déjà du prix que demanderait Pétrovitch et prenait la ferme résolution de ne pas lui donner plus de deux roubles. La porte du tailleur était ouverte, son honorable épouse ayant, en faisant griller je ne sais quel poisson, laissé échapper une fumée si épaisse que l'on ne distinguait même plus les cafards. Sans être remarqué de la maîtresse du logis, Akaki Akakiévitch traversa la cuisine et pénétra dans la pièce, où il aperçut Pétrovitch assis sur une large table de bois blanc, les jambes croisées sous lui, à la façon d'un pacha turc. Ses pieds étaient nus, suivant la coutume des tailleurs quand ils sont à leur ouvrage ; et ce qui, tout de suite, sautait aux yeux, c'était son gros orteil, que connaissait bien Akaki Akakiévitch, et dont l'ongle déformé était gros et fort comme une carapace de tortue. Pétrovitch portait suspendu à son cou un écheveau de soie et plusieurs de fil ; il tenait sur ses genoux un vieux vêtement. Depuis trois bonnes minutes, il s'efforçait en vain d'enfiler son aiguille ; il s'en prenait à l'obscurité et au fil lui-même, qu'il gourmandait à mi-voix : « Entreras-tu, à la fin, salaud ! M'as-tu assez fait enrager, maudit ! » Akaki Akakiévitch fut fort marri de trouver Pétrovitch en colère ; il aimait passer ses commandes au tailleur lorsque celui-ci était légèrement éméché, ou, comme disait sa femme, lorsque « ce diable de borgne s'en était fourré plein la lampe ».

Dans cet état, en effet, Pétrovitch se montrait coulant, accordait des rabais, se confondait en remerciements. Sa femme, il est vrai, venait ensuite pleurnicher auprès des pratiques, en leur assurant que son ivrogne de mari leur avait fait un prix vraiment trop bas ; alors on en était quitte si l'on octroyait une pièce de dix kopeks en supplément. Maintenant, au contraire, Pétrovitch semblait à jeun, par conséquent brusque, intraitable, enclin à exiger des prix fabuleux. Akaki Akakiévitch le comprit aussitôt et voulut s'esquiver ; mais il était trop tard : Pétrovitch le fixait déjà de son œil unique. Akaki Akakiévitch proféra involontairement :

« Bonjour, Pétrovitch !

— Je vous souhaite le bonjour, monsieur, répliqua Pétrovitch en reportant son regard sur les mains de son visiteur pour voir de quelles dépouilles elles étaient chargées.

— Eh bien, voilà, Pétrovitch, n'est-ce pas... »

Il faut savoir qu'Akaki Akakiévitch s'exprimait le plus souvent au moyen d'adverbes, de prépositions, voire de particules absolument dépourvues de sens. Dans les cas embarrassants, il ne terminait pas ses phrases, et fort souvent, après avoir commencé un discours de ce genre : « C'est vraiment tout à fait... n'est-ce pas... », il s'arrêtait court et croyait avoir tout dit.

« Qu'y a-t-il ? » demanda Pétrovitch en inspectant de son œil unique le veston d'Akaki Akakiévitch depuis le col jusqu'aux manches, sans omettre le dos, les basques, les boutonnières, toutes choses qu'il connaissait d'ailleurs fort bien, puisqu'elles étaient l'œuvre de ses mains. Mais, que voulez-vous, telle est la coutume des tailleurs.

« Eh bien, n'est-ce pas, Pétrovitch…, mon manteau… Partout ailleurs le drap reste solide… La poussière le fait paraître vieux, mais il est neuf… Il n'y a qu'à cet endroit, n'est-ce pas… Voilà, ici, sur le dos… Et puis, cette épaule est un peu râpée… Et celle-ci aussi, un tout petit peu, tu vois ?… Eh bien, c'est tout. Il n'y a pas grand travail… »

Pétrovitch prit la « capote », l'étendit sur la table, l'inspecta longuement, hocha la tête, atteignit sur la fenêtre une tabatière ronde ornée du portrait d'un général dont je ne saurais dire le nom, car un rectangle de papier remplaçait le visage crevé d'un coup de doigt. Après avoir prisé, Pétrovitch examina la capote à la lumière en l'étalant sur ses bras écartés, hocha de nouveau la tête, puis la retourna pour examiner la doublure. Alors, il hocha la tête pour la troisième fois, revint à sa tabatière, se bourra le nez, la referma, la remit en place et conclut enfin :

« Non, impossible de réparer ce machin-là, il est trop mûr ! »

Akaki Akakiévitch sentit un choc au cœur.

« Pourquoi cela, Pétrovitch ? dit-il d'une voix presque enfantine. Il n'est usé qu'aux épaules ; tu dois bien avoir un morceau ou deux que…

— Des morceaux, ça se trouve toujours, répliqua Pétrovitch. Mais impossible de les faire tenir là-dessus, c'est usé jusqu'à la corde, voyons ! ça se mettra en charpie dès que j'y planterai l'aiguille !

— Qu'est-ce que ça fait ? Mets-y tout de même une pièce, on verra bien !

— Et sur quoi voulez-vous que je la couse, votre pièce ? Non, croyez-moi, ce drap n'est plus drap que de nom ; vous voyez bien vous-même que c'est une guenille !

— Mais non, mais non... Arrange-le, fais tenir une pièce comme tu pourras...

— Non, trancha Pétrovitch, c'est impossible ! À votre place, quand viendront les froids, je me taillerais là-dedans des bandes molletières, parce que, voyez-vous, les bas, ça ne tient pas chaud, c'est une invention des Allemands pour mieux se remplir la poche. (Pétrovitch s'en prenait volontiers aux Allemands.) Et je me commanderais un manteau neuf. »

Le mot « neuf » faillit aveugler Akaki Akakiévitch ; tous les objets se confondirent brusquement devant ses yeux dans une sorte de brume, à travers laquelle il ne distingua plus que le général au visage de papier qui ornait la tabatière de Pétrovitch.

« Un manteau neuf ! prononça-t-il enfin comme en rêve... Mais où prendre l'argent ?

— Oui, un neuf, répéta flegmatiquement ce monstre de Pétrovitch.

— Et si, par hasard, je m'en faisais un neuf, qu'est-ce que... Voyons... n'est-ce pas..

— Combien coûtera-t-il, voulez-vous dire ?

— Précisément.

— Trois billets de cinquante roubles au bas mot », dit Pétrovitch en se pinçant les lèvres. Il aimait les gros effets, prenait plaisir à embarrasser les gens pour regarder en dessous quelle mine ils faisaient.

« Cent cinquante roubles, un manteau ! s'exclama, pour la première fois de sa vie, sans doute, le malheureux Akaki Akakiévitch, qui d'ordinaire parlait à voix très basse.

— Certainement, dit Pétrovitch ; et encore, ça dépend de quel manteau il s'agit. Si vous voulez un col de martre et un capuchon à doublure de satin, il faudra compter deux cents roubles.

— Au nom du Ciel, Pétrovitch, implora Akaki Akakiévitch sans vouloir entendre les propos du tailleur, ni prêter attention à ses effets ; au nom du Ciel, répare-le tant bien que mal, de façon qu'il me fasse encore un bout de service !

— Non, vous dis-je, j'y perdrais ma peine, et vous, votre argent. »

Sur ces mots, Akaki Akakiévitch quitta la pièce complètement anéanti. Et longtemps encore après son départ, Pétrovitch demeura immobile, les lèvres pincées, très satisfait d'avoir sauvegardé sa dignité et celle de son art.

Une fois dans la rue, Akaki Akakiévitch crut avoir rêvé. « En voilà une affaire ! se disait-il. Je n'aurais jamais cru... n'est-ce pas... » Et après un assez long silence, il reprit : « Non, je n'aurais pas cru que... » Un long silence suivit encore. Enfin, il ajouta : « Non, vraiment, c'est à n'y pas croire... » Sur ce, au lieu de rentrer chez lui, il se dirigea sans y prendre garde du côté opposé. Chemin faisant, un ramoneur le frôla et lui noircit l'épaule ; une avalanche de chaux dégringola sur lui du haut d'une maison en construction. Il ne remarqua rien

de tout cela et ne revint à lui-même qu'en allant
buter contre un garde de ville, qui, sa hallebarde
posée à côté de lui, secouait une corne de tabac
sur son poing calleux. Encore fallut-il que le bonhomme lui criât :

« Qu'as-tu à buter dans la gueule des gens ? Les
"troutoirs", c'est pour quoi faire ? »

Cette apostrophe lui fit ouvrir les yeux et
rebrousser chemin. Rentré en son logis, il put enfin
rassembler ses idées, examiner froidement la situation, se parler à lui-même, non plus par phrases
hachées, mais sur le ton de judicieuse franchise
dont on se sert pour discuter avec quelque sage
ami une affaire qui vous tient particulièrement au
cœur. « Non, se dit Akaki Akakiévitch, aujourd'hui,
il n'y a pas moyen de s'entendre avec Pétrovitch.
Il est dans un état plutôt... Sa femme aura dû le
battre. Je retournerai dimanche matin ; après sa
cuite de la veille, je le trouverai le regard louche
et tout sommeillant ; il voudra boire un coup pour
se remettre d'aplomb, et comme sa femme ne lui
donnera pas un sou, alors, moi, je lui baillerai une
pièce de dix kopeks ; du coup, il se montrera plus
conciliant, et alors, n'est-ce pas..., le manteau... »

Ce raisonnement redonna confiance à Akaki
Akakiévitch. Le dimanche suivant, il guetta la
femme de Pétrovitch et, dès qu'il la vit s'absenter,
il s'en fut droit chez son gaillard. Il le trouva bien
tout sommeillant, le regard louche et la tête très
basse ; mais, dès qu'il sut de quoi il retournait,
mon Pétrovitch parut possédé du démon.

« Non, déclara-t-il, c'est impossible, commandez-en
un neuf. »

Akaki Akakiévitch lui fourra dans la main une pièce de dix kopeks.

« Grand merci, monsieur, reprit Pétrovitch, je prendrai un verre à votre santé. Quant au manteau, croyez-moi, n'y pensez plus ; il est à bout, le pauvre ! Je vais vous en faire un neuf dont vous me direz des nouvelles. Fiez-vous-en à moi. »

Akaki Akakiévitch voulut revenir à ses moutons ; mais, sans l'écouter, Pétrovitch continua :

« Oui, oui, comptez sur moi, ce sera du beau travail. Et même, si vous tenez à être à la mode, je mettrai au col des agrafes d'argent plaqué. »

Désormais convaincu qu'il ne pourrait se passer d'un manteau neuf, Akaki Akakiévitch sentit son courage l'abandonner. Où trouver l'argent nécessaire ? Il attendait bien une gratification pour les fêtes, mais l'emploi en était réglé d'avance. Il lui fallait acheter un pantalon, payer au bottier un vieux remontage, commander à la lingère trois chemises et deux paires de ces attributs vestimentaires dont il serait inconvenant d'imprimer le nom ; bref Akaki Akakiévitch avait disposé de tout cet argent, et même si le directeur daignait porter la somme à quarante-cinq ou, disons plus, à cinquante roubles, il en resterait moins que rien, une bagatelle qui, dans la constitution du capital exigé pour le manteau, jouerait le rôle d'une goutte d'eau dans la mer. Évidemment, Pétrovitch voyait parfois la lune en plein midi et demandait alors des prix exorbitants ; sa femme elle-même ne pouvait quelquefois se retenir de lui crier : « Ah çà ! tu deviens fou ? Tu as le démon dans le ventre ? Il y a des jours où cet imbécile travaille pour rien, et le voilà maintenant en train de se faire payer plus cher qu'il ne vaut ! » Akaki Akakiévitch tenait pour certain que Pétrovitch se contenterait de quatre-vingts roubles, mais la question était de savoir où les trouver. À la rigueur, il savait où en prendre la moitié, peut-être un peu plus ; quant au reste... Indiquons d'abord au lecteur la provenance de cette première moitié. Sur chaque rouble qu'il dépensait, Akaki Akakiévitch avait coutume de retenir un liard et de le déposer, par une fente pratiquée dans le couvercle, au fond d'un coffret fermé à clef. Tous les six mois, il faisait le compte de ses pièces de cuivre et les remplaçait par des piécettes d'argent. Au bout de plusieurs années, il se trouva ainsi avoir plus de quarante roubles d'économies. Donc, la moitié de la somme était à sa disposition ; restait l'autre moitié. Où prendre ces quarante roubles manquants ? À force de réfléchir, Akaki Akakiévitch se résolut à réduire ses dépenses, tout au moins pendant une année. Dès lors, il ne prit plus de thé le soir et n'alluma plus de chandelle, emportant, quand besoin était, son travail dans la chambre de sa logeuse ; dans la rue, il se mit à marcher sur la pointe des pieds pour ménager ses semelles ; il n'avait recours que fort rarement aux offices de la blanchisseuse, pour ne point user son linge qu'il remplaçait, aussitôt rentré chez lui, par une vieille robe de chambre de futaine que le temps même avait épargnée. À dire vrai, ces restrictions lui parurent d'abord plutôt dures, mais il s'y accoutuma peu à peu et finit un beau jour par se passer tout à fait de souper. Comme il rêvait sans cesse à son futur manteau, cette rêverie lui fut une nourriture suffisante, encore qu'immatérielle. Bien plus : son existence elle-même prit de l'importance ; on devinait à ses côtés comme la présence d'un autre être, comme une compagne aimable qui aurait consenti à parcourir avec lui la route de la vie. Et cette compagne n'était autre que la belle pelisse neuve, à solide doublure ouatée. Il devint plus vif et plus ferme de caractère, ainsi qu'il sied à qui s'est une fois fixé un but. Le doute, l'indécision, tous les traits hésitants et imprécis disparurent de son visage comme de ses actes. Une flamme luisait parfois dans ses yeux, les pensées les plus audacieuses lui passaient parfois par la tête : pourquoi ne se commanderait-il pas un col de martre, après tout ! Cela finit par lui causer des distractions. Un jour qu'il copiait un document, il faillit commettre une erreur, si bien qu'il dut se signer en poussant un « ouf ! » de soulagement. Une fois par mois au moins, il allait trouver Pétrovitch pour lui parler du manteau ; où achèterait-on le drap ? quelle teinte conviendrait le mieux ? quel prix faudrait-il donner ? Après avoir débattu ces graves questions, il rentrait chez lui un tantinet préoccupé, mais songeant avec joie qu'un beau jour le manteau deviendrait une réalité. L'affaire prit même une tournure plus rapide qu'il ne le prévoyait. Contre toute attente, le chef du personnel lui octroya cette année-là soixante roubles de gratification au lieu des quarante ou quarante-cinq roubles habituels. Le chef du personnel devina-t-il qu'Akaki Akakiévitch devait se commander un manteau ? Faut-il ne voir là qu'un simple effet du hasard ?

Je n'en sais rien ; ce qu'il y a de certain, c'est qu'Akaki Akakiévitch put disposer d'une aubaine de vingt roubles inattendus. Cette circonstance avança fort les choses. Encore deux ou trois mois de privations et notre homme se trouva un beau matin à la tête des quatre-vingts roubles souhaités Son cœur, si calme d'ordinaire, se mit à battre à grands coups. Dès le jour même, il fit en compagnie de Pétrovitch sa tournée d'emplettes. On acheta, cela se conçoit, du drap de tout premier choix ; depuis un bon semestre qu'on y pensait, on avait eu le temps, de mois en mois, de s'informer des prix. Pétrovitch déclara d'ailleurs qu'on n'en trouverait pas de plus beau. Pour la doublure, on se contenta de calicot, mais d'un calicot de si haute qualité que, toujours selon Pétrovitch, il ne le cédait en rien à la soie et paraissait même plus lustré. Et comme la martre coûtait vraiment trop cher, on se rabattit sur du chat, en choisissant le plus beau du magasin ; d'ailleurs, à distance, il passerait toujours pour de la martre. La confection du manteau ne prit que deux petites semaines, et encore parce qu'il devait être ouaté et piqué ; autrement Pétrovitch l'aurait livré plus tôt. Le digne homme compta douze roubles de façon : on ne pouvait décemment demander moins, puisque tout était cousu à point arrière et à la soie, et que sur chaque couture Pétrovitch avait marqué avec ses dents les festons les plus divers.

Ce fut un... Je ne saurais, ma foi, préciser le jour où Pétrovitch apporta enfin le manteau. Akaki Akakiévitch n'en connut sans doute point de plus solennel au cours de son existence. C'était un matin, avant le départ pour le ministère, et le vêtement n'aurait pu arriver plus à propos, car les froids déjà vifs menaçaient de devenir rigoureux. Pétrovitch apporta le manteau lui-même, ainsi qu'il se doit quand on est un bon tailleur. Jamais encore Akaki Akakiévitch n'avait vu à personne une mine si imposante. Pétrovitch semblait pleinement convaincu qu'il avait accompli son grand œuvre et marqué d'un coup tout l'abîme qui sépare un tailleur d'un rapetasseur. Il tira le manteau du mouchoir qui l'enveloppait, et comme ledit mouchoir venait tout droit de chez la blanchisseuse, il eut soin de le plier et de le mettre dans sa poche pour s'en servir à l'occasion. Il couva un moment son chef-d'œuvre d'un regard orgueilleux, et le tenant à bout de bras, il le jeta fort adroitement sur les épaules de son client ; puis, après l'avoir bien tendu par-derrière, il en drapa à la cavalière Akaki Akakiévitch. Vu son âge, celui-ci désira passer les manches. Pétrovitch y consentit et cette nouvelle épreuve réussit à merveille. Bref, le manteau allait à la perfection et n'avait besoin d'aucune retouche. Pétrovitch en profita pour déclarer que s'il avait demandé un prix aussi bas, c'était par égard pour une vieille pratique, et aussi parce qu'il travaillait en chambre dans une rue à l'écart. Un tailleur de la Perspective aurait certainement exigé soixante-quinze roubles, rien que pour la façon. Akaki Akakiévitch ne releva pas le propos, tant les fortes sommes dont Pétrovitch aimait à éblouir ses clients lui faisaient peur. Il le paya, le remercia et partit sans plus tarder pour le ministère, revêtu de son manteau neuf. Pétrovitch descendit l'escalier à sa suite, et, une fois dehors, s'arrêta pour contempler de loin son chef-d'œuvre ; puis, enfilant une venelle, il déboucha dans la rue, quelques pas en avant d'Akaki Akakiévitch, afin d'admirer encore – de face, cette fois – le fameux manteau. Cependant, Akaki Akakiévitch cheminait en proie à une jubilation intense. La sensation constante du manteau neuf sur ses épaules le plongeait dans un ravissement qui, à plusieurs reprises, lui arracha de petits rires. Et comment ne pas exulter à la pensée que le manteau offrait le double avantage de bien aller et de tenir chaud ! Il se trouva au ministère avant d'avoir pu s'apercevoir du trajet parcouru. Il enleva son manteau au vestiaire, l'examina sur toutes les coutures et le confia aux soins tout particuliers du suisse. Je ne sais trop de quelle façon le bruit se répandit incontinent dans les bureaux qu'Akaki Akakiévitch avait un manteau neuf et que la « capote » avait terminé son existence. On accourut aussitôt au vestiaire pour s'en convaincre *de visu*. Les compliments se mirent à pleuvoir sur Akaki Akakiévitch, qui les accueillit d'abord avec des sourires, et bientôt avec une certaine confusion. Lorsque, le pressant à l'envi, ses collègues insistèrent pour qu'il arrosât l'étrenne et donnât pour le moins une soirée en cet honneur, Akaki Akakiévitch ne sut plus à quel saint se vouer. Après avoir longtemps cherché en vain une excuse plausible, il tenta assez naïvement de les persuader que le manteau n'était pas neuf ; rouge de honte, il prétendit que c'était toujours la vieille capote. Finalement, l'un des fonctionnaires, un sous-chef de bureau si j'ai bonne mémoire, désireux sans doute de montrer qu'il n'était pas fier et ne craignait point de se commettre avec ses inférieurs, le tira d'embarras en déclarant :

« Eh bien, c'est moi qui donnerai la soirée à la place d'Akaki Akakiévitch. Je vous invite tous à venir ce soir prendre le thé chez moi, puisque aussi bien c'est aujourd'hui ma fête. »

Il va sans dire que messieurs les employés complimentèrent sans tarder le sous-chef et acceptèrent son invitation avec empressement. Akaki Akakiévitch voulut d'abord refuser, mais chacun lui ayant fait honte de son impolitesse, il dut céder aux remontrances. D'ailleurs, en réfléchissant à la chose, il vit, non sans plaisir, qu'elle lui permettait de parader une fois de plus dans son beau manteau neuf, et cette fois aux lumières. Cette journée fut vraiment pour le pauvre diable une fête solennelle. Il rentra chez lui tout radieux, se dévêtit et pendit précautionneusement son manteau contre le mur, non sans en avoir encore admiré, et le drap, et la doublure ; puis il sortit sa vieille capote effilochée pour la comparer au manteau ; mais en la regardant il ne put se défendre de rire : la différence était vraiment par trop énorme ! Et tout le long de son repas, un ricanement sarcastique plissait ses lèvres chaque fois qu'il songeait à l'état lamentable de sa vieille houppelande. Après ce repas si gai, il négligea pour la première fois ses travaux de copie pour s'étendre sur son lit et faire quelque peu le sybarite jusqu'à la tombée de la nuit. Alors, sans s'attarder davantage, il s'habilla, jeta son manteau sur ses épaules et sortit. Nous regrettons fort de ne pouvoir dire exactement

où logeait le fonctionnaire qui l'avait invité : la
mémoire commence à nous trahir ; les rues et les
édifices de Pétersbourg se confondent si bien dans
notre tête que nous n'arrivons plus à nous orienter
dans ce vaste dédale. Il est en tout cas certain que
ledit fonctionnaire résidait dans l'un des beaux
quartiers, et par conséquent très loin d'Akaki Akakiévitch. Celui-ci dut suivre tout d'abord quelques
rues sombres et quasi désertes fort parcimonieu-
sement éclairées ; mais, à mesure qu'il approchait
du but, l'animation se faisait plus vive et l'éclairage
plus brillant. Parmi les passants, dont le nombre
augmentait sans cesse, apparurent des dames élé-
gamment vêtues et des messieurs à cols de castor. Les menus traîneaux de bois treillagé, tout
bardés de clous dorés, cédèrent bientôt la place
à de superbes équipages : hauts traîneaux vernis,
protégés par une peau d'ours et conduits par des
cochers à bonnet de velours framboise ; riches
landaus à sièges ornementés qui faisaient grincer
la neige sous leurs roues. Akaki Akakiévitch considérait toutes ces choses comme s'il les voyait pour
la première fois, car depuis de longues années, il
ne sortait plus le soir. Un tableau exposé dans une
vitrine illuminée retint longuement son attention :
une jolie femme enlevait son soulier, découvrant
ainsi une jambe faite au tour, tandis qu'à travers
la porte entrebâillée derrière elle, un monsieur
portant royale et favoris jetait des regards indis-
crets. Akaki Akakiévitch hocha la tête, sourit et
poursuivit son chemin. Que signifiait ce sourire ?
Avait-il eu la révélation d'une chose qu'il ignorait,
mais dont le vague instinct sommeille pourtant

en chacun de nous ? S'était-il dit, comme tant de
ses collègues : « Ah ! ces Français, il n'y a pas à
dire, quand ils s'y mettent,... alors, n'est-ce pas,...
c'est vraiment... tout à fait... » Il se peut aussi
que notre héros n'ait pensé à rien de semblable :
on ne saurait scruter l'âme humaine jusque dans
son tréfonds et deviner tout ce qui s'y passe. Il
atteignit enfin la demeure du sous-chef de bureau,
lequel à coup sûr vivait sur un grand pied, car
son appartement occupait le second étage et il
y avait une lanterne dans l'escalier. Quand il eut
mis le pied dans l'antichambre, Akaki Akakiévitch
aperçut sur le parquet des rangées entières de
caoutchoucs au beau milieu desquels un samo-
var bourdonnait parmi des tourbillons de vapeur.
À toutes les parois pendaient des pelisses et des
manteaux, dont certains avaient même des cols de
castor, et d'autres des revers de velours. Un sourd
brouhaha qui venait de la pièce voisine s'amplifia
soudain : une porte s'ouvrit, livrant passage à un
domestique chargé d'un plateau qu'encombraient
des verres vides, un pot de crème, une corbeille
de biscuits, signe évident que messieurs les fonctionnaires tenaient depuis quelque temps séance
et qu'ils avaient déjà absorbé leur premier verre
de thé. Akaki Akakiévitch accrocha son manteau
à côté des autres et s'enhardit à pénétrer dans la
pièce. Alors, tout d'un coup, les invités, les bou-
gies, les pipes, les tables de jeu papillotèrent à
ses yeux éblouis, cependant que le tapage des
chaises déplacées et le tohu-bohu des conversa-
tions discordantes offusquaient brusquement ses
oreilles. Ne sachant trop qu'entreprendre, il se

figea dans une posture des plus gauches. Mais
bientôt on l'aperçut, on l'acclama, on se précipita
dans l'antichambre pour admirer une fois de plus
le fameux manteau. Dans sa candeur naïve, Akaki
Akakiévitch, encore que tout confus, se sentait
flatté par ce concert de louanges. Ensuite, bien
entendu, il ne tarda pas à être abandonné, lui
et son manteau, pour les charmes du whist. Le
vacarme, le bavardage, la foule, toutes ces choses
inconnues plongeaient le pauvre homme dans une
sorte d'hébétement : il ne savait que faire de ses
mains, de ses pieds, de toute sa personne. Il finit
par s'asseoir auprès des joueurs, dont il s'efforça
de suivre le jeu ; il les dévisagea tour à tour, mais
se sentit rapidement gagné par l'ennui et se prit
à bâiller, car l'heure de son coucher avait depuis
longtemps sonné. Alors il voulut prendre congé
du maître du logis ; personne n'y consentit ; chacun le retint, chacun insista pour lui faire sabler
en l'honneur de l'étrenne au moins une flûte de
champagne. Au bout d'une heure, on servit le souper qui comprenait une vinaigrette, du veau froid,
une tourte, et des gâteaux avec accompagnement
de champagne. Akaki Akakiévitch fut contraint
de vider deux flûtes, qui l'émoustillèrent quelque
peu sans toutefois lui permettre d'oublier qu'il
était déjà minuit et grand temps de rentrer. De
peur que son hôte ne protestât encore, il s'esquiva
à l'anglaise, s'empara de son manteau qu'à son
grand déplaisir il découvrit par terre, le secoua,
l'épousseta soigneusement et descendit l'escalier.
    Les lanternes brûlaient toujours dans les rues.
Quelques échoppes, clubs attitrés des gens de mai-

son et autres personnages de même volée, étaient
encore ouvertes ; d'autres, bien que closes, laissaient échapper à travers l'huis un long rai de
lumière, indice certain qu'elles n'étaient point
dépourvues de société : ces messieurs et dames de
l'office y poursuivaient leurs interminables commérages, cependant que leurs maîtres perplexes
et morfondus se demandaient où ces dignes ser-
viteurs avaient bien pu disparaître. Akaki Akakiévitch marchait d'un pas gaillard ; il se lança même
soudain, Dieu sait pourquoi, sur les traces d'une
dame qui glissa devant lui comme un météore et
dont tout le corps semblait en mouvement. Mais
il refréna vite cette pétulance et se demanda ce
qui avait bien pu lui faire prendre le mors aux
dents. Et bientôt s'allongèrent devant lui ces voies
solitaires, bordées de clôtures et de maisons de
bois, si maussades même en plein jour, et que
le soir rend d'autant plus lugubres, d'autant plus
désolées. La lueur d'un réverbère ne se montrait
plus que bien rarement : sans doute faisait-on des
économies d'huile. Seule la neige scintillait sur la
chaussée où ne se montrait âme qui vive, et le long
de laquelle les masures assoupies sous leurs volets
clos faisaient de sinistres taches noires. Enfin
apparut un vaste espace vide, moins semblable à
une place qu'à un horrible désert. Les bâtisses qui
en marquaient la fin se devinaient à peine, et, perdue dans cette immensité, la lanterne d'une guérite avait l'air de brûler là-bas, très loin, au bout
du monde. Arrivé à cet endroit, Akaki Akakiévitch
sentit son aplomb l'abandonner ; il eut le pres-
sentiment d'un malheur et s'engagea sur la place

avec une circonspection voisine de la crainte. Il jeta un regard en arrière, un regard à droite, un regard à gauche, et se crut égaré dans une mer de ténèbres. « Non, décidément, se dit-il, mieux vaut ne pas regarder. » Il avança donc les yeux fermés, et, quand il les rouvrit pour reconnaître si la traversée périlleuse allait bientôt prendre fin, il se trouva soudain presque nez à nez avec deux ou trois individus moustachus. Qu'étaient au juste ces gens ? Il n'eut pas le loisir de s'en rendre compte, car sa vue se troubla et son cœur se mit à battre à coups précipités.

« Hé, mais, ce manteau est à moi ! » s'écria d'une voix tonnante l'un des personnages.

Et il saisit au collet Akaki Akakiévitch qui déjà ouvrait la bouche pour appeler au secours. Aussitôt, l'autre escogriffe lui brandit sous le nez un poing gros comme la tête d'un fonctionnaire en disant :

« Renfonce ça, ou gare ! »

Akaki Akakiévitch plus mort que vif sentit seulement qu'on le dépouillait de son manteau. Un coup de genou dans le bas des reins l'envoya bouler dans la neige, où il finit de perdre ses esprits. Quand il les eut enfin recouvrés, il se releva et s'aperçut qu'il n'y avait plus personne autour de lui. Une vive sensation de froid lui rappela la disparition de son manteau ; il se mit à crier, mais d'une voix qui refusait d'atteindre les confins de l'étendue. Hagard, éperdu, vociférant, il prit sa course, piquant droit sur la guérite auprès de laquelle un garde de ville appuyé sur sa hallebarde ouvrait, je crois, de grands yeux curieux :

que diable pouvait bien lui vouloir cet énergumène qui accourait vers lui en hurlant à tue-tête ? D'une voix haletante, Akaki Akakiévitch lui reprocha de dormir à son poste tandis qu'on dévalisait les passants. Le garde de ville répliqua qu'il avait bel et bien vu deux hommes l'arrêter au milieu de la place.

« Mais, ajouta-t-il, je les ai crus de vos amis. Au lieu de m'injurier, vous feriez mieux de vous rendre dès demain chez M. le commissaire ; il vous retrouvera votre manteau en un tour de main. »

Akaki Akakiévitch fila d'un trait vers sa demeure, où il rentra en fort piètre état : les cheveux épars – j'entends les quelques touffes qui garnissaient encore ses tempes et sa nuque –, la poitrine, les hanches, les jambes toutes maculées de neige. Aux coups terribles qu'il assenait sur la porte, sa bonne femme de logeuse, éveillée en sursaut, bondit de son lit et se précipita ; si dans sa hâte elle n'avait passé qu'une savate, en revanche elle ramenait d'une main pudique sa chemise sur sa poitrine. Le désarroi de son locataire la fit reculer d'effroi ; quand elle fut au courant de l'affreuse aventure, elle leva les bras au ciel et se répandit en bons conseils.

« Surtout, déclara-t-elle, gardez-vous bien de vous plaindre au commissaire du quartier, vous n'auriez que des déboires : pour ce gaillard-là, voyez-vous, promettre et tenir sont deux. Allez donc tout droit chez le commissaire d'arrondissement. Anna la Finnoise, mon ancienne domestique, s'est maintenant placée chez lui comme bonne d'enfants. Je le connais de vue, d'ailleurs : il passe souvent devant ma fenêtre et il ne manque

pas une messe du dimanche. Tout en priant le bon
Dieu, il regarde si gentiment le monde que ça doit,
pour sûr, être la crème des hommes. »

Chapitré de la sorte, Akaki Akakiévitch se traîna
tristement jusqu'à sa chambre. Comment passa-
t-il le reste de la nuit ? On laisse le soin d'en juger
aux personnes qui savent plus ou moins se mettre
à la place d'autrui.

Le lendemain, dès la première heure, Akaki
Akakiévitch se rendit au commissariat : M. le com-
missaire dormait encore. Il revint à dix heures :
M. le commissaire dormait toujours.

Il revint à onze heures : M. le commissaire était
sorti. Il revint à l'heure du dîner : les gratte-papier,
l'arrêtant au passage, voulurent à tout prix savoir
ce qui l'amenait, ce qu'il désirait, ce qui lui était
advenu. Akaki Akakiévitch, à bout de patience,
montra une fois dans sa vie de la fermeté : il leur
déclara tout net qu'il entendait voir le commissaire en personne, car il venait du ministère pour
affaire urgente ; s'ils prétendaient le retenir, il se
plaindrait d'eux, et alors ils verraient ce que ça
leur coûterait... Les scribouillards n'osèrent rien
répliquer à de pareils arguments et l'un d'eux s'en
alla prévenir M. le commissaire.

M. le commissaire accueillit le récit du vol d'une
façon fort étrange : au lieu de prêter attention
au fond même de l'affaire, il se mit à question-
ner Akaki Akakiévitch : pourquoi rentrait-il si
tard ? d'où venait-il ? de quelque mauvais lieu,
peut-être ? Tant et si bien que le pauvre homme
se retira tout penaud en se demandant s'il serait
ou non donné suite à sa plainte.

Ce jour-là, pour la seule et unique fois de son existence, Akaki Akakiévitch n'alla pas au bureau. Il y apparut le lendemain, blême comme un mort et vêtu de sa vieille capote plus minable que jamais. L'histoire du vol émut presque tous ses collègues, encore que d'aucuns y trouvassent nouvelle matière à raillerie. Une collecte organisée aussitôt ne produisit pas grand-chose : ces messieurs avaient dû récemment souscrire au portrait de leur directeur ainsi qu'à je ne sais quel ouvrage patronné par leur chef de division. L'un d'eux, cependant, mû par un sentiment de pitié, voulut au moins donner un bon conseil à Akaki Akakié-vitch. Il le dissuada de recourir au commissaire de son quartier ; en admettant même, chose évidemment possible, que, pour se faire bien voir de ses chefs, le digne homme retrouvât le corps du délit, Akaki Akakiévitch n'en rentrerait pas pour autant en possession de son bien : comment fournirait-il la preuve que ce vêtement était vraiment à lui ? Mieux valait donc s'adresser à un certain « personnage considérable », lequel, après s'être mis par voie écrite et orale en rapport avec qui de droit, donnerait sans doute à l'affaire une tournure plus favorable. En désespoir de cause, Akaki Akakié-vitch résolut d'aller trouver ce personnage dont, à parler franc, nul ne savait en quoi consistaient les fonctions. Il faut dire que ledit personnage n'était devenu important que depuis peu ; du reste, par rapport à d'autres plus considérables, la place qu'il occupait n'était pas tenue pour bien importante. Mais il se trouve toujours des gens pour attacher de l'importance à des choses qui n'en ont aucune.

Lui-même, d'ailleurs, avait grand soin de souligner son importance par les moyens les plus divers : quand il arrivait à son bureau, le petit personnel était tenu de se porter en corps à sa rencontre ; on ne pouvait s'adresser à lui autrement que par la voie hiérarchique : l'enregistreur de collège faisait son rapport au conseiller de province, le conseiller de province au conseiller titulaire ou à tel autre fonctionnaire que de droit.

L'esprit d'imitation a fortement infecté notre sainte Russie, chacun veut y jouer au chef et copier plus haut que soi : certain conseiller titulaire appelé à diriger un office sans conséquence, s'empressa, dit-on, d'y ménager à l'aide d'une cloison une façon de chambre pompeusement dénommée : « cabinet du directeur » ; des huissiers à col rouge et galonnés sur toutes les coutures ouvraient à tout venant la porte de ce repaire, où un fort modeste bureau avait peine à tenir. Notre personnage important affectait un air noble et des manières hautaines. Son système, des plus simples, reposait uniquement sur la sévérité. « De la sévérité, encore de la sévérité, toujours de la sévérité ! » répétait-il sans cesse en foudroyant son interlocuteur d'un regard significatif encore que superflu, les dix ou douze employés qu'il avait sous ses ordres étant saturés de respect et de crainte salutaire : dès qu'ils le voyaient venir, ils abandonnaient leurs occupations et attendaient, figés au garde-à-vous, qu'il eût daigné traverser leur bureau. Adressait-il la parole à plus petit que lui, c'était toujours sur un ton rêche et pour poser le plus souvent l'une des trois questions suivantes : « Où prenez-vous cette arrogance ? Savez-vous à qui vous parlez ? Comprenez-vous devant qui vous êtes ? »

C'était pourtant un brave homme, fort obligeant, et, naguère encore, d'un commerce agréable avec ses amis ; mais le titre d'Excellence lui avait complètement tourné la tête. Dès qu'il eut obtenu ce titre, son esprit s'égara, il perdit tout contrôle sur soi-même. Avec ses égaux, il se conduisait encore en homme bien élevé, pas bête du tout sous bien des rapports ; mais si d'aventure se mêlaient à la compagnie des personnes inférieures, ne fût-ce que d'un grade, au rang qu'il occupait dans la hiérarchie, il devenait aussitôt insupportable, oubliait toute bienséance et ne soufflait mot. Cela ne l'empêchait pas de se rendre compte qu'il aurait pu passer le temps d'une manière beaucoup plus agréable. Il faisait alors peine à voir : on lisait dans ses yeux le vif désir de prendre part à telle conversation, de se mêler à tel groupe, tout en le sentant retenu par la crainte de compromettre sa dignité, de porter atteinte à son prestige. À force de se cantonner dans un farouche silence entrecoupé de vagues monosyllabes, il passa bientôt pour le plus parfait malotru du monde.

Akaki Akakiévitch arriva chez ce personnage à un moment fort mal choisi – pour lui, du moins, car ledit grand personnage n'en pouvait rêver de plus propice à l'étalage de son importance. Enfermé dans son cabinet directorial, il y devisait de fort belle humeur avec un sien ami et camarade d'enfance qu'il avait perdu de vue depuis plusieurs années. Prévenu qu'un certain Bachmatchkine demandait à le voir :

« Qui est-ce ? demanda-t-il d'un ton brusque.

— Un fonctionnaire, lui fut-il répondu.

— Ah ! Eh bien, qu'il attende ! Je suis occupé. »

C'était là, il faut l'avouer, un impudent mensonge : notre important personnage n'était pas le moins du monde occupé. La conversation languissait depuis un certain temps déjà ; de longs intervalles la coupaient au cours desquels les deux amis se tapotaient mutuellement les cuisses en répétant : « C'est comme ça, Ivan Abramovitch ! — Certainement, Stépane Varlamovitch ! » En donnant ordre de faire attendre Bachmatchkine, notre homme entendait simplement montrer à son ami, retiré du service au fond de la campagne, le pouvoir qu'il détenait sur les fonctionnaires obligés d'attendre son bon plaisir dans son antichambre. Quand, le cigare aux lèvres et renversés dans de confortables fauteuils à bascule, ces messieurs eurent bavardé ou plutôt se furent tus à leur aise, le puissant personnage parut soudain se souvenir de quelque chose et dit à son secrétaire qui se montrait à la porte avec des dossiers sur les bras :

« À propos, je crois qu'il y a là un fonctionnaire. Vous pouvez le faire entrer. »

À l'aspect du piteux Akaki Akakiévitch et de son non moins piteux uniforme, notre important personnage se tourna brusquement vers lui :

« Que désirez-vous ? » lui demanda-t-il de cette voix rêche et coupante dont il avait fait l'apprentissage devant son miroir, dans la solitude de sa chambre, une bonne semaine avant la promotion qui avait fait de lui une Excellence. Pénétré dès l'abord d'une crainte salutaire, Akaki Akakiévitch entama pourtant du mieux que le lui permit sa langue hésitante, un discours pavoisé de « n'est-ce pas » plus fréquents que de coutume : « Il avait un manteau flambant neuf ; on le lui avait volé sans merci ; il suppliait Son Excellence d'intervenir comme bon lui semblerait, en écrivant à qui de droit, au préfet de police ou à un autre personnage pour activer les recherches... »

Le personnage important trouva, Dieu sait pourquoi, cette requête directe d'une familiarité excessive.

« Ah çà, monsieur, s'exclama-t-il de son ton le plus cassant, où croyez-vous donc être ? Ignorez-vous à ce point les usages ? Vous auriez dû tout d'abord présenter votre requête à l'employé de service ; celui-ci l'eût transmise en bonne et due forme au chef de bureau, le chef de bureau au chef de division, le chef de division à mon secrétaire, lequel me l'aurait enfin soumise. »

Akaki Akakiévitch sentit la sueur le baigner. Il rassembla pourtant le peu de courage qui lui restait pour balbutier :

« Que Votre Excellence daigne m'excuser... Si je me suis permis de la déranger..., c'est que les secrétaires, n'est-ce pas..., on ne peut guère se fier à eux...

— Comment ! Comment ! s'écria le personnage important. Qu'osez-vous insinuer par là ? D'où viennent ces idées subversives ? Où donc les jeunes gens d'aujourd'hui prennent-ils cet esprit d'insubordination, ce manque de respect envers leurs chefs et les autorités établies ? »

Le personnage important n'avait sans doute

point remarqué qu'ayant déjà passé la cinquantaine, Akaki Akakiévitch ne pouvait être rangé parmi les jeunes gens que d'une façon toute relative, par comparaison avec les vieillards de soixante-dix ans et plus.

« Savez-vous à qui vous tenez ce langage ? Comprenez-vous devant qui vous êtes ? Le comprenez-vous ? Le comprenez-vous, voyons, je vous le demande ? »

Il lança cette dernière phrase en tapant du pied et d'une voix montée à un tel diapason que des gens plus assurés qu'Akaki Akakiévitch n'en eussent pas moins perdu contenance. Akaki Akakiévitch, lui, se sentit prêt à défaillir : il tremblait de tout le corps, ses jambes vacillaient, flageolaient, et, si les huissiers accourus ne l'avaient point reçu dans leurs bras, il serait immanquablement tombé de tout son long. On l'emporta presque sans connaissance. Enchanté que l'effet eût dépassé toutes ses prévisions, exultant à l'idée que sa parole pouvait priver un homme de sentiment, le personnage considérable observa du coin de l'œil l'impression que cette scène avait produite sur son ami, et fut tout heureux de constater que ledit ami paraissait vaguement mal à l'aise.

Akaki Akakiévitch descendit l'escalier et se retrouva dans la rue sans savoir comment. Il ne sentait plus ni ses bras ni ses jambes. Jamais encore il n'avait été si vertement tancé par une Excellence et, qui plus est, par une Excellence dont il ne dépendait point. Il marchait en chancelant et bouche bée, chassé à tout instant du trottoir sur la chaussée par la neige qui tourbillonnait rageusement, par le vent qui soufflait sur lui de tous les côtés à la fois, comme il est de règle à Pétersbourg. Il attrapa en un clin d'œil une belle et bonne angine, et quand, enfin, il se retrouva chez lui, il lui fallut se coucher sans que sa gorge enflée lui permît d'émettre le moindre son. Telles sont parfois les suites d'un sérieux lavage de tête ! Grâce à la généreuse assistance du climat pétersbourgeois, la maladie évolua plus rapidement qu'on n'aurait pu s'y attendre ; aussi, quand le médecin fut arrivé et qu'il eut pris le pouls d'Akaki Akakiévitch, il ne put que prescrire un cataplasme, et encore uniquement pour ne pas priver le malade du secours efficace de la médecine. Il déclara d'ailleurs tout franc que ledit malade n'en avait pas pour deux jours, puis se tournant vers la logeuse, il ajouta :

« Allons, ma bonne dame, ne perdez pas votre temps inutilement ; allez vite commander un cercueil de sapin : le chêne serait trop cher pour lui. »

Akaki Akakiévitch perçut-il ces paroles fatales ? Et s'il les entendit, en fut-il douloureusement affecté ? Regretta-t-il sa pitoyable existence ? On l'ignorera toujours, car il délira sans arrêt jusqu'à sa dernière heure. Des visions, toutes plus bizarres les unes que les autres, le harcelaient à qui mieux mieux. Tantôt il voyait Pétrovitch et lui commandait un manteau muni de pièges pour les voleurs qui assiégeaient son lit, si bien qu'il ne cessait d'appeler sa logeuse pour qu'elle en retirât un de dessous sa couverture ; tantôt il demandait pourquoi sa vieille capote pendait au mur alors qu'il possédait un beau manteau tout neuf. Tantôt il

croyait encore subir la mercuriale du grand personnage et lui répondait humblement : « Faites
excuse, Excellence ! » Tantôt il blasphémait de
si furieuse façon que sa logeuse se signait, interdite : comment cet homme qui n'élevait jamais la
voix pouvait-il proférer d'aussi horribles jurons et,
chose plus grave, les accoler au noble nom d'Excellence ? Vers la fin, Akaki Akakiévitch se mit
à bredouiller des paroles incohérentes, mais qui
n'en témoignaient pas moins que toutes ses pensées continuaient de tourner confusément autour
du manteau.

Quand le pauvre Akaki Akakiévitch eut rendu
le dernier soupir, on ne mit de scellés ni sur sa
chambre ni sur ses affaires : il n'avait aucun héritier et ne laissait pour tout avoir qu'un paquet de
plumes d'oie, une main de papier ministre, trois
paires de chaussettes, deux ou trois boutons et la
fameuse capote. Qui s'empara de tout cela ? Je
dois avouer que l'auteur de ce récit ne s'en est pas
autrement préoccupé.

On emporta le mort, on le mit en terre et Pétersbourg demeura sans Akaki Akakiévitch. Il disparut à jamais, cet être sans défense à qui personne
n'avait jamais témoigné d'affection, ni porté le
moindre intérêt, non, personne, pas même l'un
de ces naturalistes toujours prêts à épingler la plus
banale des mouches pour l'examiner au micros-
cope. Si ce souffre-douleur, résigné à subir les
railleries de ses collègues, incapable d'accomplir
la moindre action remarquable, avait vu soudain
sa triste existence illuminée – un court instant,
et juste vers la fin – par la vision radieuse d'un

manteau neuf, c'était pour que le malheur s'abat-
tît sur lui comme il s'abat sur les puissants de ce
monde[1] !...

Quelques jours après sa disparition, un huissier
du ministère vint lui intimer l'ordre de reprendre
son service. L'huissier ne put évidemment remplir
sa mission et dut déclarer à qui de droit qu'on ne
reverrait plus Akaki Akakiévitch.

« Et pourquoi cela ? lui demanda-t-on.

— Parce qu'il est mort, répondit-il. Voilà tantôt
quatre jours qu'on l'a porté en terre. »

C'est ainsi qu'on apprit au ministère le décès
d'Akaki Akakiévitch. On le remplaça dès le lendemain : le nouvel expéditionnaire avait la taille
beaucoup plus élevée et l'écriture beaucoup plus
penchée.

Cependant Akaki Akakiévitch n'avait pas dit
son dernier mot... Qui l'aurait cru appelé à
mener outre-tombe une existence mouvementée,
à connaître quelques bruyantes aventures, sans
doute pour compenser le peu d'éclat de sa vie terrestre ? Il en fut pourtant ainsi et notre modeste
récit va devoir se terminer sur une note à la fois
fantastique et inattendue. Le bruit se répandit
soudain à Pétersbourg que le spectre d'un fonctionnaire apparaissait la nuit aux alentours du
pont Kalinkine ; sous couleur de reprendre un
manteau volé, le spectre enlevait aux passants
de toutes conditions leurs manteaux, quels qu'ils
fussent, ouatés, fourrés, à col de chat, à col de castor, pelisses de raton, pelisses d'ours ou de renard,
bref, toutes les peaux dont les hommes font usage

pour recouvrir la leur. Un des anciens collègues de feu Bachmatchkine vit même le revenant de ses propres yeux et reconnut aussitôt Akaki Akakiévitch ; toutefois il n'eut point le loisir de l'examiner de près, la frayeur lui ayant fait prendre les jambes à son cou dès qu'il aperçut ce fantôme qui le menaçait de loin.

Les plaintes affluaient de toutes parts. Passe encore pour le dos et les épaules des conseillers titulaires ; mais les vols de manteaux risquaient fort d'enrhumer jusqu'aux conseillers auliques. La police reçut l'ordre de se saisir du fantôme mort ou vif, et de lui infliger une sévère correction qui pût servir d'exemple aux autres. On faillit presque réussir. Rue Kiriouchkine, en effet, un garde de ville parvint à mettre la main au collet du mort, au moment où celui-ci arrachait le manteau d'un musicien en retraite, lequel en son temps avait eu un joli talent de flûtiste. Le garde appela aussitôt deux de ses collègues à son aide ; il les pria de maintenir solidement le fantôme, tandis que lui-même cherchait sa tabatière au fond de sa botte afin de ranimer son nez qui avait déjà gelé six fois au cours de son existence. Mais le tabac était apparemment si fort que le spectre lui-même ne put y résister. À peine le gardien de l'ordre eut-il bouché d'un doigt sa narine droite pour en aspirer de la gauche une demi-pincée, que le mort fit entendre un prodigieux éternuement dont les éclaboussures aveuglèrent les trois argousins. Et tandis qu'ils levaient les poings pour se frotter les yeux, le fantôme leur brûla si gentiment la politesse qu'ils se demandèrent s'ils l'avaient réellement tenu entre leurs mains. Depuis ce moment, les gardes de ville conçurent une telle peur des morts qu'ils craignirent d'arrêter les vivants ; ils se contentèrent de crier aux suspects : « Eh, là-bas, le particulier, tâche voir à passer ton chemin, hein ? » Quant à l'employé-fantôme, il osa même se montrer au-delà du pont Kalinkine, non sans semer la terreur parmi les esprits pusillanimes.

Mais nous avons entièrement délaissé le fameux « personnage considérable » grâce auquel, après tout, cette histoire vraie a dû prendre une tournure fantastique. L'impartialité nous oblige à reconnaître que, peu après le départ du malheureux, le personnage important éprouva quelque regret de l'avoir si rudement rabroué. La pitié ne lui était pas étrangère, et certains bons sentiments, que sa dignité l'empêchait bien souvent de laisser paraître, trouvaient pourtant refuge au fond de son cœur. Dès que son ami l'eut quitté, il se prit à songer au pâle fonctionnaire que venaient d'anéantir les foudres de sa colère directoriale. Depuis lors cette image le harcela tant et si bien qu'au bout de huit jours, n'y tenant plus, il envoya un employé s'enquérir du bonhomme : comment allait-il, en quoi pouvait-on lui être utile ?

Quand il apprit qu'Akaki Akakiévitch avait succombé à un brusque accès de fièvre chaude, cette nouvelle stupéfiante éveilla en lui des remords et le mit pour toute la journée de fort mauvaise humeur. Éprouvant le besoin de se distraire, de secouer cette pénible impression, il se rendit chez l'un de ses amis qui donnait une soirée. Il trouva là une compagnie fort agréable, presque entièrement composée de personnes du même rang que lui. Rien donc ne pouvait le gêner et cette circonstance eut une action fort heureuse sur son état d'esprit : il s'épanouit, se montra brillant, bref passa une excellente soirée. Au souper, il sabla une ou deux flûtes de champagne, boisson, comme on le sait, plutôt propice à dissiper les humeurs noires. Le champagne lui inspira le désir de quelque extra ; au lieu de rentrer tout droit chez lui, il résolut donc de rendre visite à une certaine Caroline Ivanovna, dame d'origine allemande, je crois, pour laquelle il professait des sentiments tout à fait amicaux. Il faut dire que le personnage considérable, bon mari et non moins bon père de famille, était d'âge respectable. Deux fils, dont l'un avait déjà pris du service et une charmante fille de seize ans au nez un peu retroussé, mais charmant quand même, venaient tous les matins lui baiser la main en disant : « *Bonjour papa.* » Sa femme encore fraîche et point mal du tout de sa personne lui baisait également la main ; mais au préalable il avait baisé la sienne. Bien que ces plaisirs familiaux lui donnassent pleine satisfaction, le personnage important jugeait cependant convenable d'entretenir dans un autre quartier de la ville des rapports fort cordiaux avec une aimable amie, laquelle n'était d'ailleurs ni plus jeune ni plus jolie que sa femme. C'est là une de ces énigmes fréquentes en ce bas monde et qu'il ne nous appartient point d'expliquer.

Le personnage important descendit donc l'escalier, prit place dans son traîneau et dit au cocher :

« Chez Caroline Ivanovna ! »

Bien emmitouflé dans sa confortable pelisse, il s'abandonnait à ce délicieux état d'âme, le plus désirable qui soit pour un Russe, au cours duquel des pensées infiniment agréables viennent d'elles-mêmes vous visiter sans que vous ayez besoin de les poursuivre. Il se remémorait tous les épisodes de la soirée, toutes les plaisanteries qui avaient tant égayé le petit cercle d'amis ; il répétait même à mi-voix certains bons mots, leur trouvait toujours autant de sel et constatait qu'il avait eu pleinement raison d'y prendre un plaisir extrême. De temps à autre cependant, de cinglantes rafales interrompaient cette douce quiétude. Accourues Dieu sait d'où et dans quel dessein, elles lui envoyaient au visage des paquets de neige, houspillaient comme elles l'eussent fait d'un voile la pèlerine de son manteau ou la lui rejetaient rageusement sur la tête, ce qui l'obligeait à d'éternels efforts pour se dégager.

Soudain, le personnage considérable sentit qu'une main vigoureuse le saisissait au collet. Il tourna la tête et aperçut un homme de petite taille, vêtu d'un vieil uniforme élimé, dans lequel il reconnut non sans effroi Akaki Akakiévitch ; sa face d'une blancheur de neige avait une expression cadavérique. L'effroi du personnage important dépassa toutes limites quand le mort entrouvrit la bouche dans un rictus et, lui soufflant au visage une odeur sépulcrale, prononça ces paroles :

« Ah ! Ah ! te voilà, je puis enfin te prendre au collet ! C'est ton manteau qu'il me faut. Tu n'as pas voulu, n'est-ce pas, faire rechercher le mien, tu m'as même savonné la tête ! Eh bien, maintenant, n'est-ce pas, donne-moi le tien. »

Le malheureux personnage important faillit trépasser de frayeur. D'ordinaire il se montrait très ferme… envers ses subordonnés et tous ses inférieurs en général ; son aspect martial faisait dire à tout le monde : « Oh, oh, quel caractère ! » Mais cette nuit-là, semblable en ceci à nombre de gens bâtis en hercules, il céda à une si furieuse épouvante que, non sans raison, il y vit le prélude d'une grave maladie. Il jeta lui-même son manteau loin de lui et cria au cocher d'une voix éperdue :

« À la maison !… Au galop !… »

À ces mots prononcés sur un ton qu'on n'emploie qu'aux instants décisifs et qu'accompagnent bien souvent des gestes encore plus décisifs, le cocher crut bon, pour plus de sûreté, de rentrer sa tête dans ses épaules ; puis, à grands coups de fouet, il lança son cheval à fond de train.

Quelque six minutes plus tard, l'important personnage se retrouvait chez lui, et non point chez Caroline Ivanovna. Sans manteau, livide, effaré, il se traîna jusqu'à sa chambre, où il passa une nuit fort agitée, si bien que le lendemain, pendant le petit déjeuner, sa fille lui dit de sa voix ingénue :

« Comme tu es pâle, aujourd'hui, papa ! »

Mais papa ne répondit rien. Il n'eut garde de raconter à personne ni où il était allé, ni où il avait eu la tentation d'aller, ni encore moins ce qui lui était advenu en chemin.

Cet événement lui fit une impression si forte qu'il renonça désormais aux fameuses expressions : « Où prenez-vous cette arrogance ? Comprenez-vous devant qui vous êtes ? » Du moins ne les proférait-il plus avant d'avoir compris de quoi il retournait.

Chose encore plus remarquable, à partir de cette nuit-là les apparitions de l'employé-fantôme cessèrent complètement : la pelisse de Son Excellence avait sans doute comblé ses vœux. En tout cas, on n'entendit plus parler de manteaux volés. Toutefois, les esprits défiants ne se tranquillisèrent pas pour autant ; ils prétendirent même que le revenant se montrait encore dans certains quartiers éloignés. De fait, dans celui de Kolomna, un factionnaire le vit de ses propres yeux apparaître à un coin de rue. Par malheur, cet homme était de constitution débile ; une fois même un petit cochon de lait l'avait, en s'échappant d'une cour, bel et bien renversé, aux grands éclats de rire de quelques cochers de fiacre, qu'il punit ensuite de cette insolence en les rançonnant chacun d'un liard pour s'acheter du tabac. En raison donc de sa constitution débile, le garde n'osa point arrêter le fantôme ; il se contenta de le suivre dans l'obscurité. Bientôt le spectre s'arrêta et fit une brusque volte-face.

« Que veux-tu ? » demanda-t-il en lui montrant un poing dont on eût difficilement trouvé le pareil même chez les vivants.

« Rien du tout ! » répondit le garde, qui s'empressa de faire demi-tour.

Le fantôme était cette fois de taille beaucoup plus haute et pourvu d'énormes moustaches. Il paraissait vouloir gagner le pont Oboukhov et disparut bientôt complètement dans les ténèbres nocturnes…

DOSSIER

CHRONOLOGIE
(1809-1852)

Les dates sont, sauf indication double, celles du calendrier julien, alors en retard de douze jours sur le grégorien.

1809. 20 mars/1ᵉʳ avril : naissance à Sorotchintsy (district de Mirgorod, province de Poltava) de Nicolas Vassiliévitch Gogol-Yanovski, fils d'un petit fonctionnaire issu d'une famille ukrainienne de soldats et de prêtres anoblis au XVIIᵉ siècle. Il sera l'aîné de douze enfants, dont seuls survivront avec lui son cadet Ivan et quatre sœurs. Santé fragile.

1809-1821. Enfance à Vassilievka, où son père possède environ 1 200 hectares et 200 « âmes » (paysans et domestiques serfs).

1821-1828. Pensionnaire au lycée de Nièjine, études sans éclat, mais il étonne professeurs et condisciples par ses dons d'imitateur et d'acteur. Décembre 1828 : départ pour Pétersbourg pour faire carrière.

1829. Premiers essais littéraires. Il fait imprimer à ses frais un poème romantique, *Hans Küchelgarten*, sous un pseudonyme. Mis à mal dans deux revues, il retire lui-même son livre des librairies, brûle tous les exemplaires récupérés et n'en parlera jamais à personne sauf à son ex-condisciple Prokopovitch qui gardera le secret jusqu'en 1852. Juillet : départ brusqué pour l'Allemagne en inven-

tant dans une lettre à sa mère une histoire de fuite
devant un amour impossible, puis (avec aveu du
premier mensonge) une maladie étrange à soigner
aux eaux de Travemünde. Septembre : retour brusqué à Pétersbourg, chez Prokopovitch.

1830. Emplois successifs au ministère de l'Intérieur
(département des Édifices publics), puis au ministère de la Cour (département des Apanages), vie
moins besogneuse. Mars : *Les Annales de la Patrie*
publient sa première nouvelle ukrainienne, *La Nuit
de la Saint-Jean*. Automne : il tente, sans succès,
de se faire admettre comme acteur des Théâtres
impériaux.

1831. Il donne quelques articles anonymes et des fragments de nouvelles ukrainiennes dans l'almanach
Fleurs du Nord publié par Delvig ; celui-ci, ami très
proche de Pouchkine, le fait connaître à l'entou-
rage du grand poète : Pletniov (directeur de l'« Institut patriotique » pour filles d'officiers nobles,
où il casera Gogol comme professeur), Joukovski
(poète en pleine gloire, lecteur de l'impératrice
mère et précepteur du tsarévitch), Alexandra Ros-
set (à partir de 1832, Mme Smirnov, demoiselle
d'honneur de l'impératrice, et qui à son tour présentera Gogol à Pouchkine peu après le mariage de
celui-ci). Gogol se sent maintenant lancé dans le
monde littéraire et dans l'aristocratie ; Pouchkine
surtout l'encourage à écrire. Septembre : publication du premier volume des *Veillées du hameau de
Dikanka*, nouvelles inspirées du folklore ukrainien,
sous le pseudonyme de « Panko le Rouge, éleveur
d'abeilles ».

1832. Mars : publication du deuxième volume. Succès
et début de célébrité. Été : il fait connaissance de
Michel Pogodine, historien, archéologue et homme
de lettres proche des slavophiles (début d'une amitié d'abord étroite qui deviendra plus tard de plus
en plus orageuse), et par lui, à l'occasion d'un pas-

sage à Moscou, de Serge Aksakov (patriarche du slavophilisme) et des milieux littéraires de Moscou. Automne : il fait connaissance des milieux littéraires « occidentalistes » de Pétersbourg (Annienkov, et par lui Biélinski, déjà critique influent), mais les fréquente peu. Projet de comédie satirique (*La Croix de Saint-Vladimir*), qu'il abandonne par crainte de la censure.

1833. Arrêt de sa production littéraire, crise de conscience et crise de vocation. Il croit se découvrir une vocation d'historien, sollicite même une chaire d'histoire à la nouvelle Université de Kiev, soumet au ministre Ouvarov un *Plan d'enseignement de l'histoire universelle*.

1834. Février : Ouvarov publie son plan dans une revue officielle, mais nomme un autre à la chaire que postulait Gogol. Été : *La Brouille des deux Ivan*, écrite en 1832, paraît dans un almanach publié par le libraire Smirdine. 24 juillet : Gogol est nommé professeur adjoint d'histoire à l'Université de Pétersbourg. Septembre : leçon inaugurale « Sur le Moyen Âge » (apprise par cœur) : intense curiosité de ses auditeurs (parmi lesquels le jeune Ivan Tourguéniev). Grand succès, mais qui ira vite déclinant. Ses leçons se feront de plus en plus courtes et irrégulières ; il est peu à peu abandonné, et même tourné en dérision, par les étudiants. Mais il s'est remis au travail littéraire.

1835. Janvier : publication des *Arabesques*, groupant, avec *La Perspective Nevski*, *Le Portrait* et *Le Journal d'un fou*, des fragments de nouvelles ukrainiennes, ses leçons à l'Université et des articles de critique et de pédagogie. Mars : publication de *Mirgorod*, « nouvelles servant de suite aux *Veillées du hameau* » (avec notamment *Taras Boulba* première version). Il remanie et achève *Le Nez* (commencé en 1832), que la revue de Pogodine (*L'Observateur moscovite*) refuse comme « sale et trivial ».

Mai : il obtient de l'Université un congé de quatre mois « pour raisons de santé » et va passer ses vacances à Vassilievka et en Crimée. Automne-hiver : en septembre, Pouchkine lui donne le sujet des *Âmes mortes*, « son propre sujet, dont il voulait tirer un poème ». Dès le 7 octobre : il annonce à Pouchkine que trois chapitres sont déjà écrits, et il lui demande encore un sujet, mais pour une comédie : Pouchkine lui donne le sujet du *Révizor*. Dès le 6 décembre : Gogol annonce à Pogodine qu'il a terminé la comédie (et c'est déjà la deuxième rédaction). Il lui annonce aussi qu'il a « craché ses adieux à l'Université » (« L'opinion générale est que je me suis fourré dans ce qui n'est pas mon affaire »), mais que désormais l'agitent « de hautes pensées, pleines de vérité et d'une effrayante grandeur… Merci à vous, mes hôtes célestes, qui avez déversé sur moi de divines minutes dans mon étroite mansarde ! ».

1836. Janvier-avril : premières lectures du *Révizor* (et aussi du *Nez*) chez Mme Smirnov et chez Joukovski : grand succès. Pour soustraire *Le Révizor* à la censure, Pouchkine obtient de ses amis qu'ils intercèdent directement au Palais. Nicolas Ier se fait lire la pièce et donne aux Théâtres impériaux l'ordre de la monter sans attendre le visa du censeur. 19 avril : première représentation, à Pétersbourg, du *Révizor*, en présence du Tsar. Grand succès, mais les uns rient comme d'une simple farce, les autres s'enthousiasment (la jeunesse des galeries) ou s'indignent (le haut *tchine* des loges et du parterre) de la satire sociale et presque politique. Une réflexion attribuée au souverain (« Tout le monde en a pris pour son grade, moi le premier ») sauvera la pièce. Gogol a assisté en coulisse, nerveux et mécontent, attentif plus que tout aux réactions hostiles, ulcéré d'être mal compris. Il écrit à ses amis des lettres découragées, et refusera de se rendre à la représentation du *Révizor* à Moscou le 25 mai.

Juin-octobre : départ pour l'Allemagne (voyages incessants d'une ville à l'autre), puis pour la Suisse (un mois à Genève, un mois à Vevey), début de sa frénésie de déplacements. Il travaille assidûment, et même, à Vevey, allègrement aux *Âmes mortes* : « Je le jure, je vais faire quelque chose qui n'est pas l'œuvre d'un homme ordinaire », écrit-il à Joukovski en lui demandant le secret sauf pour Pouchkine et Pletniov. À Pétersbourg, *Le Contemporain* d'octobre publie *Le Nez*, présenté par Pouchkine lui-même.

1836-1837. Novembre-février : séjour à Paris (12, place de la Bourse). Il apprécie les promenades, le théâtre, la cuisine des restaurants, mais déteste l'atmosphère politique : « Chacun se préoccupe ici des affaires d'Espagne plus que des siennes propres. » *Les Âmes mortes* avancent : « C'est un Léviathan qui se prépare, écrit-il à Joukovski. Un frisson sacré me parcourt en y pensant... Immensément grande est mon œuvre, et la fin n'en est pas pour bientôt... » Février : il apprend chez les Smirnov (alors à Paris) la mort de Pouchkine (blessé en duel le 27 janvier, mort le 29). Profondément affecté, il abandonne un moment tout travail. « Je n'entreprenais rien sans son conseil... Je n'ai pas écrit une ligne sans qu'il fût devant mes yeux... J'ai le devoir de mener à bien le grand ouvrage qu'il m'a fait jurer d'écrire, dont la pensée est son œuvre », écrira-t-il à ses amis.

1837-1839. Mars-juin : séjour à Rome, sauf l'été (1837 à Baden-Baden, 1838 à Naples). C'est le pontificat de Grégoire XVI, despotisme théocratique dont Gogol, fermé à la politique, goûte l'atmosphère de pieux conservatisme à l'abri des influences étrangères. « C'est la patrie de mon âme, où mon âme a vécu avant ma naissance... Il n'y a vraiment qu'à Rome qu'on prie, ailleurs on fait semblant... » En Russie on s'émeut de ses fréquentations dans l'aristocratie russe convertie, le bruit court même de sa propre conversion. Il se lie avec Stièpane Chèvyriov, professeur et homme de lettres, ami de Pogodine, il fréquente beaucoup les jeunes artistes pensionnés du tsar. Vie besogneuse, recours à des emprunts à ses amis de Pétersbourg et de Moscou, plaintes sur sa santé, travail irrégulier aux *Âmes mortes* avec des alternances d'inspiration et de découragement. Après une visite de Pogodine, il revoit en vue d'une réédition ses œuvres antérieures. Il commence *Annunziata*, nouvelle romaine (qui restera inachevée sous le titre de *Rome*), apologie de l'atmosphère pieuse et conservatrice de la capitale pontificale opposée à la stérile agitation politique et novatrice de Paris.

1839. Juillet-septembre : saison en Allemagne et en Autriche, fin septembre départ pour la Russie pour s'occuper de ses sœurs qui terminent leurs études à l'Institut patriotique.

1839-1840. Octobre-mai : séjour en Russie, principalement à Moscou chez Pogodine, fréquentation quotidienne de la famille Aksakov où il est l'objet d'un véritable culte malgré ses sautes d'humeur. Avril 1840, lecture chez Aksakov des chapitres IV, V et VI des *Âmes mortes* : ravissement général, tous déplorent que Gogol s'obstine à vouloir repartir pour Rome. Il part néanmoins le 18 mai, en promettant à ses amis moscovites de revenir « dans un an » avec la première partie des *Âmes mortes* achevée. Juin-août : séjour à Vienne, d'abord période d'alacrité, lettres très gaies, première rédaction du *Manteau*, révision de *Taras Boulba*. Mais en août il tombe gravement malade, profonde dépression nerveuse, il écrit son testament et « pour ne pas mourir parmi les Allemands » s'enfuit en Italie. Dès Trieste « je me sentis mieux : le voyage, mon unique remède, avait fait son effet » (lettre postérieure à Pogodine).

1840-1841. Automne-été : Venise, puis Rome où il se remet peu à peu au travail. Début 1841 : convalescence et sentiment d'une régénération intérieure. Il se remet aux *Âmes mortes* (révision complète de la première partie et préparation de la seconde) et au *Révizor* (quatrième rédaction). À partir de mars 1841, période d'exaltation créatrice et de foi de plus en plus exaltée en sa « mission » : « Une création étonnante s'accomplit dans mon âme... Ici se manifeste à l'évidence la sainte Volonté de Dieu : pareille inspiration ne vient pas de l'homme... J'ai absolument besoin de la route et du voyage : eux seuls me remettent sur pied... » Et il demande à ses amis de l'aider, d'emprunter pour lui. En juillet deuxième édition (profondément remaniée) du *Révizor*, en août la première partie des *Âmes mortes* est achevée. Il quitte Rome fin août, passe septembre en Allemagne.

1841. Octobre-décembre : retour en Russie, une semaine à Pétersbourg chez Pletniov, puis à Moscou chez Pogodine. 12 novembre : *Les Âmes mortes* sont soumises au comité de censure de Moscou, qui les interdit : le président Golokhvastov s'indigne d'abord du titre (« Jamais ! L'âme est immortelle ! »), puis, quand on lui explique qu'il s'agit d'« âmes » de recensement : « À plus forte raison ! C'est contre le servage ! » ; les censeurs plus jeunes sont aussi révoltés : « Deux roubles et demi l'âme ! On n'admettrait cela ni en France ni en Angleterre ! Aucun étranger ne voudra plus venir chez nous ! »... Gogol écœuré décide de s'adresser à la censure de Pétersbourg, confie son manuscrit à Biélinski rencontré à l'insu des slavophiles.

1842-1843. Janvier-avril : attente exaspérée du visa de la censure qui ne sera donné que le 9 mars (avec une trentaine de « corrections » et suppression de l'*Histoire du capitaine Kopéikine*), puis du manuscrit, qui circule à Pétersbourg et ne lui revient que

le 5 avril ; il le donne aussitôt à l'impression et
refait l'épisode Kopéikine pour le sauver. 21 mai :
sortie des presses des *Âmes mortes*. Déjeuner
d'adieu chez Aksakov, il promet la deuxième partie « dans deux ans ». 23 mai : départ de Moscou,
dix jours à Pétersbourg, puis départ pour l'Allemagne. Juillet-août : cure à Gastein. Juillet : *Le
Contemporain* publie *Le Portrait* entièrement refait,
véritable manifeste d'une conception apostolique
de l'art. 6-18 août : longue lettre à Aksakov où il
parle, avec le style et par moments le vocabulaire
slavon de l'homélie, de son projet de pèlerinage
en Terre Sainte : « … Un homme qui ne porte ni
capuce ni mitre, qui a fait rire et qui fait rire les
hommes, qui persiste encore à considérer comme
important de mettre en lumière les choses sans
importance et le vide de la vie, un tel homme,
n'est-ce pas, il est étrange qu'il entreprenne pareil
pèlerinage. Mais… comment savoir s'il n'y a pas,
peut-être, un lien secret entre d'une part mon
œuvre, entrée au monde au cliquetis de ses hochets
par un obscur petit portillon, et non par un vic-
torieux arc de triomphe au fracas de trompettes
et d'accords majestueux, et d'autre part ce lointain voyage que je projette ? Et comment savoir
s'il n'y a pas un profond et miraculeux lien entre
tout cela et toute ma vie, et l'avenir qui s'avance
invisible vers nous et que nul ne perçoit… Voilà ce
que vous dit l'homme qui fait rire les hommes. »
Septembre-mai : nouveau séjour à Rome. Il travaille peu aux *Âmes mortes*, mais revoit et refait
abondamment ses œuvres antérieures : celles-ci
sont publiées à Pétersbourg le 26 janvier 1843, par
les soins de Prokopovitch, en quatre volumes (*Âmes
mortes* non comprises) ; parmi les inédits : *Le Manteau, Taras Boulba* presque entièrement refait,
Hyménée, Les Joueurs, etc. « Cette œuvre est ce qui
constitue à la minute présente la fierté et l'honneur

des lettres russes », écrit Biélinski. Mais la critique en place redouble d'hostilité, et c'est elle que Gogol demande à ses amis de lui faire connaître : « Le blâme et les réprobations me sont extrêmement utiles. » Février-mars 1843 : il demande à ses amis moscovites (Aksakov, Pogodine et Chévyriov) de prendre ses affaires en charge pour trois ou quatre ans : lui fournir des ressources (6 000 roubles par an en deux fois) pour ses voyages (« ils me sont aussi indispensables que le pain quotidien »), assister sa mère et ses sœurs : « Si vous n'avez pas d'autre ressource, quêtez pour moi... Toutefois je ne dois coûter à personne la privation du nécessaire : je n'en ai pas encore le droit... » À partir de 1843 et pour trois ans : Gogol, errant à travers l'Europe, disparaît de la scène littéraire russe. On attend en vain la suite des *Âmes mortes* : « Mes œuvres sont si étroitement liées à ma propre formation spirituelle, et j'ai besoin de subir d'abord une si profonde rééducation intérieure, qu'il ne faut pas espérer prochaine la publication de nouveaux ouvrages de moi », écrit-il à Pletniov le 24 septembre/6 octobre 1843. Lectures et pratiques religieuses de plus en plus assidues, invasion du ton religieux et sermonneur dans ses lettres, invitant ses correspondants à se perfectionner comme il le fait lui-même. Mai-octobre : incessants déplacements à travers l'Italie, l'Autriche et l'Allemagne, où il retrouve occasionnellement Joukovski (à Francfort, plus tard à Ems) et Mme Smirnov (à Baden-Baden, où il fréquente l'aristocratie russe, notamment le comte Alexandre P. Tolstoï, plus tard procureur du Saint-Synode). Des *Âmes mortes* il évite ou refuse de parler. Début novembre : une lettre de Joukovski laisse supposer que Gogol reprend à zéro la seconde partie des *Âmes mortes*. Départ pour Nice.

1843-1844. Hiver : séjour à Nice chez la comtesse Vielgorski et ses deux filles : il a là un auditoire dévot qui va affermir sa vocation de directeur de conscience. Il y retrouve aussi Mme Smirnov, et entre eux va commencer une période d'entretiens pieux, puis une correspondance de confesseur à pénitente : à Moscou on fait courir le bruit (peu vraisemblable) d'une liaison amoureuse. Il n'écrit presque plus que ses lettres spirituelles, de plus en plus nombreuses. Janvier 1844 : il annonce à ses amis de Moscou, comme cadeau de nouvel an, « un remède contre les maux de l'âme » : ils s'attendent à la seconde partie des *Âmes mortes*... et reçoivent chacun une *Imitation de Jésus-Christ*, avec le mode d'emploi : « Lisez chaque jour un chapitre, pas davantage... de préférence après le thé ou le café, afin que l'appétit ne vous distraie pas... » Mars-décembre : constants déplacements en Allemagne, été à Ostende. « Je crains le mysticisme comme le feu, et je le vois poindre chez vous ; je crains que l'artiste n'en pâtisse », lui écrit Aksakov. Gogol répond qu'il n'a pas changé et qu'il n'est pas mystique, mais lui demande de lui envoyer des ouvrages d'édification religieuse, œuvres des Pères de l'Église, etc. Toutes ses lettres de cette époque (qu'il utilisera plus tard dans ses *Passages choisis d'une correspondance avec des amis*) ont le ton du prêche, et c'est alors le plus clair de son travail « littéraire ». Les *Âmes mortes* n'avancent pas : « Le sujet et l'œuvre sont tellement liés à ma formation intérieure que je ne suis pas capable d'écrire hors de ma propre présence et que je dois m'attendre : j'avance – l'œuvre avance aussi ; je m'arrête – elle cesse aussi d'aller » (Lettre à son ami le poète Yazykov). Décembre : de Francfort, il donne à ses amis de Pétersbourg (Pletniov et Prokopovitch) et de Moscou (Aksakov et Chèvyriov) mission d'employer le produit de la vente de ses *Œuvres* en faveur d'étudiants méritants, en secret et sous serment de ne révéler ni le nom du donateur ni ceux des bénéficiaires.

1845. Janvier-février : trois semaines à Paris comme invité du comte Alexandre P. Tolstoï (Hôtel Westminster, 9, rue de la Paix). Fréquentation quotidienne des offices à l'église russe, lecture d'ouvrages liturgiques et théologiques. Mars-juin : à Francfort chez Joukovski. Grave crise de dépression nerveuse, au point qu'il rédige le *Testament* qu'il placera en tête des *Passages choisis* (« Qu'on ne m'élève pas de monument... »). Inaction à peu près totale. 21 mars-2 avril : une lettre à Mme Smirnov annonce à la fois l'abandon, au moins momentané, des *Âmes mortes* (« Il est impossible de parler des choses saintes si l'on n'a pas commencé par sanctifier sa propre âme... ») et la préparation des *Passages choisis*. Été : publication à Paris des *Nouvelles russes par Nicolas Gogol*, traduites par Louis Viardot (et Tourguéniev). Critique élogieuse de Sainte-Beuve dans *La Revue des Deux Mondes*. Juin-septembre : consultations médicales et cures d'une ville allemande à l'autre, pratiques religieuses, lectures édifiantes, description de ses maux dans ses lettres. Juillet : à l'insu de tous (il ne le révélera que dans les *Passages choisis*) il jette au feu « le travail de cinq ans », c'est-à-dire la seconde partie des *Âmes mortes*. Automne-hiver : nouveau départ pour Rome en octobre, convalescence et reprise d'activité (« Rome m'a toujours vivifié et exalté », écrit-il à Mme Smirnov), mise en chantier (toujours très secrète) des *Passages choisis*. Il élude toute allusion aux *Âmes mortes*. Au nouvel an, invocation dans son carnet : « Seigneur, bénissez-moi à l'aube de cette année nouvelle, faites que je la consacre tout entière à Votre service et au salut des âmes... Que le Saint-Esprit détruise mes impuretés... »

1846. Exaltation grandissante et nouvelle frénésie de voyages. Mars : il annonce à Joukovski son intention de visiter pendant l'été toute l'Allemagne, l'Angleterre et la Hollande, en automne l'Italie, en hiver la Grèce et l'Orient : « Au milieu de mes crises les plus douloureuses, Dieu m'a récompensé d'instants célestes... J'ai même réussi à écrire quelque chose des *Âmes mortes*... Je m'arrangerai pour écrire en route, car on commence à avoir besoin de mon travail ; le moment approche où la publication de mon Poème sera d'une nécessité essentielle... » En fait, il ne travaille guère qu'aux *Passages choisis*, qu'il envoie par cahiers successifs à Pletniov pour les faire imprimer, en lui demandant le secret absolu (sauf, nécessairement, pour le censeur). Accessoirement, mais toujours dans le sens de son apostolat, il écrit une Préface pour une réédition de la première partie des *Âmes mortes* et un *Dénouement du Révizor*. Juillet-octobre : le « scandale Gogol » éclate dans les milieux littéraires en Russie. Alors qu'on attend toujours la suite des *Âmes mortes*, sa rentrée dans les lettres après trois ans et demi de silence est un article *Sur l'Odyssée traduite par Joukovski*, apologie des mœurs patriarcales et diatribe contre les idées nouvelles. De plus, Pletniov et le censeur n'ont pas gardé le secret sur les *Passages choisis* et leur tendance piétiste et bien-pensante. Octobre : paraît la deuxième édition des *Âmes mortes* (première partie), avec l'appel *Au lecteur de cet ouvrage* où il invite toute la Russie à collaborer à son œuvre. Enfin ses amis des deux capitales sont informés par lui qu'il médite une nouvelle représentation du *Révizor*, augmentée d'un *Dénouement* « que le spectateur ne s'est pas avisé d'imaginer lui-même » (et qui tend à donner à la pièce un sens allégorique et mystique : Khlestakov avatar du Diable), et une quatrième édition de la comédie « au bénéfice des pauvres », précédée d'un *Avertissement* associant nommément tous ses amis – aristocratie pétersbourgeoise et slavophiles moscovites –, comme

collecteurs et répartiteurs, à son entreprise de bien-
faisance. Consternation de tous ses admirateurs
d'autrefois, exultation ironique de tous ses ennemis
littéraires. Lui cependant, à Rome en novembre,
à Naples en décembre, convaincu de commencer
une nouvelle carrière, prend dans ses lettres un ton
de plus en plus sûr de lui et du succès à mesure
qu'approche la publication des *Passages choisis*.
Pourtant, aux premiers échos du scandale, il se
ravise au moins pour *Le Révizor* et en fait arrêter
la représentation et l'impression. 31 décembre :
les *Passages choisis d'une correspondance avec des
amis* paraissent à Pétersbourg ; les interventions de
la censure en ont fortement aggravé la tendance
réactionnaire et obscurantiste. Rebondissement du
scandale : d'anciens détracteurs saluent le retour
de Gogol à « de saines idées », d'anciens admirateurs le baptisent Tartuffe Vassiliévitch.

1847. Sa confiance cède de plus en plus au doute, notamment après une lettre sévère reçue en février d'Aksakov : « Pensant servir le Ciel et l'humanité, vous
offensez Dieu et l'homme… Ils auront à répondre
devant Dieu, ceux qui vous ont encouragé à vous
prendre aux pièges de votre propre esprit, de l'orgueil diabolique que vous prenez pour de l'humilité
chrétienne. » 22 février : il écrit de Naples à Joukovski : « L'apparition de mon livre a fait le bruit
d'une espèce de gifle : gifle au public, gifle à mes
amis, et gifle encore plus forte à moi-même. Je
me suis retrouvé comme après un rêve, sentant,
tel un écolier fautif, que j'avais fait plus de bêtises
que je ne l'avais voulu… » Il persiste pourtant à
croire à l'utilité des *Passages choisis*, et surtout des
critiques qu'ils déchaînent : « Tous les renseigne-
ments que j'ai acquis au prix d'un labeur incroyable
sont encore insuffisants pour que *Les Âmes mortes*
soient ce qu'elles doivent être », écrit-il au frère de
Mme Smirnov en avril ; « voilà pourquoi je suis

si avide de savoir ce que les gens disent de mon livre, parce que dans les jugements qu'ils portent, c'est le juge lui-même qui révèle ce qu'il est. » Il mendie de toutes parts les critiques, surtout les plus sévères, et écrit pour se justifier sa *Confession d'un auteur* (non publiée de son vivant). À partir de juin : nouvelle frénésie de déplacements (Allemagne, Belgique, Côte d'Azur, Italie) à la recherche de l'équilibre nerveux. Juillet-août : pathétique échange de lettres avec Aksakov (« Le livre m'a couvert de honte, dites-vous ; il est vrai, mais je bénis Dieu pour cette honte ; sans elle je n'aurais pas vu ma malpropreté, mon aveuglement... et je n'aurais pas trouvé l'éclaircissement de bien des choses qu'il m'est indispensable de connaître pour mes *Âmes mortes*... »), et avec Biélinski, qui lui écrit de Salzbrünn une lettre très dure, et assez sectaire, où il lui fait honte de ses hymnes à l'Église orthodoxe, à l'autocratie et à l'obscurantisme, et va jusqu'à lui attribuer de bas mobiles d'intérêts : « Les hymnes aux puissances du jour arrangent fort bien la position terrestre du pieux auteur... » Le père Matthieu Konstantinovski, prêtre zélé jusqu'au fanatisme, à qui il a envoyé les *Passages choisis* sur le conseil du comte A. P. Tolstoï, lui a écrit qu'« il aura à répondre de son livre devant Dieu ». Redoublement de pratiques pieuses, préparatifs de départ pour la Terre Sainte.

1848. Fin janvier : départ pour l'Orient : Constantinople, Smyrne, Rhodes, Beyrouth, Jérusalem. Peu de traces dans sa correspondance, sinon expression de sa déception : « J'ai eu le bonheur de communier aux Saintes Espèces placées sur le Saint Sépulcre même comme autel – et je ne suis pas devenu meilleur... À Nazareth, surpris par la pluie, j'ai passé deux jours oubliant que j'étais à Nazareth, exactement comme si ç'avait été un relais de poste en Russie », écrira-t-il en 1850 à Joukovski.

En mai retour en Russie, à Vassilievka d'abord,
puis visites à Kiev en juin, à Moscou en septembre,
à Pétersbourg en octobre (chez les Vielgorski), de
nouveau à Moscou (chez Pogodine) de mi-octobre
à décembre. Vers la fin de l'année il s'est remis
aux *Âmes mortes* : « Avant de reprendre sérieusement la plume je veux m'emplir les oreilles de
sons et de paroles russes », écrit-il à Pletniov en
novembre. Vers cette époque il confie à Alexandre
Boukharev (en religion le moine Théodore) son
intention de terminer le « Poème » par la conversion de Tchitchikov à une vie de vertu : ç'aurait été
la troisième partie du roman.

1849. Il est hébergé à Moscou chez le comte Alexandre P.
Tolstoï : ambiance « de popes [notamment le père
Matthieu], de moines, de bigoterie, de supersti-
tion et de mysticisme », juge Aksakov ; mais Gogol
est désormais libéré de tous soucis matériels, ses
droits d'auteur gérés par ses amis servant uniquement à assister sa mère et à alimenter son fonds
d'aide aux étudiants. Été : visites à ses amis à la
campagne : chez les Smirnov à Biéguitchèvo, chez
les Aksakov à Abramtsèvo : à leur surprise enthousiaste, il y donne lecture du premier chapitre de la
deuxième partie des *Âmes mortes*, mais refuse de
lire les chapitres suivants déjà rédigés.

1850-1851. Janvier-juin : de nouveau à Moscou chez le
comte A. P. Tolstoï. « *Les Âmes mortes* ne sont pas
près de leur fin, tout n'est encore qu'en brouillons
sauf deux ou trois chapitres », écrit-il à Pletniov
en janvier ; pourtant, au même moment, il lit
chez Aksakov deux chapitres (le premier entièrement refait et le deuxième) : « Maintenant je suis
convaincu que Gogol est capable d'accomplir la
tâche dont il semblait parler avec tant d'outrecui-
dance dans la première partie », écrit Aksakov à
son fils. Mai : lecture du chapitre III chez Aksakov
de nouveau enthousiasmé. C'est vers cette époque

que Gogol semble (d'après un brouillon de lettre dans ses papiers) avoir demandé à la comtesse Vielgorski, sa grande admiratrice depuis 1836, la main de sa fille Anne devenue depuis deux ans sa disciple et confidente, et avoir essuyé un refus : en tout cas ses relations cessent avec les Vielgorski. Juin-octobre : voyage au célèbre ermitage d'Optina, où il admire la bienfaisante influence des moines jusque sur les paysans de la région, puis vacances à Vassilievka : travail littéraire le matin, puis dessin, jardinage, botanique. 20 août : lettre à Mme Smirnov : « Si Dieu me donne l'inspiration, la deuxième partie [des *Âmes mortes*] sera terminée cet hiver. » Fin octobre-mars : long séjour à Odessa, chez son lointain parent A. Trochtchinski. Nouvelle période de lectures et pratiques pieuses (« il prie comme un moujik », disent les domestiques du prince Repnine chez qui il fréquente quotidiennement), crises d'abattement et de somnolence. *Les Âmes mortes* avancent lentement. Printemps-été : Mai à Vassilievka, puis retour à Moscou chez le comte A. P. Tolstoï. Travail plus alerte. 24 juin : lecture chez Aksakov du chapitre IV. De juillet à septembre : nombreuses visites à ses amis à la campagne. 15 juillet : lettre à Pletniov parlant de la préparation du deuxième tome des *Âmes mortes*, et aussi de la réédition de ses *Œuvres* (il le prie de sacrifier son propre exemplaire pour obtenir le visa de la censure : l'édition de 1842 est introuvable, vendue au marché noir, et on fait courir le bruit que la réédition est interdite). Fin juillet : il lit à Chèvyriov sept chapitres achevés des *Âmes mortes*, puis lui demande de n'en parler à personne, même par allusions. Septembre : un ami de passage lui fait lire ce que Herzen, à Londres, a écrit à son sujet dans sa brochure (interdite en Russie) *Sur le développement des idées révolutionnaires en Russie* ; Gogol est très ému du rôle de pamphlétaire qui lui est

attribué, mais encore plus de l'accusation d'avoir
« trahi » les idées qu'il incarnait dans ses œuvres.
Nouvelle crise morale et nerveuse : le 22, parti de
Moscou pour se rendre à Vassilievka au mariage de
sa sœur, dans un brusque accès de mélancolie, il
rebrousse chemin à Kalouga, va demander conseil
au père Macaire à l'ermitage d'Optina où il passe
quatre jours en hésitations, puis rentre à Moscou,
avec un bref arrêt à Abramtsèvo chez les Aksakov : « Comme il a l'esprit douloureux et les nerfs à
vif ! » note la fille d'Aksakov. Automne-hiver : lutte
contre le temps pour achever *Les Âmes mortes* et
rééditer ses *Œuvres* : « Le temps ne suffit à rien,
absolument comme si le Malin le volait », écrit-il
à Aksakov. 10 octobre : Pletniov lui obtient le visa
de la censure pour une réédition de ses *Œuvres* en
quatre volumes sans changements : mais Gogol
aurait voulu un cinquième volume avec les *Passages choisis* « complètement revus et nettoyés »...
20 octobre : Ivan Tourguéniev va le voir chez le
comte A. P. Tolstoï : « J'allais le voir comme on va
voir un homme extraordinaire, génial, un peu tim-
bré : c'est ainsi que le jugeait alors tout Moscou...
J'avais seulement le désir de voir cet homme dont
je connaissais l'œuvre autant dire par cœur : il est
difficile de faire comprendre la résonance magique
qu'avait alors son nom... » Il le trouve très affecté
de la diatribe de Herzen.

1852. Janvier : au nouvel an, il confie au frère de
Mme Smirnov que onze chapitres de la deuxième
partie des *Âmes mortes* sont terminés. Mais à Aksakov le 9 janvier : « Le temps passe si vite qu'on
n'arrive à rien. » À la mi-janvier, la femme de son
ami le slavophile Khomiakov, sœur de Yazykov,
mère de sept enfants dont un est filleul de Gogol,
tombe malade, et meurt en quelques jours (le
26 janvier). Profondément affecté, Gogol parle
pendant des jours de cette mort, se désintéresse de

son travail, prie et jeûne. Pourtant, le 31, il corrige
encore des épreuves avec Chèvyriov. 4-10 février :
c'est le Carême. Gogol multiplie les exercices pieux,
jeûnes, prières, offices de jour et de nuit à sa
paroisse et à l'oratoire privé du comte A. P. Tolstoï.
5 février : le père Matthieu vient le voir, lit la
deuxième partie des *Âmes mortes* et en critique rudement certains passages ; il niera avoir dit à Gogol
de tout détruire, mais Gogol s'écrie : « Assez ! Je
n'en peux plus ! » quand il évoque le Jugement Dernier. 7 février : après avoir communié, Gogol se fait
transporter à l'Hôpital de la Transfiguration où est
soigné le « fol en Christ » Ivan Koriéïcha, comme
pour lui demander son conseil de « voyant » ; il piétine un moment devant la porte dans la neige,
hésite, puis repart. Nuit du 8 au 9 février : il se
réveille soudain, fait venir un prêtre et lui demande
les derniers sacrements : « Il s'est vu mort, il a
entendu une voix l'appeler... » 9 février : dernière
visite à quelques amis, dont Khomiakov. Nuit du
11 au 12 février : après un office du soir et une
longue prière dans sa chambre, à 3 heures du
matin, avec son jeune domestique ukrainien
comme seul témoin, Gogol jette au feu tout ce
qu'il a déjà écrit pour la deuxième partie des
Âmes mortes, se signe, va se coucher et pleure.
Le jour qui suit, il est si faible qu'on lui fait garder la chambre, dans un fauteuil, et qu'on
appelle, malgré lui, les médecins. 13 au
20 février : longue agonie, selon toute apparence
volontaire : refus de toute conversation, de toute
nourriture, de tous soins médicaux même quand
Chèvyriov le supplie à genoux, même quand les
prêtres lui conseillent de les accepter. Le 18, il
reçoit en larmes les derniers sacrements et quitte
son fauteuil pour le lit, et à partir du 19 les médecins les plus cotés, appelés par le comte Tolstoï,
le « soignent » malgré ses plaintes (sangsues,

moxas, glace sur la tête, sinapismes, bains froids et jusqu'aux passes magnétiques…). Le 20, il délire. Jeudi 21 février : Gogol meurt à 8 heures du matin. 22-24 février : obsèques à l'église de l'Université de Moscou. Levée du corps par quelques hommes de lettres, puis par les étudiants, pendant deux jours défilé devant le cercueil. Le 24, translation, par les étudiants, au monastère Saint-Daniel, au milieu d'une foule considérable. (Le tombeau sera transféré en 1931 au monastère dit des Nouvelles-Vierges.) Mars : les autorités impériales ont arrêté la réimpression des *Œuvres* (elles ne seront rééditées qu'en 1855, après la mort de Nicolas Iᵉʳ), et le nom même de Gogol est pratiquement interdit à la presse. Ivan Tourguéniev, pour un article ému publié par les *Nouvelles de Moscou*, est arrêté le 16 avril, gardé à vue un mois puis exilé dans ses terres.

GUSTAVE AUCOUTURIER

NOTES

Les notes sont celles de chacun des traducteurs, les notes
d'Henri Mongault marquées (M.) ayant été complétées.

LA PERSPECTIVE NEVSKI

Page 47.

1. *La Perspective Nevski* (traduction consacrée
par l'usage pour « Avenue de la Néva ») est la grande
artère centrale de l'ancienne capitale impériale *Saint-
Pétersbourg*, devenue en 1914 *Petrograd* et depuis la révolution *Leningrad*.

Page 48.

1. *Côté Pétersbourg* (aujourd'hui « Côté Petrograd »,
seul vestige de l'ancien nom de la ville) et *Côté Vyborg*
(du nom d'une autre grande ville située à la frontière
finlandaise) : deux faubourgs du nord, qui se font face
de part et d'autre d'un bras du delta de la Néva.

2. *Les Sablons (Pieski)* et la *Barrière de Moscou* sont
deux autres quartiers excentriques, l'un à l'est et l'autre
au sud.

Page 49.

1. *Le canal Catherine* (aujourd'hui *canal Griboïedov*) est un bras du delta de la Néva qui traverse le centre de la ville.

Page 55.

1. *Le factionnaire* : agent de police qui surveillait les rues la nuit, en faction dans une guérite, une hallebarde à la main.

Page 84.

1. *Boulgarine. Pouchkine et Gretch* : Gogol s'amuse, pour caractériser la « culture » de son héros, à encadrer le nom d'Alexandre Pouchkine (1799-1837), le plus grand poète russe, de ceux de ses ennemis littéraires, Boulgarine et Gretch, directeurs du journal populaire et quasi officiel *L'Abeille du Nord* et (le premier au moins) indicateurs notoires de la police secrète du tsar Nicolas Ier.

2. *Alexandre Anfimiévitch Orlov* : auteur de romans populaires à tendance moralisatrice.

3. *Filatka et ses enfants* : comédie de mœurs populaires de P. G. Grigoriev qui avait alors un succès de « grand public ».

Page 85.

1. *Parenté barbue* : la barbe était en général (depuis Pierre le Grand) l'attribut des moujiks ou de la classe marchande.

2. *Dimitri Donskoï* (nom du grand-prince qui remporta en 1380 la victoire du « Champ des Bécasses », prélude à la libération de la Russie du joug mongol) est une tragédie de Nestor Koukolnik qui eut en son temps un très grand succès. *Le Malheur d'avoir de l'esprit* est la comédie restée classique (et dont le sujet a quelque analogie avec celui du *Misanthrope*) d'Alexandre Griboïedov, un des créateurs du théâtre réaliste russe avant Gogol.

Page 97.

1. La censure, en 1833, interdit cette description du

châtiment d'un officier russe par des Allemands : Gogol dut la remplacer (à partir de « parmi tous les Germains de Pétersbourg ») par ces mots : *et ils le traitèrent si grossièrement et impoliment que j'avoue ne pas trouver de mots pour décrire ce douloureux événement.*

LE PORTRAIT

Page 103.

1. Voir p. 251, n. 1.

2. La reine (et non princesse) *Milikitrisse* est un personnage du conte populaire *Bova Korolévitch*, dérivé, par l'entremise de l'italien et du serbe, d'une chanson de geste française, *Beuves de Hanstone*. Milikitrisse (déformation du nom commun italien *meretrice*, courtisane), mère de Bova, y incarne la ruse, l'astuce féminine (M.).

Page 104.

1. Okhta est un faubourg de Pétersbourg, sur un petit affluent de la Néva.

Page 105.

1. Héros d'un autre conte populaire, emprunté à la Perse, le *Roustem* des légendes orientales. Les sujets mentionnés ensuite sont empruntés à des contes moraux ou satiriques importés de l'Occident (M.).

Page 109.

1. À l'extrême ouest de Pétersbourg. Elle est percée de rues parallèles ou *Lignes*, désignées par des numéros (M.).

Page 111.

1. Allusion à un peintre anglais, George Dow, venu à Pétersbourg en 1819, auteur de quelque quatre cents por-

traits de héros de 1812, véritable entreprise à la chaîne qui l'enrichit.

Page 128.

1. Gogol pense très probablement à *L'Abeille du Nord*, dirigée par son ennemi littéraire Th. Boulgarine.

Page 131.

1. Les mots en italique sont en français ou en italien dans le texte russe.

Page 132.

1. *Nol* signifie en russe : *zéro*.

Page 144.

1. *Ce peintre,* c'est *Alexandre Ivanov,* inséparable ami de Gogol à Rome en 1838-1839 et septembre 1840-août 1841.

Page 150.

1. Allusion à une courte poésie de Pouchkine, *Le Démon* (1823), devenue classique.

Page 153.

1. Réminiscence d'un vers du *Malheur d'avoir de l'esprit,* de Griboïèdov.

Page 156.

1. Faubourg ouest de Pétersbourg, entre la Moïka et la Fontanka, dont le charme endormi avait été déjà chanté sur le mode léger par Pouchkine (M.).

LE JOURNAL D'UN FOU

Page 184.

1. Régence de la province : principal organe exécutif et judiciaire de la province, en dessous du gouverneur,

assisté par une chambre des finances et par une chambre civile (pour la justice). Ce sont encore les institutions de Catherine II qui, en 1775, a divisé la Russie en cinquante provinces.

Page 185.

1. C'est-à-dire vêtus à la russe : de caftans, de touloupes et chaussés de bottes. Ceux qui avaient adopté les vêtements européens étaient vêtus « à l'allemande ».

Page 187.

1. La censure biffa cette phrase. Le texte du manuscrit a été rétabli dans l'édition Tikhonravov.

2. On donnait aux maisons le nom de leur propriétaire. Gogol a habité lui-même la maison Zverkov sur le canal Catherine, au coin de la rue des Menuisiers. C'était, paraît-il, la plus haute de Pétersbourg, avec ses quatre étages. Pont Kokouchkine, canal Catherine... c'est aussi le quartier de Raskolnikov dans *Crime et Châtiment*.

Page 188.

1. *L'Abeille du Nord* : journal politique et littéraire fondé en 1825, devenu quotidien à partir de 1831. Les articles de fond y manquaient, mais on y trouvait beaucoup de détails sur la vie de province : incendies, bals, faits curieux, etc.

2. Allusion aux troubles consécutifs à la révolution de 1830.

Page 190.

1. En réalité, c'est un obscur poète du XVIIe siècle, N. P. Nikolev.

Page 191.

1. Conseiller aulique : fonctionnaire de la 7e classe dont le titre correspond au grade de lieutenant-colonel.

2. *Routch* : tailleur pétersbourgeois à la mode.

Page 192.

1. Voir p. 84, n. 3.

2. Enregistreur de collège : le rang le plus bas du service civil équivalant à un grade d'officier : 14ᵉ classe.

Page 195.

1. Distraction de Gogol : quelques pages plus haut, il est question du quatrième étage.

Page 199.

1. Tout ce passage sur les décorations fut censuré.

Page 202.

1. Titre de cour, honorifique (5ᵉ classe) en dessous de celui de chambellan.

Page 205.

1. Conseiller titulaire : fonctionnaire de la 9ᵉ classe dont le grade équivalait à celui de capitaine.

2. Le ruban en écharpe indique qu'il s'agit d'une décoration de premier rang, décernée aux hauts dignitaires ou même aux chefs d'État.

Page 206.

1. La guerre entre carlistes et libéraux après la mort de Ferdinand VII (1833).

Page 207.

1. Grands tas de neige en monticules naturels qui, aplanis et arrosés d'eau en hiver, servent de pistes pour les promenades en traîneaux.

Page 210.

1. Toute cette phrase sur les « *pères de famille gradés* » fut biffée par la censure

Page 211.

1. Il s'agit de l'uniforme des fonctionnaires, qui était de couleur verte.

Page 213.

1. Les chemins de fer n'existaient pas encore en Russie. Le premier train russe fut celui de Tsarskoïe Sélo, inauguré en 1838. Il joignait Saint-Pétersbourg à Pavlovsk, ce qui ne faisait guère plus d'une trentaine de kilomètres.

Page 218.

1. Le premier brouillon attribuait cette disgrâce au roi de France...

LE NEZ

Page 221.

1. Dans la version publiée en 1836 par *Le Contemporain*, la date était : *25 avril* (et par suite, celle de la fin, p. 336, *le 5 ou 6 mai* au lieu du 7 avril). Le 25 mars, date finalement retenue par Gogol, est celle de l'*Annonciation*, célébrée avec un particulier éclat par l'Église orthodoxe. C'est notamment sur le choix de cette date que Paul Evdokimov (*Gogol et Dostoïevski ou la Descente aux Enfers*, Paris, 1961) fonde son interprétation apocalyptique du *Nez* : le Nez – comme Khlestakov, comme Tchitchikov – c'est l'Antéchrist...

2. Le café était à Pétersbourg d'un usage aussi courant que le thé dans le reste de la Russie. Usage apporté de Hollande par Pierre le Grand, et que Gogol goûtait fort quant à lui.

Page 223.

1. Il s'agit d'une bouteroue creuse en bois.

Page 226.

1. Gogol avait écrit : *l'ober-polizeimeister*, la censure supprima *ober* (M.).

Page 227.

1. Grade militaire équivalant au grade civil (le 8ᵉ de la *table des rangs*) de Kovaliov. L'expression « assesseur de collège caucasien » fut longtemps proverbiale après la nouvelle de Gogol (M.).

2. *À condition qu'ils ne soient point étrangers*, avait d'abord écrit Gogol (M.).

3. *... diverses fonctions policières...* portait le manuscrit : la censure biffa l'épithète (M.).

Page 229.

1. *Le Bazar (Gostinyi Dvor)* : immense édifice du XVIIIᵉ siècle où chaque genre de négoce avait sa galerie, était situé au centre de la ville, avec une façade sur la Perspective Nevski (M.).

Page 230.

1. C'est dans la cathédrale de Notre-Dame de Kazan que Gogol avait à l'origine placé cette scène ; puis, prévoyant l'émoi de la censure, il proposa à Pogodine, en offrant en 1835 sa nouvelle pour *L'Observateur moscovite* (où elle fut d'ailleurs refusée), de faire entrer le Nez « dans une église catholique ». La présence de mendiantes sur le parvis était évidemment plus plausible alors qu'à l'entrée du Bazar. Mais *Le Contemporain*, en 1836, dut passer par cette exigence de la censure.

Page 245.

1. Gogol avait donné à cet épisode la conclusion suivante, que biffa la censure : *Kovaliov devina de quoi il retournait : avisant un billet de dix roubles qui traînait sur son bureau, il le fourra dans la main de l'exempt. Le digne homme lui tira incontinent sa révérence. À peine était-il dehors que Kovaliov l'entendait morigéner de la voix et du poing un lourdaud de moujik qui avait eu le front d'engager sa charrette sur le boulevard* (M.).

Page 249.

1. Petite inadvertance de Gogol : la dame se nommait précédemment Pélagie.

Page 251.

1. *Khozrev-Mirza* : grand amiral de l'Empire ottoman sous le sultan Mahmoud (plus tard grand vizir), vint à Pétersbourg en 1829 en ambassade extraordinaire à la suite de l'assassinat de Griboïèdov à Téhéran ; il fut logé au palais de Tauride.

Page 252.

1. À partir d'ici commence le texte de la version définitive, la troisième, celle qui fut publiée dans les *Œuvres* réunies en 1843. La version primitive, celle du manuscrit que Gogol proposa à *L'Observateur moscovite* en 1835, se terminait ainsi :

Tous ces bruits, le pauvre assesseur de collège en eut connaissance sans savoir lui-même comment, ne sortant presque jamais de sa chambre... Il ne laissait entrer personne, il ne se montrait nulle part, pas même au théâtre, quelque vaudeville qu'on y donnât ; il ne jouait pas même au boston, il ne voyait pas même son grand ami Yarychkine, et en un mois il maigrit et sécha au point de ressembler plutôt à un cadavre qu'à un homme, et même...

Au reste, tout ce qui vient d'être conté, le major l'avait vu en rêve. Et quand il s'éveilla, il fut pris d'une telle joie qu'il sauta du lit, courut à son miroir et, voyant tout en place, se prit à danser en chemise, à travers sa chambre, une danse qui tenait à la fois du quadrille et de la mazurka. Et quand son laquais Ivan glissa la tête à la porte pour voir ce que faisait son maître, il lui cria : « Va-t'en ! Qu'est-ce que tu trouves ici d'étonnant ? » Au bout d'une minute, il s'habilla, s'assit sur son lit et cria : « Eh, Ivan ! — Que désire monsieur ? — Dis-moi, est-ce qu'il n'y a pas eu une petite demoiselle qui est venue demander le major Kovaliov, une jolie petite demoiselle ? — Non, monsieur. — Hum ! » fit le major Kovaliov, et il revint tout souriant à son miroir.

La deuxième rédaction, celle que publia *Le Contempo-rain* en 1836, était la suivante :

Après cela, étrangement et de façon parfaitement inexpli-cable, il arriva que le nez du major Kovaliov réapparut à sa place. Cela se passa au début de mai, le 5 ou le 6, je ne me rappelle plus. Le major Kovaliov, se réveillant le matin, prit un miroir et vit que le nez était là où il convient, entre les deux joues. De surprise il laissa tomber le miroir, et il ne se lassait pas de tâter des doigts que c'était vraiment bien là un nez. Mais quand il fut bien convaincu que c'était effectivement lui et rien d'autre, il sauta du lit en chemise et se mit à danser à travers la chambre une danse combinée de mazurka, de quadrille et de trépak. Puis il se fit donner ses vêtements, se lava, rasa sa barbe qui avait commencé à pousser au point qu'elle aurait pu tenir lieu de brosse à habits, et quelques minutes plus tard on voyait déjà l'asses-seur de collège sur la Perspective Nevski, jetant sur tout le monde d'allègres regards ; nombreux furent même ceux qui le virent faisant au Bazar l'emplette d'un étroit ruban de décoration, on ne sait pour quel motif, car il n'en avait aucune.

Histoire extraordinairement étrange ! Je n'y puis absolu-ment rien comprendre. Et pourquoi tout cela ? À quoi cela rime-t-il ? Je suis sûr que plus de la moitié de l'histoire est invraisemblable. Il ne peut se faire, il ne peut d'aucune manière se faire qu'un nez, de lui-même, aille circuler en uniforme, et qui plus est avec le grade de conseiller d'État ! Et puis, Kovaliov ne pouvait-il pas s'aviser qu'on ne réclame pas un nez par voie d'annonce dans la presse ? Je ne veux pas dire par là que je trouve le procédé coûteux : c'est une bagatelle, et je ne suis pas de ceux qui regardent à la dépense ; mais c'est inconvenant, nettement inconve-nant, cela ne se fait pas. Incohérence et rien de plus ! Et puis, ce barbier Ivan Yakovlévitch qui apparaît tout d'un coup et disparaît, on ne sait pourquoi et à quelle fin ! Je vous l'avoue, je n'arrive pas à comprendre comment j'ai pu écrire cela ! Même pour moi, cela dépasse l'entendement que des auteurs puissent prendre des sujets pareils ! À quoi cela mène-t-il ? Quel but cela a-t-il ? Que veut démontrer ce récit ? Je ne comprends pas, je ne comprends absolument pas. Admettons, la fantaisie ne connaît pas de loi, et puis aussi il se passe effectivement dans le monde bien des événements parfaitement inexplicables. Mais ici... Que vient faire le nez de Kovaliov ?... Et que vient faire Kovaliov lui-même ?... Non, je ne comprends pas, je ne comprends absolument pas. C'est pour moi tellement inexplicable que je... Non, impossible de comprendre !

Page 255.

1. *De la main gauche* : par amour, porte, en français russisé, le texte russe.

LE MANTEAU

Page 261.

1. Gogol a toujours eu une prédilection pour les prénoms rares. Tous les saints cités ici figurent d'ailleurs au *Dictionnaire d'Hagiographie* de Dom Baudot (M.).

Page 268.

1. Jusqu'alors, on l'appelait par son prénom, que Gogol n'indique d'ailleurs pas ; il porte maintenant son nom patronymique, ce qui implique un certain respect affectueux ou condescendant ; mais il n'a pas encore droit à la double appellation (M.).

2. Les femmes du peuple portaient le fichu, les petites-bourgeoises le bonnet (M.).

Page 297.

1. Le manuscrit portait : *... sur les tsars et ceux qui dirigent le monde*. On ignore si c'est la censure qui est intervenue.

NOUVELLES
DE PÉTERSBOURG

DOSSIER

DU MÊME AUTEUR

Dans la même collection

LES ÂMES MORTES. *Préface de Vladimir Pozner. Traduction d'Henri Mongault.*

LES SOIRÉES DU HAMEAU. *Préface et traduction de Michel Aucouturier.*

TARAS BOULBA. *Préface et traduction de Michel Aucouturier.*

LES NOUVELLES DE PÉTERSBOURG : LE JOURNAL D'UN FOU. LA PERSPECTIVE NEVSKI. LE PORTRAIT. LE NEZ. LE MANTEAU. *Préface de Georges Nivat. Traductions de Gustave Aucouturier, Sylvie Luneau et Henri Mongault.*

Dans la collection Folio théâtre

LE RÉVIZOR. *Préface de Michel Aucouturier. Traduction d'André Barsacq. Notes de Gustave et Michel Aucouturier.*

COLLECTION FOLIO

Dernières parutions

Impression Novoprint
à Barcelone, le 20 juin 2017
Dépôt légal: juin 2017
Premier dépôt légal dans la collection : juillet 1998

ISBN 978-2-07-040622-7. /Imprimé en Espagne.

319208